Un pâtissier à croquer

Louisa EDWARDS

Un pâtissier à croquer

Traduit de l'anglais (États-Unis)
par Romane Brun

POUR elle

Vous souhaitez être informé en avant-première
de nos programmes, nos coups de cœur ou encore
de l'actualité de notre site *J'ai lu pour elle* ?

Abonnez-vous à notre *Newsletter* en vous connectant
sur **www.jailu.com**

Retrouvez-nous également sur Facebook pour avoir
des informations exclusives :
www.facebook/jailu.pourelle

Titre original
SOME LIKE IT HOT

Éditeur original
St. Martin's Paperbacks, published by St. Martin's Press, New York

© Louisa Edwards, 2011

Pour la traduction française
© Éditions J'ai lu, 2013

Pour Deirdre Knight,
agent au flair redoutable,
amie inégalable et
grande sœur honorifique hors pair.
Je serais perdue sans toi !

Remerciements

D'abord, un grand merci à Deirdre et à mon éditrice, Rose, qui est aussi fan d'Eva Jansen que moi. Vous me permettez de raconter les histoires qui me plaisent et de faire évoluer mes personnages avec une telle liberté que l'écriture est devenue un plaisir plus qu'un métier. Merci !

Mes meilleures amies Roxanne St. Claire et Kristen Painter, vous aussi, vous vous y entendez pour transformer le travail en divertissement ! Comment les autres auteurs parviennent à boucler leurs premiers jets sans votre complicité, ça me dépasse.

Le premier jet d'*Un pâtissier à croquer* serait resté à jamais à l'état de brouillon contrefait sans les talents de relecteur de Kate Pearce, de Bria Quinlan, et surtout de Nic Montreuil. Kate, merci de ne jamais mâcher tes mots. Bria, merci pour ta rapidité et ton *input* inestimables ! Quant à toi, Nic, chouchou, il me semble parfois que tu connais mes personnages mieux que moi. Merci de m'avoir aidé à leur rester fidèle. Winslow t'en est particulièrement reconnaissant !

Merci aux demoiselles Peener – vous vous reconnaîtrez, coquines ! – pour vos conseils précieux, vos coups de gueule et vos blagues salaces.

9

Merci à tous les lecteurs et critiques qui m'ont dit, après *Toqué de toi* : « On veut plus de Danny ! Et de Beck... Oh, oui, Beck !! » Voilà la suite.

Enfin, je n'achève jamais un roman sans remercier mes parents. Merci pour tout ce que vous avez fait et continuez de faire pour moi. Merci de me mitonner de bons petits plats, de me rapporter des légumes bio du marché, de promener les chiens et de me conseiller de super restos mexicains, de m'arracher à mon bureau pour que j'aille piquer une tête dans la piscine de temps en temps... Comment ai-je fait pour vivre si loin de vous aussi longtemps ?

Enfin, *last but not least*, merci à toi, Nick, mon sublime mari. Ton soutien et tes encouragements valent de l'or. Après plus de dix ans passés ensemble, tu arrives encore à me faire rire aux larmes. Dans ces conditions, comment ne pas croire au grand amour ?

1

C'était donc ça qu'on ressentait quand on quittait la maison.

Tout à sa rêverie, Danny faillit se faire écraser les pieds par la grosse valise que traînait une passagère tête en l'air.

L'aéroport de La Guardia était plein à craquer. Sur chaque banc de la salle d'attente, au moins deux personnes somnolaient en attendant un avion retardé ; le chaos et la confusion régnaient dans tout le terminal. On annonçait des numéros de vols, des décollages imminents et la foule se ruait dans tous les sens à la recherche de portes d'embarquement.

Danny Lunden, qui n'avait jamais quitté New York de sa vie, absorbait fasciné toute cette activité en tentant de calmer les frissons d'excitation qui lui parcouraient l'échine. C'était le grand départ !

Une voix affolée fendit le brouhaha pour rappeler aux voyageurs de ne jamais laisser leurs bagages sans surveillance.

— Mon billet ! J'ai perdu mon billet ! glapit soudain Winslow. Pitié, dites-moi que c'est vous qui... Ah, ouf ! Le voilà. Merci, Danny.

Danny laissa retomber une bourrade amicale sur l'épaule de l'excité, avant de retirer sa main : il lui sembla qu'il venait d'empoigner un fouet électrique en marche.

— Winslow, du calme ! Tout va bien. On est en avance et il ne nous reste plus qu'à embarquer.

Ce qui tenait du miracle, après les péripéties qu'ils venaient de vivre : il avait fallu parcourir la moitié du réseau de transport en commun new-yorkais en trimballant sacs et valises, puis se frayer un chemin à travers les meutes de voyageurs qui semblaient se déplacer encore plus lentement que des touristes à Times Square.

Danny compta rapidement ses coéquipiers pour s'assurer qu'il n'en avait pas perdu en cours de route, sous un tourniquet du métro ou encore aux douanes.

Beck, le poissonnier de l'équipe, se repérait facilement, même dans une salle bondée : il dominait le commun des mortels de dix bons centimètres. Le colosse avisa Danny et lui adressa un hochement de tête muet. Comme toujours, il respirait le calme, tel un chêne solidement planté dans la terre. Pour tout bagage, il avait emporté un sac de sport, qu'il portait à l'épaule.

Non loin de lui, Danny aperçut la queue de cheval blond foncé et un peu lâche de Jo Cavanaugh, sa plus vieille amie. Ses yeux pétillaient d'excitation : tous bouillaient d'impatience depuis qu'ils s'étaient qualifiés pour participer au grand concours culinaire de la Toque d'Or. La joie qui irradiait de son joli visage semblait inonder son voisin, qui s'en imbibait comme un baba se gorge de rhum. Ce voisin, c'était Max Lunden, le frère aîné de Danny. Qui, pendant des années, avait taquiné Jo à son sujet : elle en pinçait pour lui. Jusqu'au jour où la fixette adolescente unilatérale avait fait place au grand amour passionnel, éternel, et complètement mutuel.

Sur le moment, Danny en avait ressenti comme un grand coup de rouleau à pâtisserie. Il ne pensait pas voir un jour son bourlingueur de frangin poser ses valises. Pourtant, ce dernier venait de prendre un triple engagement : envers sa famille, envers ses coéquipiers et envers la femme qu'il aimait. Trois en un.

Si Danny s'attendait à ça !

Il observa les tourtereaux. Ils tendaient le cou l'un vers l'autre, comme aimantés, leurs valises à roulettes s'entre-choquant et les faisant trébucher sans arrêt.

Danny tenta de se réjouir d'avoir au sein de son équipe deux chefs aussi passionnés. Pourtant, il ne parvenait pas à chasser cette drôle de boule qui lui nouait le ventre.

Il ne s'agissait pas de jalousie. Danny avait toujours su que Jo craquait pour son grand frère (lequel ne se doutait de rien), aussi Danny n'avait-il jamais vu en elle autre chose qu'une amie. Mieux : pendant des années, jusqu'au retour de Max, le fils prodigue, Jo lui avait tenu lieu de sœur. Bientôt, elle ferait officiellement partie de la famille Lunden, et le fait que cela soit Max qui l'y intè-gre ne posait pas de problème à Danny.

Qu'est-ce qui le chiffonnait, alors ? Il n'en savait trop rien. Aussi ravala-t-il sa mauvaise humeur pour se tour-ner vers son voisin : Winslow Jones, qui maniait comme personne le couteau à découper. Au moment de passer les contrôles de sécurité, il avait pratiquement fallu le plaquer à terre pour qu'il renonce à emporter en cabine ses chères lames. Il tressaillait à côté de Danny.

Danny, le chef pâtissier. La brigade de cuisine était au complet.

Il se détendit… en partie : un coin de son épaule droite se dénoua. Tout allait bien, il ne manquait personne.

Un haut-parleur cracha une voix nasillarde, interrom-pant ses réflexions : « Vol 1422 à destination de Chicago O'Hare International, embarquement immédiat. Les passagers voyageant en première classe sont priés de se présenter. »

— Ce n'est pas pour nous, lâcha Beck, campé sur ses talons dans l'attitude d'un homme accoutumé aux lon-gues attentes.

— Tu as déjà voyagé en première ? demanda Jo en levant vers Max des yeux énamourés.

Max éclata de rire.

— Tu rigoles ? Un moyen de transport doté de toilettes, ça représente un luxe – pour moi. En Asie, je ne me déplaçais qu'à bord de bus pleins à craquer, ou à l'arrière de pick-up au milieu des chèvres.

— Ça devait méchamment cocotter ! commenta Winslow en fronçant le nez, faisant ressortir les taches de rousseur qui constellaient sa peau chocolat.

— Tu m'étonnes. Ça, c'est autre chose ! renchérit Max en embrassant du regard l'aéroport grouillant d'activité.

Danny le contempla, lui aussi : cloisons de verre et de métal, sols presque immaculés, groupes de passagers s'acheminant en papotant le long des tapis roulants... Son frère avait raison.

C'était une expérience inédite pour toute l'équipe. Parce qu'ils ne partaient pas simplement jouer les touristes dans la ville d'Al Capone : ils partaient rencontrer leurs concurrents au titre de la Toque d'Or. D'autres chefs qui, comme eux, allaient tout donner aux fourneaux dans l'espoir de décrocher la première place...

... et le prix qui allait avec, bien entendu.

Les membres de « l'équipe de la Côte Est », ainsi qu'ils s'étaient rebaptisés pour l'occasion, s'étaient plus ou moins regroupés. Ils trépignaient et échangeaient des regards nerveux.

« Quelqu'un devrait dire quelque chose », songea Danny.

Si seulement il avait hérité de son père ses dons d'orateur inspiré, ou de sa mère son inébranlable flegme face aux situations de crise !

— Gus et Nina devraient être là, déclara Jo, lisant dans ses pensées aussi aisément que dans un livre de recettes.

Elle lui faisait le coup régulièrement depuis l'école primaire ; pourtant, Danny ne s'y faisait pas : chaque fois, cela lui donnait la chair de poule.

Il s'ébroua pour chasser sa nervosité comme on agite un fouet pour en ôter la Chantilly, et se réfugia dans son registre de prédilection :

— Mes parents auraient voulu nous accompagner, répondit-il d'une voix douce. Mais il faut bien que quelqu'un fasse tourner la boutique en notre absence. À nous de remporter ce concours pour couvrir de gloire le restaurant ! Je sais que la situation est stressante, et on est tous un peu à cran, mais il ne faut pas qu'on perde de vue notre objectif : gagner ! Pour le restau. Pour mes parents. Pour chacun d'entre nous.

Danny fit un tour d'horizon, veillant à croiser le regard de tous ses coéquipiers. Ils se relaxaient un peu, se redressaient légèrement. L'épaule gauche de Danny se dénoua à son tour : tant que la troupe restait motivée et concentrée sur son but, tout irait bien.

Restait à appliquer ses propres recommandations. Ce qui ne serait pas de la tarte.

« Allez, reste concentré. Tu fais ça pour ta famille. Pour le restau. Pour l'avenir ! »

Trois termes qui, pour Danny, se fondaient en une seule et même idée.

Quand vint leur tour d'embarquer, chacun se munit de son bagage à main et Danny les guida jusqu'à l'hôtesse au sol puis lui tendit leurs cinq billets avant de s'engouffrer dans la passerelle qui menait à l'appareil.

On perdit un peu de temps au moment de répartir les places : Max et Jo ne se trouvaient pas côte à côte, or, à ce stade précoce de leur relation, ils ne supportaient pas l'idée d'être séparés de plus de quelques mètres pendant une heure et demie, le temps qu'il faudrait pour quitter New York, leur QG, et rallier la terra incognita de Chicago. On s'arrangea, et Danny refit un point.

Max, Jo et Winslow partageaient une rangée, tandis que Beck et Danny avaient hérité de sièges un peu plus spacieux de l'autre côté de l'allée.

Beck demanda le fauteuil près du hublot, que Danny lui céda volontiers. Aussitôt, Beck attacha sa ceinture, fourra sous le siège devant lui la besace contenant ses précieux instruments de travail et voilà, il était prêt. L'embarquement n'était même pas terminé.

Quand ce fut le cas, toutefois, l'attente se prolongea. L'avion ne bougeait pas d'un pouce. Les passagers patientaient, encore et encore…

Danny se pencha dans l'allée pour voir ce qu'il se passait à l'avant de l'appareil. S'agissait-il de difficultés techniques ?

Enfin, un jeune steward maigrichon affublé d'une boucle d'oreille et de cheveux jaune poussin prit le micro et se dressa face aux rangées pour faire son annonce.

— Mesdames et messieurs, au nom du personnel de bord, je vous présente toutes nos excuses pour ce retard. Nous n'attendons plus qu'un passager. Ensuite, nous pourrons décoller.

Sans se soucier le moins du monde des grognements et soupirs exaspérés qu'il venait de provoquer, il raccrocha son micro et entreprit de distribuer couvertures et oreillers.

— Quelle plaie, gémit Danny, qui bouillait d'impatience. On ne va pas rester au sol cent sept ans !

— Peut-être qu'ils ont inventé cette histoire de passager alors qu'en fait ils réparent une panne, dit Beck. Dans ce cas, j'aime autant qu'ils prennent leur temps et qu'ils fassent ça bien.

Danny cligna des yeux et se tourna vers son voisin : il était crispé et des gouttes de transpiration perlaient sur son front.

Comment quelque chose d'aussi énorme avait-il pu lui échapper ?

— Tu as peur de l'avion ! s'exclama brusquement Danny, tombant des nues.

Beck se raidit encore plus et, l'espace d'un instant, Danny craignit qu'il n'explose soudain, tel Hulk, et n'arrache l'accoudoir qui les séparait.

— L'avion, ça ne me fait rien, grogna Beck. Je n'ai même pas peur des crashs. À mon avis, ça doit être une mort rapide et assez peu douloureuse.

Danny adopta son ton le plus doux.

— Je ne voulais pas t'offenser, Beck. Personne ne met en doute ton courage.

Mais l'autre secoua la tête, et de longues mèches sombres, échappées de son catogan, dérobèrent brièvement à la vue son visage.

— Mais non, tu ne… Écoute. Tout le monde a peur de quelque chose. Je ne fais pas exception à la règle. Il n'y a pas de honte à ça : la peur est un réflexe de survie qui peut te sauver la peau. Mais ce n'est pas l'avion qui me…

Il s'arrêta net ; sur son cou massif, sa pomme d'Adam fit un bond.

— Disons que je me sens un peu à l'étroit, ici. L'air ne circule pas bien. Je ne raffole pas des espaces confinés.

Danny digéra rapidement l'information. On ignorait bien des choses au sujet de Beck, le cuistot taciturne qui avait rejoint l'équipe d'*Au plaisir des sens* quelques mois à peine avant le retour de Max. Les rumeurs ne manquaient pas, alimentées notamment par l'imagination débordante de Winslow : tantôt il faisait de Beck un criminel évadé de prison, tantôt un prince en exil… Danny n'écoutait que d'une oreille ses élucubrations. Tant que Beck continuait de mitonner avec art ses poissons et qu'il ne faisait pas de vagues au sein de l'équipe, ses origines et son passé, on s'en moquait.

Ainsi, Beck souffrait de claustrophobie. S'il avait été un puzzle, ce scoop aurait constitué une nouvelle pièce.

Chassant provisoirement cette pensée, Danny suggéra :

— Tu veux qu'on échange nos places ? Tu pourrais étendre tes jambes dans l'allée...

Une lueur de reconnaissance scintilla sous les lourdes paupières de Beck : sans doute appréciait-il la discrétion de Danny, qui ne le bombardait pas de questions. Mais il déclina :

— Merci, j'aime autant éviter la vision du long tube de métal sans issue. Au moins, ici, je vois le ciel, même si je ne peux pas le toucher. Ne t'en fais pas pour moi. Dès qu'on aura décollé, je pourrai entamer le décompte des minutes jusqu'à notre arrivée.

Il eut un sourire forcé, et Danny se composa un air rassurant. Danny n'avait pas son pareil pour rassurer et réconforter. En général, il commençait par quelques mots de soutien mais, en l'occurrence, Beck rongeait manifestement son frein : il avait besoin d'actes, et non de grands discours.

Danny défit sa ceinture et se leva. Il avait de nouveau un but, et cette sensation le requinqua et le remplit de détermination.

— Tu vas où ? lui demanda Beck.

— Exiger des explications, répondit Danny en s'engageant dans l'allée, raide comme la justice.

Le steward blond à l'oreille percée triturait la machine à café à l'avant de l'appareil quand il vit Danny foncer droit sur lui. Il écarquilla les yeux.

— Monsieur, veuillez regagner votre siège.

Danny dépassait le gamin de près d'une tête mais s'efforça de ne pas paraître menaçant en pénétrant dans la petite cabine.

— Dites, mon collègue est mal à l'aise en avion et il commence à s'agiter. Le décollage est prévu pour quand, exactement ? Je lui ai dit que j'allais me renseigner.

— Le processus d'embarquement est presque terminé, mais on ne peut pas décoller tant que tous les passagers ne sont pas assis et attachés, récita par cœur le gamin.

— J'entends bien, mais ça fait vingt minutes qu'on patiente, assis et attachés, et l'avion n'a pas bougé pour autant. On attend quoi, au juste ? Vous avez déjà préparé huit litres de café, vous devez en avoir ras le bol, vous aussi !

Le gamin se troublait. Danny s'engouffra dans la brèche et lui décocha un sourire.

— Moi, je ne suis au courant de rien, dit enfin le steward. L'équipe au sol m'a appelé pour me dire d'attendre une dernière personne. Elle est en route, à ce qu'on m'a dit.

Danny se figea.

— Sans rire ? Ce n'était pas un bobard inventé pour nous faire patienter pendant que vous dégagiez un pigeon du réacteur, ou que sais-je ?

— Je vous assure qu'il n'y a pas de pigeon dans nos réacteurs.

Le pauvre steward n'y était pour rien. Néanmoins, Danny commençait à s'échauffer. Un de ses gars venait d'écoper d'une demi-heure de souffrances supplémentaires et ce, sans raison valable, pour autant que Danny pût en juger.

— C'est la politique de la compagnie de faire poireauter tout un avion pour un seul retardataire ?

Le gamin secoua la tête, impuissant, sa boucle d'oreille scintillant.

— C'est leur politique quand la retardataire, c'est moi ! ronronna derrière eux une voix de velours.

Danny pivota, manquant de s'assommer au passage contre le minifrigo qui saillait du mur, et tomba nez à nez avec une jeune femme svelte. Une création sophistiquée drapait ses formes discrètes, un peu comme les bandelettes d'une momie, en plus chic. Et en bleu électrique.

Couleur qui mettait en valeur sa peau nacrée. Et servait d'écrin au rubis de sa moue moqueuse, qu'encadraient les pans bruns de son carré plongeant. La jeune femme semblait apprêtée pour une soirée à l'opéra et non pour un vol interne à destination de Chicago.

Danny éprouva pour elle un élan de désir. Puis, il la reconnut. En proie à des sentiments contradictoires, la tête lui tourna. Il se ressaisit et, serrant les dents, toisa la fille du restaurateur millionnaire qui avait fondé vingt ans auparavant le concours de la Toque d'Or.

— C'est gentil de m'avoir attendue, disait-elle au steward. Une chance que papa siège au conseil d'administration de cette compagnie aérienne ! Ce matin, j'ai enchaîné les galères : d'abord, une crise professionnelle à gérer, ensuite mon service de voiturier qui se plante d'horaire, du coup il a fallu que je trouve un taxi… Je vais virer mon assistant ! Enfin, non, je serais perdue sans lui, mais je vais le priver de chocolat jusqu'à ce qu'il trouve le moyen de me faire arriver à l'heure à l'aéroport. Ça lui apprendra !

Elle sourit, dévoilant deux rangées de dents diamantines. Le steward tourneboulé essayait en vain de reprendre ses esprits quand Danny s'interposa.

Une sensation viscérale au creux de l'estomac :

« Je la veux. »

Suivie de près par cette autre intuition…

« Sauve qui peut ! »

2

— Votre présence nous honore, ironisa le plus canon des chefs pâtissiers qu'avait jamais vu Eva.

Et elle en avait vu un rayon.

Mais celui-ci les battait tous à plate couture.

— Où êtes-vous assise ? En première, évidemment.

Avec mépris, il retroussa les lèvres. Qu'il avait fort sensuelles, d'ailleurs. Un courant électrisa les sens d'Eva.

Elle se retint de coincer ses cheveux derrière ses oreilles et tâcha de ne pas laisser voir qu'elle était hors d'haleine après sa course folle à travers le terminal.

Priant pour que sa paume soit sèche, elle tendit la main, arbora son plus beau sourire et décréta :

— Daniel Lunden, n'est-ce pas ? Nous nous sommes vus à New York lors des qualifications. Toute l'équipe est là ? Quelle coïncidence !

L'autre plissa ses beaux yeux bleu-gris et sa bouche, habituellement ferme et appétissante, se réduisit à un mince trait.

Oups. Il avait l'air sacrément en pétard.

— Pardon mais ces chaleureuses retrouvailles pourraient-elles attendre que nous ayons décollé ?

Le blondinet avait posé sa question de l'air de ceux qui ont l'habitude d'être négligés. Eva dirigea vers lui son sourire ravageur qui, de toute façon, laissait de marbre le beau cuistot.

— Bien sûr, où avais-je la tête ! Mille excuses, euh…

Elle lorgna son badge.

— … Patrick. Pour me faire pardonner, je paie ma tournée de Mimosas à tous les passagers.

— Mais ça va vous coûter cinq dollars par personne ! Même en déduisant les mineurs, ça vous reviendra à près de cinq cents dollars !

Eva sentait déjà sa gêne se dissiper. Et, pour ça, elle aurait été prête à payer le double.

— Pas de problème. Je vous règle maintenant ou plus tard ?

Patrick, que la perspective de devoir déboucher cinquante bouteilles de mauvais mousseux n'effrayait nullement, se dérida.

Lunden, par contre, ne décolérait pas ; Eva le sentait qui fulminait, très digne, dans son dos.

À moins que ce ne fût sa température corporelle qu'elle percevait. Ce type dégageait une chaleur phénoménale. Une vraie fournaise !

Eva n'était pas particulièrement petite, surtout juchée sur sa paire de Louboutin préférées (des compensées en cuir verni couleur bronze avec talon de douze) ; pourtant, Daniel la dépassait de dix bons centimètres. Il était mince et musclé, constata-t-elle en jaugeant d'un œil expert la façon dont son jean tombait sur ses hanches étroites et dont le tissu de son polo noir se tendait au niveau du torse et des épaules. Elles étaient carrées et entre ses clavicules robustes se découpait un alléchant triangle de peau nue et hâlée. Eva le fixa.

« Miam ! »

— Pour ma part, je me serais contenté d'excuses, cingla Lunden. Votre temps n'est pas plus précieux que celui des autres.

« Zut. »

— Je vous ai dit que j'étais désolée ! se défendit-elle, paumes vers le ciel. Et je suis toute disposée à racheter mes fautes. Je suis une femme d'affaires, moi ! Estimons la valeur monétaire du temps que je vous ai fait perdre. Vous attendez depuis moins d'une heure, c'est bien cela ?

— Ça va faire trente minutes, dit Patrick.

— Le Smic horaire, c'est sept dollars cinquante, avança Eva.

Elle fronça les sourcils et fit mine de compter sur ses doigts.

— Alors, disons cinq dollars par personne... Servis sous la forme d'un délicieux cocktail à base de champagne et de jus d'orange. Vous voyez bien que c'est raisonnable, comme dédommagement !

— Oh, ça, oui ! approuva Patrick, pressé d'en finir avec les négociations.

Lunden tendit le menton. Même sous l'impitoyable éclairage aux néons, il avait le teint doré et tout en lui resplendissait, des pointes de ses mèches châtains jusqu'à cette ombre de fossette sur son joli menton. Il n'y avait pas de justice !

Lunden n'avait clairement pas la fibre vénale. Il se tourna vers Patrick et déclara :

— Mon équipe et moi occupons la rangée quatorze. Pas de Mimosas pour nous, merci.

Il adressa à Eva un dernier regard austère et le coin de sa bouche indécente se rehaussa en un rictus.

— Amusez-vous bien en première, lâcha-t-il.

Et de s'éloigner dans l'allée.

Baissant les paupières pour dissimuler la concupiscence qui la dévorait, Eva le suivit des yeux.

Le spectacle était si charmant qu'elle faillit ne pas remarquer son amie Claire, au deuxième rang, côté hublot. Elle avait suivi la scène avec cette mine amusée dont elle avait le secret.

Comme souvent, Eva lui envia son mélange harmonieux d'élégance et de maturité. Il n'y avait que les quadragénaires françaises pour dégager une telle classe.

Classe dont elle poursuivit la démonstration en se contentant d'arquer un sourcil lorsque Eva s'achemina vers elle en trottinant.

— Ça y est ? Tu as fini de manger des yeux les candidats ? la salua Claire, laconique.

— *Le* candidat, s'empressa de la corriger Eva. Et le tien, pas le mien ! Je ne fais pas partie du jury, moi, madame. Je n'en suis que la pauvre animatrice, chargée de donner du rythme à l'émission et d'y insuffler un peu d'action. Un peu comme la blonde dans La Roue de la Fortune ! Et, en tant que telle, j'ai le droit de reluquer qui je veux, et plus si affinités. Je le sais, j'étais là quand papa a rédigé le règlement !

Claire renâcla. Décidément, il fallait être française pour émettre ce genre de bruit avec distinction.

— Je n'en doute pas. Ton père ne s'interdirait jamais l'accès à une portion de la population féminine, si infime fût-elle.

Lançant à Eva une œillade acérée comme un pic à glace, elle poursuivit :

— Ne te sens pas obligée pour autant de prendre exemple sur lui.

Eva battit des cils dans l'espoir d'amadouer son amie. Elle ne pouvait pas s'en empêcher, bien que cette manœuvre ait cessé de fonctionner sur Claire depuis son dix-neuvième anniversaire. Malgré leur différence d'âge, il y avait bien longtemps que Claire ne traitait plus Eva comme une enfant.

— Merci, Patrick, dit Eva au steward qui s'empressait pour l'aider à ranger son cabas Vuitton préféré dans le compartiment à bagages.

Eva s'enfonça dans son fauteuil en cuir en repensant au pli réprobateur qui avait tordu les lèvres charnues de Daniel Lunden, à sa mâchoire contractée...

Patrick remonta l'allée pour se livrer au numéro d'usage sur les consignes de sécurité, l'avion commença à rouler et dans l'appareil s'éleva une clameur joyeuse. Qui redoubla lorsque le jeune steward, entre deux démonstrations de port de masque à oxygène, promit à tout le monde des cocktails de dédommagement.

Ravie d'avoir réussi à radoucir certains passagers, sinon tous, mais toujours résolue à passer un savon à Drew, son assistant, Eva se tourna de nouveau vers Claire et reprit :

— Tu comprends, les pâtissiers sont irrésistibles, tenta-t-elle de se justifier.

— Je ne vois pas ce qu'ils ont de plus que les autres cuisiniers, lâcha Claire.

En tant que rédactrice en chef de *Délices*, le magazine culinaire à succès, les cuisiniers, ça la connaissait.

— Ceux qui réussissent à percer sont des bourreaux de travail tyranniques à l'ego boursouflé. Ne te fourvoie pas dans cette voie. Je t'ai toujours jugée maligne, j'espère que tu ne me décevras pas.

Digne fille de son père, Eva avait fait ses premiers pas dans l'industrie de la restauration en couche-culotte et à quatre pattes : elle avait vu défiler suffisamment de cuisiniers pour s'en former sa propre idée.

— D'après mon expérience personnelle, quand on maîtrise la chimie délicate de la pâtisserie, on est avant tout perfectionniste. Les cuistots ont tous leur charme, bien sûr : ils sont inventifs, passionnés... Mais les pâtissiers...

Eva eut un sourire rêveur.

— Ils savent prendre leur temps. Ils ont le sens du détail. Ils sont attentionnés et tout à ce qu'ils font.

Autant de qualités qu'ils ne se contentaient pas d'exploiter en cuisine !

Eva frissonna de plaisir en se remémorant l'instant électrisant où Daniel Lunden l'avait frôlée dans la cabine étriquée. Elle essaya de se rappeler la dernière fois qu'un pâtissier lui avait dédié tout son doigté. Cela faisait un bail.

Il était grand temps d'y remédier !

— Je connais cette étincelle gourmande dans ton regard, l'avertit Claire en pianotant sur l'accoudoir du bout de ses ongles vernis. Tu as la même au rayon chaussures chez Bergdorf Goodman. Jeune écervelée ! Tu n'as pas assez de préoccupations et de responsabilités comme ça ? Ça ne te suffit pas de diriger seule et pour la première fois le prestigieux concours culinaire national de la Toque d'Or ?

— Oh, ça va, râla Eva en balayant de la main les propos de Claire. C'est bien connu : un zeste de séduction, ça fait retomber la pression. La drague, la chasse, l'excitation, ça vous stimule une femme ! Quant aux réticences de Daniel Lunden, elles ne font que pimenter la chose. Or tu sais que j'aime le piment.

— Effectivement. Je sais aussi que quand tu veux quelque chose, ça vire rapidement à l'idée fixe. Crois-tu que ta proie aura le bon goût de se laisser ferrer dans les plus brefs délais ?

Eva soupira.

— Ça m'étonnerait : il me hait ! Il me prend pour une princesse gâtée qui a fait retenir tout un avion sur un caprice.

— À propos, pourquoi étais-tu en retard ?

Eva s'affala contre son dossier, saisie de vertige en repensant à l'appel affolé que lui avait passé un des juges du concours plus tôt dans la matinée.

— Lilah, la femme de Devon Sparks, est enceinte. Ils l'ont appris il y a quelques jours et Devon panique complètement à l'idée de quitter la ville pour le concours. Alors que le terme est dans plus de six mois ! Ah, les hommes… Il voulait quitter le jury ! Tu te rends compte ?

À la satisfaction d'Eva, Claire blêmit, proprement horrifiée.

— Rassure-moi, tu l'en as dissuadé ? Tu imagines le désastre si notre star des fourneaux nous faisait faux bond ?

— Détends-toi, je l'ai convaincu de rester. Ça n'a pas été une mince affaire, crois-moi ! J'ai dû mobiliser tous mes dons de persuasion pour le rassurer. Quelle mauviette, ce Devon ! Bref, j'ai réussi à lui rappeler que des femmes accouchaient partout sans arrêt et que tout se passerait super bien ces prochains mois. Heureusement pour moi, j'entendais Lilah se payer sa tête à l'arrière-plan.

Elle avait également dû promettre à Devon de lui accorder plusieurs longs week-ends pour qu'il puisse rentrer voir sa chérie à New York. Il allait falloir jongler avec les emplois du temps et peut-être même gonfler un peu le budget de la production télé, mais ça irait.

Elle se débrouillerait. De toute manière, elle n'avait pas le choix. Pas question de perdre l'intérêt de la chaîne culinaire Cooking Channel ; les producteurs télé risqueraient de renoncer à filmer le concours ou à le diffuser. Or son père s'était montré très clair en lui remettant les rênes du concours : il comptait sur elle pour accroître la visibilité de La Toque d'Or, et cela passait par une diffusion sous forme d'émission télévisée.

Eva serra le poing sur le pied de sa coupe. Elle refusait de le décevoir. Elle ferait n'importe quoi pour convaincre Cooking Channel de diffuser le concours.

— Dieu soit loué, dit Claire avec ferveur.

— Tu l'as dit. On a eu chaud !

Claire plissa les paupières :

— Pourquoi n'as-tu pas présenté ces circonstances atténuantes à ton beau pâtissier ? En tant que candidat, il a tout intérêt à ce que tu assures le confort et la tranquillité des membres du jury.

Eva grimaça.

— Je ne sais pas. Je n'en avais pas envie ! J'aurais eu l'impression de me justifier.

— Tu aurais peut-être dû.

Eva croisa les bras et releva le menton. Son père ne supportait pas qu'on se cherche des excuses et Eva avait appris très jeune que la meilleure façon de se faire pardonner ses infractions, c'était de les confesser.

Claire secoua la tête. Les néons au plafond éclairèrent les fils d'argent qui commençaient à émailler sa belle crinière auburn.

— Ton attirance pour les hommes qui désapprouvent ton comportement m'inquiète, dit-elle.

— Qu'est-ce que j'y peux ? J'aime le défi.

Et celui que représentait Daniel Lunden lui donnait plus d'énergie qu'elle n'en avait ressentie depuis les deux derniers mois. Deux mois qu'elle avait passés à sillonner le pays, de New York à Atlanta en passant par San Francisco, Austin et enfin Chicago pour superviser les qualifications régionales au concours de la Toque d'Or.

Cela avait été éprouvant, plus qu'elle ne s'y attendait. Tous ces déplacements… Pourtant, Eva avait l'habitude, elle s'attardait rarement en un même lieu pendant plus de temps qu'il ne lui en fallait pour défaire et refaire sa valise. Peut-être étaient-ce les éliminations qu'elle avait eu du mal à encaisser. Elle avait dû annoncer à des centaines de chefs que, pour eux, l'aventure était terminée, ce qu'elle avait trouvé étonnamment pénible.

Pas si facile de briser des rêves…

Puis, il y avait eu ses doutes. Avait-elle choisi les bons juges ? Et eux, sélectionnaient-ils les bons cuisiniers ? Comment apaiser les tensions qui régnaient entre Claire et les autres membres du jury, comment prévenir la zizanie ? Et si les producteurs changeaient d'avis et renonçaient à filmer le concours ? Tenaillée par toutes ces questions, Eva se sentait torturée et secouée comme un bikini dans une essoreuse. Et dire que le concours n'avait même pas encore commencé !

Pourtant, quand elle avait vu Daniel Lunden se dresser dans le cadre de la porte, les poings sur les hanches tel un guerrier vengeur, toute sa fatigue, ses affres et sa nervosité s'étaient volatilisées, balayées par un ouragan de désir et d'excitation.

Il émanait de lui une réprobation glaçante, mais une flamme avide, bleu vif, reconnaissable entre toutes, avait embrasé son regard l'espace d'une seconde. Le mélange de ces deux ingrédients réveillait la chasseresse qui sommeillait en Eva. Elle brûlait de raviver cette flamme, de jeter habilement, discrètement de l'huile sur ce feu jusqu'à ce qu'il se change en incendie ravageur et réduise en cendres toute réprobation. Et que Lunden, à bout de résistance, renonce à la condamner pour mieux prendre son plaisir avec elle.

La voix mesurée de Claire fit voler en éclats son fantasme.

— Le défi... Je croirais entendre ton père. Tu as bien des points communs avec lui. Fais attention à toi.

La belle robe d'Eva ne lui fit pas rempart contre l'insinuation de Claire. Étant son mentor et sa plus vieille amie, elle avait toujours su la percer à jour et trouver son talon d'Achille.

Orpheline de mère, Eva vouait à son père, Theo Jansen, une adoration sans bornes. Elle l'avait sciemment pris pour modèle dans la vie. Mais ses qualités parentales laissaient à désirer, ainsi que Claire l'avait régulièrement déploré au fil des années.

— Je ressemble à papa, et alors ? regimba Eva en sortant de son sac à main en cuir blanc le dernier numéro de *Restaurant USA*.

Ses gestes étaient plus brusques qu'elle ne l'aurait souhaité.

— Je ne vois pas de mal à ça, s'obstina-t-elle. Mon père a parfaitement réussi sa vie, sur le plan personnel et professionnel. Pourquoi est-ce que je ne le prendrais pas pour modèle ?

— Hum, voyons... Parce qu'il est malheureux ?

Eva s'apprêta à sauter à la gorge de Claire mais se ravisa : elle ne lisait dans son regard ni sarcasme ni moquerie.

— Qu'est-ce qui te fait croire ça ? l'interrogea-t-elle, pendant que son abruti de cœur faisait des bonds dans sa poitrine.

Les yeux de Claire se chargèrent de douceur ; elle paraissait lasse et un peu triste.

— J'ai connu bien des hommes de la trempe de ton père. Ils ne sont jamais heureux. Quand je suis arrivée aux États-Unis, j'avais vingt ans. Je travaillais pour un homme comme Theo : puissant, sûr de lui. Plus âgé. Il a été ma première passion. Et il a bien failli être la dernière.

En voyant se plisser la bouche de son amie, Eva comprit. Si Claire avait failli renoncer à l'amour, ce n'était pas parce qu'aucun homme après lui ne lui était arrivé à la cheville. Mais plutôt parce que...

— Ça s'est mal fini ?

— Ça s'est fini comme ça devait se finir. Il était marié, je n'étais pour lui qu'un passe-temps, une pièce de plus à son tableau de chasse. Un trophée pour éblouir ses collègues de la rédaction.

Sa voix se fit plus dure, comme s'il fallait à tout prix qu'Eva comprenne le message qu'elle tentait de lui faire passer.

— C'est pour cela, ma chère Eva, que je te déconseille de fricoter avec ce pâtissier. L'amour, au mieux, ça vous met la tête à l'envers. Et au pire, ça vous brise le cœur en piétinant au passage votre dignité.

Eva se tenait comme pétrifiée et dévisageait son amie. Des milliers de questions fusaient dans son esprit ; elle ne savait pas par où commencer.

— Tu ne m'avais jamais raconté...

— ... cette histoire sordide ? Non, je ne m'en suis pas vantée. Je ne t'en parle aujourd'hui que dans l'espoir de t'éviter de commettre les mêmes erreurs que moi.

— Et quand tu es sortie avec mon père, c'était une erreur, ça aussi ?

Eva pinça les lèvres : elle regrettait cette pique gratuite. Mais Claire n'en prit pas ombrage.

— Je ne regretterai jamais ma relation avec Theo, ne serait-ce que parce qu'elle m'a permis de te rencontrer. Même s'il est vrai que, par bien des aspects, ton père me rappelle mon premier amour. Comme lui, il recherche le frisson de la passion et non le confort d'une relation stable.

La phrase de Claire aurait aisément pu être interprétée comme une critique à l'égard du comportement récent – et sans doute à venir – d'Eva. Cependant, la jeune femme ne vit dans l'expression de son amie que de la sympathie, voilée d'un peu d'inquiétude, peut-être, et cette affection sincère qu'elle lui portait depuis qu'elles se connaissaient.

— Je suis désolée que ton grand amour ait tourné en eau de boudin, marmonna Eva en s'efforçant de contrôler l'émotion qui troublait sa voix. Et encore plus désolée que ça n'ait pas marché entre toi et papa.

Claire venait de lui confier un secret et Eva avait envie de lui rendre la pareille.

— Tu sais, ajouta-t-elle, je lui en ai longtemps voulu d'avoir fait capoter votre histoire. Je crois que je ne le lui ai toujours pas pardonné.

Elle entreprit de feuilleter nerveusement le magazine posé sur ses genoux, regardant sans les voir les articles sur l'actualité du monde de la restauration, les tendances culinaires du moment et les ragots d'initiés imprimés sur papier glacé.

Claire lui tapota la main pour l'immobiliser.

— Tu devrais lui pardonner. Pour moi, c'est du passé. Il n'était pas l'homme qu'il me fallait, voilà tout. Par contre, quand il ne se montre pas à la hauteur en tant que père, là, je me fâche !

Eva prit le temps de ravaler ses trémolos avant de répondre :

— La mort de maman nous a bouleversés. Tu le sais. C'était dur pour moi, mais pour lui aussi. À la maison, tout lui rappelait maman. Moi y compris. Je l'ai bien compris.

Le ton de Claire se fit aussi doux que ses traits.

— Que tu es gentille sous tes dehors de diva ! Tout ce que je te souhaite, c'est d'être heureuse.

Eva prit son courage à deux mains et affronta le regard pénétrant de son amie. Puisant dans des années d'entraînement, elle se composa un sourire enjôleur et décréta :

— Heureuse et gentille, c'est tout moi ! En tout cas, ça le sera une fois que j'aurai mordu à belles dents dans ce joli pâtissier...

Claire reprit sa mine sévère et, l'espace d'un instant, Eva craignit de se faire réprimander. Mais son amie se borna à répliquer :

— Tu es impossible. J'abandonne ! Promets-moi seulement d'être prudente et de ne pas agir à la légère. Tu risquerais de le regretter.

Le poids de ces derniers mots frappa Eva de plein fouet.

— Ne t'en fais pas, dit-elle gravement. Je ne ferai rien qui risque de compromettre le concours. La Toque d'Or, c'est ma priorité. Daniel Lunden est à croquer, mais ce n'est qu'un petit à-côté. Comme un supplément Chantilly : gourmand et léger et diablement tentant !

— C'est bien beau, la crème Chantilly, mais attention à l'indigestion. On ne sait pas toujours s'arrêter à temps.

Eva n'était pas aveugle. Elle avait remarqué la façon dont le plus jeune membre du jury, Kane Slater, rockeur féru de gastronomie, dévorait Claire des yeux. Qui avait quinze ans de plus que lui. Il fallait surveiller de près cette affaire. Un rebondissement aurait-il échappé à Eva ?

Elle choisit soigneusement ses mots avant de se lancer :

— Tu es bien sombre... Tu as quelque chose sur le cœur ?

Claire haussa brusquement les épaules, sans rien de sa grâce française habituelle. C'était mauvais signe.

— Rien qui soit susceptible de t'alarmer. Seulement un petit différend entre Kane Slater et moi.

— Un différend ? répéta Eva prudemment ; il ne fallait pas que Claire se braque.

Son amie se passa la main dans les cheveux, ébouriffant ses boucles de feu.

— J'en suis seule responsable. Il n'y est pour rien. Oh, ne me regarde pas comme ça ! Ce n'est pas la fin du monde. Disons que... j'ai un peu abusé de la crème Chantilly et que je frise la crise de foie.

Décidément, Claire lui faisait des cachotteries. Il faudrait attendre pour lui tirer les vers du nez. Toutefois, vu ses lèvres pincées, elle ne prononcerait pas un mot de plus sur le sujet dans l'immédiat. De fait, alors qu'elle excellait d'ordinaire dans l'art des transitions subtiles, elle changea abruptement de sujet :

— En parlant de ton père, il ne cesse de me téléphoner.

— Ah ? fit Eva, intriguée.

— Oui. Il s'inquiète de toi et du concours. Tu savais qu'il avait l'intention de passer nous voir à Chicago ?

La gorge d'Eva se noua. Cela n'avait certainement aucun rapport avec cette très nette impression que son père doutait de ses capacités. Aucun !

— J'espère que tu lui as dit qu'on n'avait pas besoin qu'on nous tienne la main.

— Bien entendu, fit Claire en croisant les jambes. Mais tu le connais : qui sait s'il m'a écoutée ? Il a peur qu'on perde Cooking Channel...

— On ne va rien perdre du tout, rétorqua Eva aussi calmement que possible. Je lui ai promis que le concours serait filmé, et il le sera. Je lui ai promis que Cooking Channel diffuserait La Toque d'Or, et elle le fera !

— Bon, en ce cas, tout va bien.

Eva leva les yeux au ciel. La confiance régnait !

— Tout baigne, oui ! Je sais que tu n'es pas emballée par cette idée, mais à mon avis, papa a raison. Si on veut faire connaître le concours à grande échelle, il faut passer par la télé. Ma mère voyait les choses en grand pour la Toque d'Or, et je vais enfin pouvoir réaliser son ambition.

— En optant pour la vulgarité et la prétention d'une émission de téléréalité, plus axée sur la vie privée des candidats que sur leurs plats ? Voilà qui promet d'être charmant.

Claire renâcla de nouveau, mais même son dédain respirait l'élégance. Eva monta au créneau illico :

— Tu n'y es pas du tout ! On en fera quelque chose de très classe. L'émission mettra en avant le talent des jeunes cuisiniers du pays. Et plus l'émission aura de succès, mieux on pourra soutenir ces stars montantes !

Claire observa un long silence. Les réacteurs se mirent à vrombir. Les tempes d'Eva bourdonnaient.

— Espérons que tu aies raison, laissa enfin tomber Claire en dardant sur Eva un regard scrutateur.

Eva, qui espérait avoir raison, elle aussi, afficha son sourire le plus confiant, celui qu'elle brandissait pour anéantir les hésitations d'investisseurs potentiels et faire rougir jusqu'aux oreilles les inspecteurs sanitaires.

— Tu sais bien que j'y arriverai. On parle de la Toque d'Or ! De mon héritage familial ! Papa me laisse enfin m'en occuper. Tu ne crois quand même pas que je vais mettre en péril le concours ou le dénaturer ?

Soudain, Patrick le steward apparut dans l'allée comme un génie surgi d'une lampe. Il tenait un plateau chargé de flûtes à champagne.

Eva lui adressa un clin d'œil complice, prit un second Mimosa et en tendit un à sa voisine.

— Tiens, ma chérie, lui dit-elle en français : son accent américain à couper au couteau ne manquait jamais d'horrifier et d'amuser Claire. Il faut qu'on prenne des forces pour le concours !

Elles trinquèrent avec les flûtes en plastique et Claire s'égaya quelque peu.

— Buvons aux défis que nous allons relever.

— Sur le plan professionnel… et privé ! gloussa Eva.

Sur ce, elle porta son verre à ses lèvres et avala une gorgée du breuvage pétillant et acidulé. Le jus d'orange et le champagne se mariaient à ravir. Et, comme il était encore tôt, le sucre et l'alcool lui firent beaucoup d'effet, plus encore que la sensation du vent qui les portait.

Quelque part derrière elle, en classe éco, Daniel Lunden sirotait un Coca, alors qu'autour de lui les passagers dégustaient, un peu éméchés, leurs Mimosas. Sans doute les fusillait-il du regard, ces vendus qui se laissaient corrompre pour un cocktail bon marché. Ses sourcils bruns devaient presque se toucher au-dessus de ses beaux yeux bleu-gris luisant de fureur.

Eva vida son verre et se lécha les lèvres. Elles avaient un petit goût d'impatience.

— Rien ne va plus, faites vos jeux !

3

Chicago n'avait rien à voir avec l'idée qu'il s'en faisait.

Collé à la portière du taxi, Danny levait la tête vers les immeubles trapus et courtauds qui l'entouraient. Ils ne méritaient pas le nom de gratte-ciel, ceux-là ; à peine s'ils chatouillaient les nuages d'octobre couleur d'acier.

Pourquoi Danny se sentait-il aussi déboussolé ?

Sa confusion devait sauter aux yeux, car son frère lui donna une grande claque dans le dos et il faillit s'écraser le nez contre la vitre. Heureusement qu'il se tenait sur ses gardes, fasciné par les vastes étendues de ciel dégagé au-dessus de lui.

— Du nerf, Danny ! l'enjoignit Max. Chicago est une ville extra. Tu vas adorer !

Danny haussa les épaules et le cuir de sa veste crissa contre la banquette de vinyle craquelé du taxi. Un taxi gris, et non jaune vif comme ceux de New York. Quelle excentricité !

— On n'est pas là pour faire du tourisme, mais pour cuisiner, le tança Danny. Qu'on soit ici ou ailleurs, ça ne changera rien une fois qu'on se trouvera aux fourneaux. Quant aux monuments et autres attractions, tu peux les oublier. Je ne veux voir qu'une seule chose : ma planche de travail en marbre, propre et intacte.

À la profonde irritation de Danny, Max arqua les sourcils : depuis tout petit, c'était sa réaction quand il jugeait que son frérot se comportait comme un idiot. Ce qui, selon ses critères, se produisait fréquemment.

— Relax, Dan ! Tu ne vas pas jouer les casaniers. Ça fait du bien de sortir un peu de son patelin !

Danny se raidit.

— Tout le monde n'a pas besoin de passer un demi-siècle à ouvrir ses chakras et à se livrer à des singeries hippies à l'autre bout de la terre pour se trouver.

Max écarquilla les yeux et eut un mouvement de recul, levant les mains comme si Danny avait braqué une arme sur lui.

— Calmez-vous, les garçons, intervint Jo, qui était assise de l'autre côté de Max.

Elle ne haussa pas la voix : elle n'en avait pas besoin. Elle était sincèrement peinée de voir son meilleur ami et son chéri se disputer, et cela suffit à faire retomber l'irritation de Danny.

Bien sûr, entre frangins, il était normal de se chamailler. Mais entre Max et Danny, il ne s'agissait pas de simples querelles fraternelles. Les deux frères s'étaient efforcés de régler leurs problèmes afin de pouvoir collaborer, mais il arrivait que de vieilles rancœurs refassent surface et troublent la paix de leurs rapports prudents et courtois.

Assailli par un sentiment de culpabilité, Danny voulut s'excuser mais il n'en eut pas le temps : le drôle de taxi gris se garait. Brutalement. Au moins, les chauffeurs de Chicago conduisaient comme les New-Yorkais !

Ils étaient parvenus à l'hôtel qui les hébergerait pendant la première manche du concours de la Toque d'Or.

On crut un moment que des bagages avaient disparu, ce qui permit aux deux frères de combler le silence épais qui s'était installé, puis on paya la course. Ces derniers temps, chaque fois que le ton montait, Max et Danny finissaient par se murer dans le mutisme.

Le second taxi arriva, avec à son bord Beck, Winslow et les valises manquantes. On entassa les sacs sur un chariot et, dans la joyeuse bousculade, l'inquiétude de Danny s'envola, chassée par l'excitation de ce qui les attendait.

Excitation que Winslow ne manquait pas d'entretenir.

— C'est là qu'on va crécher ? La classe !

Dans le hall, le plus jeune chef de l'équipe contemplait bouche bée les voûtes du plafond.

— Alors là, je valide ! Des dalles de marbre, des trucs qui brillent… *Au plaisir des sens* devrait en prendre de la graine !

Danny frotta le crâne rasé de son ami et répondit, pince-sans-rire :

— Ça roule. Tant que c'est toi qui cires le sol.

Win gloussa, et Danny gagna joyeusement la réception.

Le *Gold Coast Arms* était un hôtel quatre étoiles du quartier le plus huppé de Chicago. Il comptait notamment l'un des meilleurs restaurants de la ville, le *Limestone*, qui appartenait au grand groupe de restauration Jansen Hospitality. On racontait que c'était Eva Jansen qui avait persuadé le palace d'accueillir la première étape du concours, en usant de menaces… ou de ses charmes, c'était selon. Les années précédentes, les épreuves se déroulaient dans un quelconque centre de congrès dépourvu de tout intérêt.

Danny inspecta d'un œil critique le cadre somptueux : même les murs, ornés de dorures, scintillaient. Il secoua la tête. Personnellement, il aurait préféré un environnement plus sobre et plus pragmatique. Ce luxe était inutile et risquait de détourner les chefs de leur but. Or il fallait à tout prix rester concentré.

Il y avait du remue-ménage au bout du hall. Sous une majestueuse porte de verre et d'acier dont les voûtes montaient presque jusqu'au plafond, Winslow, parti explorer son nouvel environnement, s'était débrouillé pour bousculer un chevalet de chrome et en faire tomber le panneau. Il le replaçait désormais sur son socle. À l'envers. Le retourna. Sans cesser de se répandre en excuses. En gros, il se donnait en spectacle.

Danny trouvait la scène plutôt amusante jusqu'à ce qu'il remarque l'inscription que portait le panneau. On y lisait que le *Limestone* était fermé de façon provisoire pour cause de préparatifs du concours de la Toque d'Or. Danny retrouva d'un coup son sérieux.

Ce signe… Le coût que cela représentait, pour un restaurant, de fermer ses portes aux clients pendant plusieurs jours… Danny eut comme une révélation : l'aventure était bien réelle.

Une demi-heure plus tard, ils étaient installés dans leurs chambres. Max et Jo s'étaient aussitôt enfermés dans la leur, que les autres avaient rebaptisée « la suite nuptiale », bien qu'il se soit agi d'une chambre double classique. Danny, Beck et Win faisaient chambrée commune. Également dans une chambre double. Visiblement, l'hôtel avait accepté de loger les candidats, mais dans des conditions toutes particulières !

— Punaise, heureusement qu'on a une nana dans l'équipe, s'exclama Winslow en balançant sa valise démesurée sur l'un des petits lits. Sans Jo, je te parie qu'ils nous auraient tous collés dans une seule piaule, deux par lit et un dans la baignoire !

— Au moins, on a vue sur la Water Tower[1], constata Danny en écartant le rideau rayé d'or pour dévoiler dans un coin de la fenêtre le sommet du célèbre monument.

Win lui lança une moue dubitative mais Beck, ayant fini de répartir le contenu de son sac de sport dans les trois minuscules tiroirs d'une des tables de nuit, se leva et déclara :

---

1. La Chicago Water Tower, château d'eau de style néogothique, compte parmi les monuments historiques de Chicago. *(N. d. T.)*

— On est très bien, ici. J'ai connu beaucoup moins spacieux.

Au moins, la claustrophobie de Beck ne l'empêchait pas de dormir dans des chambres d'hôtel exiguës.

— Bon, OK, la vue est sympa, admit Winslow à contrecœur en s'approchant de la fenêtre.

— La Water Tower est l'un des rares édifices à avoir survécu au grand incendie de 1871, et c'est le seul qui existe encore aujourd'hui. On dit que c'est parce qu'il est en calcaire. Ce qui se dit « *limestone* », en anglais, comme...

— Oh ! Comme le restaurant ! le coupa Winslow.

— Quelle coïncidence, commenta Beck.

Rien dans son ton ni dans son expression ne le trahissait, pourtant, sa réplique était clairement ironique. Danny éprouva soudain une profonde affection pour ses coéquipiers.

— Allez, on ne va pas rester enfermés dans notre chambre toute la journée. Allons voir la salle où se dérouleront les épreuves. J'ai hâte de découvrir les cuisines du *Limestone* !

— Bonne idée, approuva Winslow.

Il s'assit sur son lit pour enfiler les baskets blanches immaculées qu'il avait retirées à la seconde où ils avaient pénétré dans la chambre, et faillit rester coincé entre les coussins tendus de damas.

— Qui sait ? Peut-être qu'on y trouvera de quoi faire des Mimosas, ajouta-t-il, taquin.

— Pitié, on ne va pas revenir là-dessus, geignit Danny, rejetant la tête en arrière comme pour prendre le ciel à témoin.

— Je ne vois pas où était le mal à accepter, c'est tout, bougonna Win. Tous les autres passagers y ont eu droit, sauf nous !

— Tous les autres passagers ont laissé Eva Jansen les acheter. Pour cinq dollars ! Je ne sais pas pour toi, mais mon temps à moi vaut plus que ça.

— T'as raison ! J'ai bien fait de prendre un jus de tomate : elle ne s'en relèvera jamais ! On ne lui a pas envoyé dire !

En général, les pitreries de Win arrachaient toujours un sourire à Danny. Mais pas cette fois.

Bien sûr, c'était ridicule de camper ainsi sur ses principes. Eva Jansen était une princesse gâtée qui voyait dans l'argent la clé de tous les maux. Et alors ? Qu'est-ce que cela pouvait bien lui faire ? Il aurait mieux fait de lui serrer la main, d'aller se rasseoir, d'accepter son fichu cocktail, et de tourner la page.

Mais il n'arrivait pas à se sortir cette fille de la tête. Ce qui ne l'arrangeait vraiment pas.

Ce n'était pas sa faute s'il s'était emporté, se justifiat-il : il se tracassait pour Beck. Danny jeta un coup d'œil discret à son coéquipier. Il avait recouvré son légendaire stoïcisme. La mine renfrognée, les muscles saillants, nul n'aurait pu se douter qu'il avait passé la première heure du vol à imprimer la marque de ses doigts crispés dans les accoudoirs de son siège.

Mais Danny l'avait vu, lui, et ne parvenait pas à l'oublier. Pendant l'interminable attente au sol, Beck n'en menait pas large. En quittant la chambre, Danny allongea sa liste de responsabilités : en plus de tout le reste, il lui faudrait veiller sur Beck.

Ils foulèrent tous trois le tapis moelleux qui conduisait à l'ascenseur.

— Alors, elle portait quoi, Eva la Diva ? s'enquit Winslow en appuyant sur le bouton d'appel.

Danny cligna des yeux.

— Pardon ? Euh, je ne sais pas. Du bleu, je crois. Une robe.

Winslow soupira.

— Ah, les hétéros, je te jure ! Des détails ! Eva Jansen est une icône de la mode dans le monde de la restauration. Tous mes potes vont me tanner pour savoir ce qu'elle portait. De quoi je vais avoir l'air, moi, si je leur réponds « du bleu » ?

— C'était peut-être du violet, se reprit Danny, désemparé. Qu'est-ce que j'en sais ? Je suis pâtissier, pas couturier. Je ne lui ai pas demandé le nom du créateur ! J'avais autre chose en tête.

Winslow fondit sur cet indice comme la misère sur le pauvre monde :

— Alors, c'était une pièce de créateur ? Bon, c'est un début ! Quant à savoir ce que tu avais en tête, facile. Si je ne préférais pas les mecs, elle me donnerait des idées, à moi aussi : elle est sacrément bien roulée !

— Me donner des idées ? N'importe quoi ! protesta Danny. Winslow, je ne te permets pas !

Mais Win se mit à claquer des doigts en chantonnant « Ouh, la menteuse, elle est amoureuse », et même Beck pouffa.

— C'est malin ! gronda Danny avec plus de hargne que prévu.

Bah ! Au moins, il avait fait taire Winslow, ce qui n'était pas chose aisée.

— Elle est mignonne, je te l'accorde, reconnut Danny, radouci. Mais les petites princesses qui se servent de l'argent et de la réputation de leur père pour jouer avec la vie de vrais travailleurs, ce n'est pas mon genre.

— Cassée ! fit Win. T'es dur, mec. Moi, je l'ai trouvée plutôt cool pendant les qualifs.

Danny prit à partie Beck, qui se taisait toujours.

— Enfin, dis quelque chose !

Les bras croisés sur son large poitrail, le colosse cligna lentement des yeux, comme s'il pesait le pour et le contre. Pour la énième fois, Danny se demanda quand il pouvait bien trouver le temps d'entretenir sa musculature. Il devait soulever de la fonte pour être bâti comme ça. Ce n'était pas Schwarzenegger, mais pas loin !

— Winslow a raison. Il vaut mieux se méfier des rumeurs et éviter de coller des étiquettes sur la base de simples préjugés. Ce n'est pas stratégique. On risque de sous-estimer les gens.

Winslow se déhancha triomphalement :

— T'entends ça, Lunden ? J'ai gagné ! Les doigts dans l'nez !

Danny éclata de rire malgré lui et lui accorda le point. De toute façon, le débat avait assez duré.

— OK, Eva Jansen est peut-être la femme la plus sexy, la plus futée et la plus bosseuse de toute l'industrie de la restauration. Là, vous êtes contents ? N'empêche qu'il faut qu'on reste tous concentrés, en ce moment. La seule chose qui importe, c'est le concours.

— Dis ça à Max et à Jo, marmonna Winslow. S'ils arrivent à se concentrer sur autre chose que leurs mamours pendant dix minutes d'affilée, j'arrête les mecs !

Danny soupira.

— Tu n'as pas tort. Mais bon, ils s'aiment, ils sont heureux, tant mieux pour eux. Au fond, ils restent pro. Quand les épreuves commenceront, ils se ressaisiront. Et d'ici là, on va mettre les bouchées doubles pour compenser leur relâchement. Tout ira bien.

Danny refusait de songer à ce qui les attendait si Jo et Max ne s'arrachaient pas à leur univers de Bisounours et de Cupidons à temps pour les aider à écraser leurs concurrents.

Fronçant les sourcils, Beck fit un pas et appuya de nouveau sur le bouton d'appel. Où donc était l'ascenseur ? Winslow, lui, se faufila jusqu'à Danny et darda sur lui ses yeux vert vif.

— Ils sont agaçants, hein, Max et Jo. Il ne s'agit ni de mon frangin, ni de ma meilleure copine mais ça n'empêche : quand je les vois gazouiller comme ça, j'ai parfois envie de leur aboyer de se trouver une chambre et d'arrêter de nous narguer, nous autres célibataires !

— Je suis très content pour eux, affirma Danny.

À sa grande fierté, il avait réussi à desserrer les dents pour articuler ces mots.

Win haussa les épaules :

— Bien sûr, moi aussi, là n'est pas la question. Mais toi et Jo, vous étiez comme les deux doigts de la main et maintenant elle ne lâche plus son Maxounet. Ça doit te faire bizarre.

Danny eut un rire forcé.

— Tu n'as pas bientôt fini de te triturer les méninges ? Tu vas te faire un nœud au cerveau !

Win plissa les yeux.

— J'en connais une que tu triturerais bien. La belle Eva !

— Tu es complètement à côté de la plaque, riposta Danny tandis que retentissait le carillon de l'ascenseur. Tout ce que je veux, c'est gagner ce concours.

Il poussa un soupir de soulagement : la conversation approchait dangereusement de certains sujets qu'il s'efforçait d'éviter, voire de refouler.

Certes, la responsable du concours de la Toque d'Or, l'une des restauratrices les plus brillantes de l'industrie, se trouvait être accessoirement aussi appétissante qu'un éclair au café. Pour autant, il aurait été inconscient de s'acoquiner avec elle juste pour oublier la boule qu'il avait au ventre en voyant son frère bécoter son amie d'enfance.

« Comme les deux doigts de la main », avait dit Win. Inutile de se voiler la face : Danny regrettait parfois de ne plus être l'homme de la vie de Jo. Elle lui manquait, aussi. Mais elle méritait quelqu'un qui puisse l'aimer passionnément et pas seulement comme un ami. Danny se réjouissait vraiment pour elle. Et pour Max aussi.

Et il ne se sentait pas esseulé au point de s'adonner à des fantasmes grotesques et déplacés au sujet d'Eva Jansen. Ce serait pitoyable !

— Si tu le dis, fit Win.

Les portes de l'ascenseur s'ouvrirent sans bruit et Win entraîna Danny dans la cabine de bois verni.

— Mais rappelle-toi le proverbe, ajouta-t-il en prenant Danny par les épaules. : « Qui ne veut pas devenir un vieux schnock grincheux veille à s'accorder un écart ou deux… »

Danny gloussa malgré lui, tituba et repoussa Winslow qui alla s'écraser contre l'inébranlable Beck ; Beck empoigna Winslow et l'aida à se redresser.

— Vous refaites un sketch des Marx Brothers ? ironisa une voix suave non loin de là.

Danny sursauta : ils n'étaient pas seuls. Derrière eux, délicieusement désirable dans ses bandelettes bleues (ou violettes), arborant son éternel sourire, Eva Jansen assistait à la scène.

Danny comprenait mieux désormais pourquoi l'ascenseur avait tant tardé : la princesse avait dû le retenir à son étage, portes ouvertes, pour achever de se poudrer le nez.

— Vous ici ! minauda-t-elle en plissant ses yeux gris comme un chat devant une assiette de crème. C'est mon jour de chance.

4

Contre son gré, le corps de Danny réagit à ces inflexions graves et enjôleuses. Il passa d'un pied sur l'autre, mal à l'aise. Pourquoi fallait-il qu'elle ait cette voix sexy que n'ont les autres filles qu'au saut du lit ?

— Bonjour, mademoiselle Jansen ! piailla Winslow en lui tendant une main assurée, tout guilleret, des étoiles plein les yeux. Sublime, votre robe ! Pour moi, Michael Kors est le maître incontesté de l'art du drapé.

Sur ce, il décocha à Danny un regard dédaigneux.

Eva lui serra la main et haussa un sourcil à l'arc parfait.

— Ah, oui, vous trouvez ? Merci. J'aime beaucoup votre T-shirt, il vient d'où ? Si vous me dites que vous l'avez acheté à un concert, je vais mourir de jalousie.

Danny inspecta le vêtement en question : Win portait un vieux T-shirt des Rolling Stones qui avait dû être noir dans une vie antérieure mais grisonnait désormais à force de lavages répétés.

— Vous aimez les Stones ? pépia Winslow, radieux.

Pour un peu, il se serait mis à sautiller en battant des mains.

— J'aime surtout Mick Jagger : il est canon !

47

Voilà qui prouvait une fois pour toutes qu'Eva Jansen n'avait rien de la femme idéale : elle était superficielle. Exactement comme Danny le soupçonnait.

Seulement, cela ne changeait rien à l'effet que produisait sur lui son corps ô combien féminin dont les courbes délicates tendaient le tissu de sa robe ajustée, à deux pas de là.

Comme quoi, Danny aussi était un peu superficiel, à ses heures.

Win répondit, songeur :

— Pour ma part, j'ai toujours préféré Keith Richards. Il porte le bandeau comme personne.

Beck s'éclaircit la gorge et Danny détacha son regard du mini-fan-club qui s'improvisait dans le coin de la cabine. Le teint de Beck, habituellement olivâtre, virait au gris, et Danny s'aperçut que si les portes de l'ascenseur s'étaient bien refermées, la cabine ne bougeait toujours pas.

— Bon, les groupies, on choisit un étage ? intervint-il sèchement.

Win paraissait vexé, mais Danny étouffa le sentiment de culpabilité qu'il sentait poindre. Il se tourna vers Beck. Il commençait à transpirer. Il fallait le faire parler, histoire de lui occuper l'esprit.

— La cuisine est à quel étage ?

D'après ceux de ses amis qui étaient employés dans des restaurants d'hôtels, la cuisine et la salle ne se situaient pas forcément au même étage. Au pire, ils pourraient toujours aller se renseigner à la réception.

— Vous allez inspecter le *Limestone* ? J'y vais justement. Permettez ?

Et Eva d'appuyer vivement sur le bouton du deuxième.

— Le monde est petit, grommela Danny.

— Petit et cosy, renchérit Eva en plissant à son attention ses beaux yeux en amande.

Il fallut environ quinze secondes pour parvenir au deuxième ; pourtant, le trajet parut interminable à Danny. La tension lui semblait palpable.

Beck, manifestement à la torture, prenait son mal en patience. Winslow, une fois n'est pas coutume, se taisait. Et Danny se sentait responsable.

Si seulement il arrivait à se concentrer, à faire quelque chose pour détendre l'atmosphère... Peine perdue : avec Eva dans la cabine, il n'y arrivait pas. Il tenta de ne pas trop s'en vouloir.

Seule Eva semblait à son aise. Chaque fois que Danny prenait une inspiration, son parfum envoûtant et sophistiqué lui chatouillait les narines et lui titillait les nerfs.

Enfin, doucement, l'ascenseur s'arrêta. Beck sortit le premier, Winslow sur les talons.

Non sans maudire les règles de galanterie que lui avait inculquées sa mère, Danny bloqua du bras la porte le temps qu'Eva les imite.

Mais elle n'en fit rien. Au bout de deux secondes, Danny se retourna pour voir ce qu'elle attendait, cette fois.

Elle ne se recoiffait pas. Elle ne pianotait pas sur son téléphone. Elle ne s'adonnait à aucune des manies énervantes auxquelles il s'attendait.

Eva Jansen faisait bien pire que ça. Alanguie contre le mur du fond de la cabine, les bras étendus de part et d'autre de son corps parfait, elle enroulait ses doigts aux ongles carmin autour de la rambarde de cuivre et tendait devant elle ses jambes interminables, nonchalamment croisées à la cheville.

Ses cheveux sombres contrastaient avec son teint de lait, une mèche caressait le coin de sa joue... Les portes de l'ascenseur se mirent à vrombir et Danny tressaillit, arraché à sa contemplation.

Quand elle le vit sursauter, Eva releva le coin de sa bouche couleur pomme-d'amour. Lâchant la rambarde, elle s'avança vers lui à pas lents. Danny se prépara psychologiquement : lorsqu'elle sortirait, elle risquait de l'effleurer ; en tout cas, son corps serait tout proche, et pourtant intouchable, comme à des lieues de là...

Cependant, Eva semblait avoir longuement étudié l'art de déjouer les attentes de Danny, car, juste avant d'atteindre la porte, elle pila, leva une main et la posa sur le biceps qui gonflait la manche de Danny. La maille épaisse de son T-Shirt n'atténua en rien la décharge électrique qu'il éprouva à ce contact. Puis Eva promena ses doigts fins le long de son bras et vainquit enfin les résistances de ce membre rebelle qui refusait de lâcher la porte.

Le vrombissement cessa et les portes se refermèrent dans un coulissement muet, mais le sang battait si fort aux tempes de Danny qu'il s'en rendit à peine compte. Ils se retrouvèrent seuls dans l'élégante petite cabine. Qui, avec un sifflement discret, commença son ascension, appelée dans les étages par un client, certainement.

Sans le quitter des yeux, Eva se pencha. Le cœur de Danny se mit à tambouriner et son souffle s'accéléra. Mais Eva se contenta d'appuyer sur un bouton qui immobilisa soudain l'ascenseur entre deux étages.

Cette manœuvre éhontée dissipa la transe hypnotique dans laquelle la robe, le parfum et le sourire diaboliquement sensuel d'Eva avaient plongé Danny.

— Qu'est-ce que vous fabriquez ?

Son ton évoquait davantage la sidération que l'autorité. Tant pis !

— Je voulais un tête-à-tête avec vous, dit-elle sans rien perdre de son sang-froid ni de son détachement amusé.

Comme à bord de l'avion, cela suffit à mettre Danny hors de lui.

— Et vous ne pouviez pas le demander, comme tout le monde ?

— Vous auriez refusé, lui retourna posément Eva.

Dans ses yeux gris dansait une étincelle d'argent. Elle s'amusait comme une petite folle.

Certes, Danny aurait préféré échapper à toute entrevue avec cette créature qui lui faisait perdre contenance et oublier son propre nom, mais :

— Vous êtes l'une des personnalités les plus puissantes de l'industrie de la restauration, et vous tenez entre vos blanches mains le sort du concours de la Toque d'Or. Il faudrait être idiot pour vous envoyer balader.

Zut. Il avait fait preuve d'un peu trop d'agressivité.

Le sourcil à l'arc impeccable se souleva de nouveau.

— Je ne vous croyais pas aussi calculateur, répondit-elle d'un ton plutôt doux, comparé à celui qu'il venait d'employer. Oh, je sais bien que je ne vous inspire guère d'estime, quel que soit mon prétendu pouvoir.

Danny prit une profonde inspiration afin de réduire la pression qui bombait sa poitrine et de reconquérir une once de maîtrise de soi.

— Si je vous ai offensée, je vous présente mes excuses.

Il lui en coûtait, mais Eva ne devait pas concevoir de rancœur à l'égard de son équipe : cela risquerait de les pénaliser.

Eva, toutefois, n'avait que faire de ses excuses. La peste eut le culot de lui rire au nez.

— Mais oui, bien sûr ! Vous ne regrettez pas du tout vos propos, vous redoutez seulement que je les retienne contre vous. Je me trompe ? Pas de panique, M. Poli. Je ne suis pas en sucre. J'ai été méprisée par des hommes plus importants que vous, et j'ai toujours fini par les dominer.

Il s'agissait d'un manifeste féministe et non d'une allusion grivoise ; pourtant, prononcée de sa voix suave et un peu rauque, la tirade évoquait à Danny la vision d'Eva assise à califourchon sur lui.

Il dit avec peine :

— Et vous m'avez piégé ici pour discuter de quoi, au juste ?

En serrant les mâchoires de toutes ses forces, il parvenait à peu près à dissimuler son appétit sexuel digne d'un ado boutonneux.

Elle sourit à demi, comme à une plaisanterie qu'elle seule aurait entendue.

— À vrai dire, je voulais vous renouveler mes excuses pour le coup du vol retardé. Votre ami, le poissonnier, avait l'air stressé tout à l'heure, dans l'ascenseur. Du coup, je me suis demandé s'il avait eu le même souci dans l'avion et si c'était la raison de votre colère. Parce que vous vous sentez responsable de vos coéquipiers. Enfin, c'est ce qu'il me semble. Je parie que si c'était vous qui souffriez de claustrophobie, vous ne seriez jamais venu vous plaindre au steward. Bref ! Je voulais vous dire que j'étais désolée d'avoir troublé la sérénité de votre équipe. Sauf qu'au final on a dévié, et c'est vous qui vous êtes excusé ! Enfin, voilà. Pardon.

Danny se tendit malgré lui. Eva Jansen faisait preuve d'un sens de l'observation et d'une empathie inattendus, et il se sentait mis à nu.

— Bon, je suis désolé, vous êtes désolée : un point partout, la balle au centre.

Eva lui lança un regard entendu par-dessous ses longs cils.

— Je peux peut-être… me faire pardonner ?

Les pieds de Danny se mirent à bouger de leur propre initiative : il s'avançait vers elle.

Eva ne broncha pas. Elle se borna à incliner la tête sur le côté, et à le regarder sans ciller, imperturbable.

Cette femme savait ce qu'elle voulait et n'hésitait pas à aller le chercher.

Ils se tenaient si proches désormais qu'ils partageaient le même air. Pendant une minute torride, le temps se figea et leurs deux respirations se fondirent en une seule. Danny sentait son parfum sucré et, dessous, une substance plus dangereuse encore : une odeur chaude et terreuse de peau propre et de femme. Ce mélange lui monta à la tête comme un gaz toxique et lui fit perdre tous ses repères, tous ses moyens et, surtout, toute sa volonté.

Le désir qu'il refoulait éclata à la surface de sa conscience, vorace comme un loup et deux fois plus indomptable. Eva se tenait immobile, le menton relevé, dans une posture qui, chez d'autres, aurait suggéré la soumission, ou du moins une certaine réceptivité, mais se colorait chez elle d'une note de défi. À cause de son regard flegmatique, peut-être, ou de sa moue amusée.

Danny n'avait plus ni l'envie ni la faculté de résister : faisant fi du peu de bon sens qu'il lui restait, il l'empoigna des deux mains.

Ses lèvres sous les siennes étaient douces et dociles mais il avait vu s'allumer dans ses yeux une étincelle de triomphe. Elle gémissait, à présent, les yeux clos, s'abandonnant à ce baiser. Son corps se coulait naturellement contre celui de Danny, il en sentait la chaleur sur toute sa longueur. Ses jolis doigts blancs retrouvèrent le chemin de ses bras, poursuivirent leur route jusqu'à ses épaules, les palpèrent avidement avant de se nouer autour de son cou.

Il fallait absolument mettre un terme à ce baiser. Hélas, pour une raison obscure, Danny ne parvenait pas à relâcher la délicieuse rondeur de ces hanches. Il ne pensait plus qu'à la jointure de leurs deux bouches, qu'à l'entrelacs de leurs deux langues, qu'à l'insatiable appétit que ce baiser éveillait en lui.

Sans pudeur ni retenue, elle émit une plainte gutturale et Danny fut aussitôt submergé par une vague de désir brut et non raffiné. Il était en érection depuis qu'il l'avait vue alanguie contre le mur du fond mais, quand il l'entendait gémir ainsi, le sang palpitait dans ses veines avec une force redoublée et tendait son sexe avec tant de vigueur que Danny craignit de défaillir.

Le cœur battant plus fort que sur les montagnes russes de Coney Island, Danny réussit enfin à s'arracher à cette étreinte. Il recula d'un pas et prit une inspiration saccadée ; il était complètement hors d'haleine.

Eva ne tenta pas de le retenir. Elle le regardait par en dessous, la bouche rougie et gonflée par ses morsures. Incroyable mais vrai, elle affichait toujours une ombre de sourire narquois !

— Pas mal, miaula-t-elle en lissant son brushing irréprochable.

— Pas malin, marmonna Danny entre ses dents.

Inondé d'adrénaline, étourdi par la sensation de flirter avec le danger, Danny brûlait déjà de se presser de nouveau de tout son poids contre les formes d'Eva.

— Et pas prudent, ajouta-t-il. Quelqu'un va finir par signaler à la réception que l'ascenseur est bloqué.

— Le risque, c'est le piment de la vie, affirma Eva en se penchant pour ramasser son sac à main, qu'elle avait lâché dans un coin de la cabine avant d'appuyer sur le fameux bouton d'arrêt.

Elle en sortit un miroir de poche et lança à Danny un regard malicieux.

— Oh, je vous en prie, ne jouez pas les vierges effarouchées ! Ça vous a plu et vous le savez très bien.

Il la regardait se remettre du rouge à lèvres et quelque chose se noua dans sa poitrine. C'était un geste tellement intime.

Danny se détourna, repéra le bouton « Arrêt d'urgence » et y enfonça le doigt. L'ascenseur repartit. Danny appuya sur le bouton du deuxième étage.

Sans la regarder, il admit :

— Bon, et alors ? Je ne suis pas de bois. Bien sûr que j'apprécie les baisers torrides. Ce n'est pas un crime, vous n'allez pas me faire un procès.

Pourvu qu'elle ne le prenne pas au mot ! Elle avait les moyens de se payer dix avocats mangeurs d'homme, et la famille Lunden ne pouvait pas en dire autant.

Mais Eva eut un rire indéfinissable :

— Je ne parlais pas du baiser.

Surtout, ne pas lui demander de quoi elle parlait !

L'ascenseur s'arrêta au neuvième étage, mais le client avait dû se lasser d'attendre et se rabattre sur l'escalier. Danny pressa le bouton de fermeture des portes et la cabine plongea enfin vers les cuisines.

Pendant la descente, il fixa la colonne de numéros qui s'allumaient les uns après les autres. Quand le numéro deux s'illumina et que la cabine ralentit, une vague de chaleur l'avertit soudain de la présence d'Eva à ses côtés.

Son souffle lui chatouillait l'oreille, hérissait les poils de sa nuque et diffusa le long de son dos une déflagration de désir.

Mais ce furent ses mots qui l'achevèrent.

— Ce n'est pas le baiser qui vous a excité, lui susurra-t-elle. C'était la transgression. Vous avez enfreint vos propres règles pour vous aventurer sur mon terrain de jeu. C'est ça qui vous met dans tous vos états. Si l'envie vous prend de remettre ça, vous savez où me trouver.

Danny n'avait plus d'air dans les poumons, il restait comme paralysé tandis que les portes s'ouvraient et qu'Eva le devançait sur le palier baigné de lumière dorée.

— Vous venez ? lui lança-t-elle par-dessus son épaule, l'air détaché.

Mais, tout transi qu'il était, Danny remarqua tout de même la raideur qui guindait son élégante silhouette.

Elle n'était pas aussi désinvolte qu'elle voulait bien le faire croire. Réconforté par cette idée, Danny respira librement et la rejoignit dans le couloir à grandes enjambées.

Quand ils furent parvenus à l'immense porte à double battant qui marquait l'entrée des cuisines du restaurant de l'hôtel, il fit halte et déclara :

— Je suis pâtissier. Les règles, ça me connaît. Je les comprends et je sais les appliquer. Mais je sais aussi les assouplir et les contourner. Voire les enfreindre, à l'occasion.

Elle hésitait, la main sur la poignée. Pour la première fois, l'incertitude troublait sa belle assurance.

— Juste une mise en garde, poursuivit Danny en lui ouvrant la porte d'autorité. Vous avez parlé de jeu, tout à l'heure. Sachez que quand je joue, c'est pour gagner. Et je ne fais pas de quartier.

5

Mais qu'est-ce que c'était que cette banquise battue par le blizzard ? On n'était qu'au mois d'octobre et déjà Chicago ressemblait au pôle Nord !

Kane Slater remonta jusqu'au menton la fermeture éclair de son sweat à capuche noir élimé. Si seulement il avait eu la présence d'esprit d'apporter un manteau !

Les températures ne descendaient jamais aussi bas à Austin, pas même au cœur de l'hiver. Quant à Los Angeles, où il habitait désormais, n'en parlons pas : dès que le thermomètre affichait moins de vingt-deux degrés, les Californiens enfilaient leurs après-ski.

N'empêche. Il aurait dû se douter qu'il ferait froid, dans le Nord.

Il chantonna un extrait de sa dernière composition, encore inachevée ; elle lui trottait dans la tête. Puis il rehaussa ses épaules, s'assura que ses lunettes noires cachaient bien le bleu perçant de ses yeux, et resserra sa capuche autour de son visage – d'après son expérience, lorsqu'il dissimulait ses yeux et la blondeur de ses cheveux, on risquait moins de le reconnaître.

Ce jour-là, en tout cas, pas un fan ne l'accosta. Kane rendit grâces au dieu des rockeurs qui se payait le luxe d'un après-midi de liberté, incognito.

Depuis deux ans, cela n'arrêtait pas : les Grammy Awards et autres prix pleuvaient sur ses tubes et ses clips ; en tournée, des hordes de filles hystériques jetaient sur la scène leurs dessous... De temps en temps, Kane avait besoin de souffler. Il savait que les gardes du corps et les paparazzi épiant ses moindres faits et gestes étaient la rançon de la gloire et, en général, il s'en accommodait. Pour pouvoir vivre de musique, jour après jour, ce n'était pas cher payé !

Mais l'attention écrasante, dévorante et incessante qu'il s'attirait l'empêchait parfois de réfléchir.

Or Kane avait des problèmes à résoudre.

« Ressaisis-toi ! s'exhorta-t-il en martelant le trottoir de ses Converse trempées de neige fondue. Tu t'es engagé envers La Toque d'Or, envers Eva et envers toi-même. T'as le moral dans les chaussettes à cause de cette nana, et alors ? Ça ne doit pas t'empêcher de rester pro et de faire ton boulot. »

Une bourrasque s'engouffra entre les buildings, menaçant de scalper le rockeur. Décidément, il fallait qu'il ait l'âme d'un ado gothique pour traîner son désespoir dans les rues par un temps pareil. Il risquait de contracter une pneumonie, ou pire !

Le climat cataclysmique de Chicago avait gagné : Kane se frictionna les bras et se réfugia dans le premier café.

La chaleur le frappa comme une impression d'édredon, tiède, douce et inattendue, au point qu'elle lui meurtrissait la peau. Il fallut quelques secondes à ses poumons pour se remettre du choc thermique. Mais le carillon de la porte derrière lui et les clients en manque de caféine qui le bousculaient eurent tôt fait de le revigorer.

Le café n'avait rien des grands espaces modernes et tapageurs de L.A., avec leurs panneaux de verre, leurs lignes épurées, leur mobilier ostensiblement design. Il ne ressemblait pas non plus à ses chers vieux bars bohèmes et décatis du centre-ville d'Austin. Encore moins au café d'inspiration parisienne de l'Upper East Side de Manhattan où Kane avait déclaré à Claire Durand qu'il se moquait des mauvaises langues et de leur différence d'âge : il avait envie d'être avec elle.

Évacuant ce souvenir, Kane examina le plâtre craquelé des murs et leurs affiches vantant telle marque de hot-dogs surgelés ou telle confiserie industrielle. La pièce était étroite et oblongue. À gauche s'alignaient des banquettes en vinyle rouge ; à droite, les consommateurs faisaient la queue au bar, que tenait une jeune femme souriante aux bras couverts de tatouages multicolores. Elle, au moins, elle ne se faisait sans doute pas pompeusement appeler « *barista* » comme les serveuses des cafés de New York et L.A., songea Kane, amusé. Sans doute qu'ici on ne déclinait pas le café en tailles *tall*, *grande* et *venti*. Kane s'en réjouit.

En fait, ce café lui rappelait un *diner* de Texas Hill Country, là où il avait grandi, et il se sentait plus à l'aise, plus dans son élément que depuis des mois. Il se risqua à repousser sur son front ses lunettes de soleil afin de déchiffrer la carte. Comme prévu, les options étaient limitées : expresso, allongé ou café au lait. Pas de supplément caramel ou sirop de noisette.

Il lui sembla que la serveuse l'avait reconnu ; derrière les verres de ses lunettes rétro, ses yeux s'étaient arrondis ; mais elle eut l'obligeance de lui tendre sans commentaire sa tasse de café goût café, supplément café. Reconnaissant, Kane fourra dans la boîte à pourboires un billet de vingt dollars et se mit en quête de sucre.

Au lieu de quoi, il trouva la femme qu'il essayait en vain de cerner.

Elle était là, sur sa banquette, derrière l'écran de son ordinateur, un café au lait à la main. Claire Durand.

Kane pensait si souvent à elle ces derniers temps qu'il marqua un temps d'arrêt et cligna plusieurs fois des yeux pour s'assurer qu'il ne s'agissait pas d'un produit de son imagination.

Elle paraissait bien réelle, avec son twin-set bordeaux, son beau foulard imprimé négligemment noué autour du cou – une vraie gravure de mode ! À sa vue, Kane se remémora les magazines qu'achetait sa mère, ceux qui parlaient des destinations en vogue tel ou tel été, ou de l'intérieur de la princesse Grace.

C'était bien Claire, il ne rêvait pas. Parce que, s'il avait été en train de rêver, il se la serait représentée telle qu'elle lui était apparue pour la première fois dans sa chambre d'hôtel, à New York, entre ses draps, ses cuisses roses et ses bras fermes tendus vers lui, sa bouche rosie à force de se mordre la lèvre, sa cascade de cheveux d'or répandue sur l'oreiller comme un tapis de feuilles d'automne.

Un peu sonné, Kane porta sa tasse à sa bouche. L'amertume du café le dégrisa d'un coup : il en avait oublié le sucre.

Seulement, maintenant qu'il avait vu Claire, il était comme happé par sa force de gravité, tel un satellite en orbite autour de sa planète. Il s'avança et se tint à deux pas de sa table. Elle leva le nez de son travail, les sourcils froncés, encore concentrée.

Quand elle le reconnut, son expression se métamorphosa : sa mâchoire se décrocha. Kane savoura ce tableau avant de s'attabler en face d'elle avec son café.

— Tous ces rendez-vous clandestins, il faut que ça cesse, décréta-t-il d'un ton badin.

Le souvenir de leur entrevue, des semaines auparavant, dans ce petit café parisien de l'Upper East Side, vacilla comme une flamme dans les grands yeux de Claire avant de se volatiliser.

Elle ne répondit pas tout de suite, et Kane craignit l'espace d'une seconde qu'elle ne l'appelle monsieur Slater. Si elle osait, il lui faudrait recourir aux grands moyens et lui rappeler qu'ils s'étaient déjà vus nus et que, dans ces conditions, ils pouvaient se passer de tant de formalités. Par chance, elle dit :

— Kane. Quelle joie de te revoir.

L'accueil était un peu tiède, mais on lisait dans ses yeux une réelle chaleur.

— Sympa, ton bureau, blagua Kane en désignant sa petite table surplombée d'une affiche vantant une certaine marque de donuts.

— Comment ? Oh. Tu comprends, ma chambre d'hôtel est très correcte, mais on n'y trouve ni bureau, ni stocks inépuisables de café. Or *Délices* a mentionné cet établissement, le *Blue Smoke*, dans un article sur le revival des petits bars de quartiers, il y a quelques numéros…

— Je me souviens, je l'ai lu ! J'ai même épinglé l'article au mur du bus pendant ma dernière tournée : je voulais tester tous les bars qui y étaient listés. C'est fou que je tombe par hasard sur l'un d'eux aujourd'hui !

— C'est fou, répéta Claire, les yeux plissés : elle se méfiait du hasard.

— Ma maman m'a toujours dit que j'étais né sous une bonne étoile.

Kane arbora son sourire le plus désarmant et s'inclina contre son dossier, les bras derrière la tête. C'était le seul moyen de se retenir de les tendre vers Claire pour la toucher.

Elle était si entière, si parfaite. Elle respirait la sérénité des êtres qui savent ce qu'ils veulent et qui ils sont. Parfois, Claire Durand semblait tenir davantage de la statue de marbre que de la femme de chair et de sang…

Mais Kane avait goûté à sa chair soyeuse et lisse, et elle avait le sang chaud, ainsi qu'il avait eu l'occasion de le constater. Il avait caressé à pleines mains sa peau ferme et onctueuse, l'avait dévorée à belle bouche…

Le contraste entre la Claire de ses souvenirs et celle qui lui faisait front à présent, distante et droite comme un I, lui donnait le tournis. Plus encore que le café non sucré qu'il venait d'avaler à jeun. Il décida de foncer.

— Je ne pensais pas que ça te dérangerait qu'on se croise ici. On est loin de l'hôtel. On ne risque pas de tomber sur des connaissances communes.

Il étendit les bras le long de son dossier.

— Ici, je peux me comporter de façon déplacée : personne ne viendra nous le reprocher.

Kane agita les sourcils de manière suggestive afin d'alléger son propos. Peine perdue, Claire ne se déridait pas.

— Kane. Je voulais simplement qu'on se montre un peu plus… circonspects. Eu égard à notre environnement professionnel. Mon travail de juge ne représente pas une parenthèse pour moi, il s'agit de ma carrière. D'une part capitale et très médiatisée de ma carrière, pour être exacte. Il est hors de question qu'on me prenne pour l'une de tes… comment dit-on déjà ? Pour l'une de tes groupies.

Piqué au vif, Kane abandonna sa pose et planta les deux coudes sur la table.

— Primo, tu n'as rien d'une groupie, et il faudrait être fou pour penser le contraire. Et deuzio, tu exagères.

Elle ferma brièvement les yeux.

— Je te demande pardon. Je ne voulais pas insinuer que tu prends tes responsabilités de juge à la légère. Mais il ne s'agit pas de ta carrière…

Il grimaça.

— Euh, non, là-dessus, tu n'avais pas tort. Même si je prends mes responsabilités très au sérieux ! Par contre, tu ne m'as pas seulement demandé de faire preuve de « circonspection ». Tu as voulu qu'on « prenne du recul ». En clair : qu'on fasse un break. C'est dur pour moi.

Claire dut être sensible à l'accent de sincérité qui éraillait sa voix, car elle se radoucit du fond des yeux jusqu'à la ligne de ses épaules. Elle tendit la main et caressa du bout de ses doigts fins le poignet du jeune homme.

— Ce n'est pas facile pour moi non plus. Tu me manques.

Kane ne voyait que trop bien ce qu'elle ressentait.

Après leur première nuit ensemble à New York, ils avaient sillonné le pays avec les autres juges afin de sélectionner les finalistes. Pendant des semaines, ils s'étaient retrouvés la nuit pour bavarder, s'embrasser et s'aimer. Mais, à l'approche du concours à proprement parler, Claire avait voulu faire une pause. Pour Kane, cela avait été une sacrée claque.

Avec le recul, il repérait les indices. Elle n'acceptait de le voir que tard, après le travail, en cachette des autres juges ; elle se contractait sitôt qu'il la touchait en public...

Certes, leur relation était compliquée. Mais de là à rompre ? En étaient-ils vraiment réduits à cette extrémité ?

Kane arbora un sourire insolent et retourna vivement son poignet pour emprisonner dans la sienne la main de Claire.

— Tu me manques, je te manque : parfait ! Je connais le remède.

Claire expira fortement, faisant frémir une boucle auburn sur son front.

— Tu ne m'écoutes pas ! Ou alors tu fais la sourde oreille. Kane, je vais être directe. Ce qu'il y a entre nous, c'est... incongru. Et déraisonnable.

Kane, en incorrigible optimiste, sentit son cœur bondir dans sa poitrine :

— Je te fais perdre la raison ? Je trouve que c'est plutôt une bonne chose !

Les lèvres de Claire tremblaient comme si elle réprimait un rire.

— Voilà qui ne m'étonne pas de toi. Tu fais partie de ces hommes assoiffés de vitesse et de frisson, toujours à la recherche de sensations fortes...

Pour le coup, elle l'avait bien cerné. Il haussa les épaules.

— Je fais du saut à l'élastique et je mange du fugu, oui, et alors ? J'aime me sentir en vie !

Les yeux de Claire se réduisirent à deux pointes de couteau.

— C'est là toute la différence entre nous. Moi, je n'ai pas besoin de mettre ma santé en péril, voire de frôler la mort, pour me « sentir en vie », comme tu dis. Tu as le goût du risque, des émotions violentes. Moi…

À son tour, elle haussa les épaules, avec une élégance qui lui vrilla les tripes. Bon sang, ce qu'elle était désirable !

Comme elle laissait sa phrase en suspens, il la relança :

— Toi ?

Un ombre passa sur les traits de Claire comme un rideau retombe sur une scène vivement éclairée.

— Vous autres Américains, vous maîtrisez le corps et ses pulsions et traitez votre cœur comme un animal sauvage qu'il s'agit de dompter. Du coup, quand votre cœur ou vos pulsions se rebiffent, ils ont la puissance de lions affamés échappés de leur cage après des années de captivité.

L'image parlait à Kane ; de fait, elle lui inspira des paroles de chanson en parfaite harmonie avec l'air inachevé qui lui trottait dans la tête depuis plus de vingt-quatre heures. Vite ! Il plongea la main dans la poche arrière de son jean, en extirpa son crayon, se pencha sur la table pour dérober à Claire sa serviette immaculée, et se mit à écrire frénétiquement ; c'était une course contre la montre : il fallait coucher les mots sur le papier avant qu'ils ne s'effacent de sa mémoire.

— Continue, dit-il d'une voix tendue, la main meurtrie tant il crispait les doigts sur son crayon. Je t'écoute. Des lions affamés. Poursuis.

La voix de Claire se teinta d'une note d'amusement aussi chaude que son cachemire.

— Tu vois ? Tu es constamment exalté. Pour ma part, j'ai appris alors que j'étais plus jeune que toi aujourd'hui que le bonheur réside dans la modération. Dans l'équilibre. Nul ne peut nier les appétits du corps, mais ils ne doivent en aucun cas régir l'existence. Cueillons les roses de la vie, savourons l'instant présent, mais gardons la tête froide. Contrôlons nos plaisirs, ne les laissons pas nous contrôler. Telle est ma philosophie, Kane. J'y crois comme d'autres croient au ciel et à l'enfer.

Cette voix ! Cette éloquence ! Avant de devenir rédactrice en chef du magazine *Délices*, Claire en avait été la journaliste phare. Quand on l'entendait parler, Kane comprenait pourquoi.

Hélas ! Chacune de ses phrases lui transperçait les côtes et le touchait au cœur. Il ne voulait pas en rester là. Cependant, si c'était bien la fin, il aurait un dernier souvenir à chérir : Claire rendait ce moment poignant et beau. Et si Kane croyait en quelque chose, comme d'autres croyaient au ciel et à l'enfer, c'était en la beauté.

— Si je comprends bien, tu as pris du bon temps avec moi, mais tu as fait le tour de la question et tu veux passer à autre chose. C'est aussi simple que ça.

Sa belle voix de baryton s'étranglait mais, pour une fois, il n'y prêta pas attention.

Claire remua sur sa banquette, le cuir grinçait sous ses hanches. Elle semblait en proie à une lutte interne. Enfin, elle répondit :

— C'est tout sauf simple. Et tu te méprends sur mes motivations. Ce n'est pas ce que tu imagines…

En la voyant se trémousser, Kane avait basculé dans un mode de pensée viscéral et instinctif. L'enjeu de la conversation était de taille : c'était quitte ou double, il le savait. Mais il n'en était pas moins homme.

— Crois-moi, tu n'as pas la moindre idée de ce que je suis en train d'imaginer, répliqua-t-il d'un ton lourd de sous-entendus.

Devant ses yeux défilait comme sur un écran géant le souvenir de leurs ébats. Aussitôt, le regard sombre de Claire fondit comme du chocolat.

— Écoute, Kane, j'ai besoin de prendre mes distances parce que...

Elle eut un geste langoureux pour les désigner, tous les deux.

— Quand je suis avec toi, je perds mon équilibre. Mon calme, mon bonheur sont compromis.

Elle inclina le buste et Kane résista à la tentation de lui sauter dessus pour écraser ses lèvres contre les siennes.

— Quand je suis avec toi, répéta Claire, avec son accent français qui grondait comme un orage lointain, je suis moi-même un lion affamé en captivité.

Elle s'appuya à nouveau contre son dossier et les flammes dans ses yeux retombèrent. Elle rassembla son ordinateur et ses affaires puis partit. Mais Kane avait compris deux choses.

D'une, il n'avait jamais eu autant envie de se fourrer dans la gueule du lion.

De deux, si Claire le regardait encore de cette façon, tout restait possible. La partie n'était pas finie.

6

Eva se félicita d'avoir passé le plus clair de sa vie juchée sur des talons vertigineux. Sans entraînement, sur ses échasses signées Louboutin, elle aurait chancelé à coup sûr : le baiser qu'elle et Danny venaient d'échanger lui avait laissé les joues en feu et les genoux en compote.

Il faut dire qu'il était intense et sans retenue, et qu'elle avait senti le courant passer entre eux. C'était nouveau pour elle. Et ça la désarçonnait.

Mais c'était la remarque finale de Daniel Lunden qui lui avait porté le coup de grâce. L'idée qu'il puisse réinventer les règles du jeu alors que la partie ne faisait que commencer... Une partie qui, Eva l'espérait de tout cœur, durerait longtemps... Elle en avait des frissons partout.

Était-ce bon signe ? Mauvais signe ? Il était trop tôt pour en juger. Eva ne savait qu'une seule chose : elle éprouvait un sentiment inhabituel et intéressant, qui valait la peine qu'on l'explore de plus près.

Mais cela attendrait, songea-t-elle en découvrant avec effroi la scène qui se jouait devant ses yeux.

Il lui avait fallu quelques instants, trente secondes au plus, pour reprendre son souffle et retrouver l'usage de ses jambes. Danny l'avait précédée de moins d'une minute dans la cuisine.

Où des candidats étaient en train de se bastonner.

Le massif poissonnier de l'équipe de la Côte Est se débattait comme un diable contre une mêlée furibarde de cuistots du *Limestone*. Leur chef, qui dirigeait l'équipe du Midwest dans le cadre du concours, gisait aux pieds du géant sur le dallage caoutchouté ; se tenant la mâchoire, il crachait des jurons. Le petit Black de l'équipe adverse, plutôt mignon d'ailleurs avec ses yeux vert pomme et ses taches de rousseur, avait la joue tuméfiée, ce qui ne l'empêchait pas de se battre vaillamment contre le saucier du *Limestone*, à la périphérie de la mêlée.

Non loin d'Eva, Danny rugit :

— Ça suffit ! Arrêtez !

Ce qui, bien sûr, ne produisit aucun effet, hormis celui d'ajouter aux bruits mats de corps chutant, des souffles échauffés et des insultes en tous genres, accroissant d'autant le vacarme ambiant. Comprenant qu'à ce stade les mots ne servaient plus à rien, il retroussa ses manches et empoigna le candidat le plus proche de lui.

Eva eut tôt fait de jauger la situation. Elle posa en lieu sûr son sac Chanel et s'apprêta à s'aventurer au cœur de la rixe.

— Vous n'y pensez pas ! protesta Lunden en ôtant sa proie remuante du chemin de la jeune femme. Restez à l'écart.

— Et puis quoi, encore ? fit Eva en se baissant pour éviter un poing qui volait dans sa direction. Vous croyez que c'est ma première baston de cuisine ? OK, les garçons, la récré est terminée !

Enfonçant ses index dans sa bouche, elle émit un sifflement strident. Avec un tel talent, elle ne devait jamais peiner à trouver de taxi, même à New York ! Estomaqués, les cuistots du *Limestone* se figèrent et remarquèrent la présence de la patronne.

Le colosse, en revanche, continuait de cogner, soit qu'il ne l'avait pas vue, soit qu'il s'en fichait. Eva s'était suffisamment rapprochée du cœur de l'action pour voir la rage aveugle qui le défigurait, ainsi que cette autre émotion, plus aiguë, qui voilait ses yeux sombres. De la peur, ou de la peine, peut-être. Avec sa carrure et ses cheveux longs qui lui fouettaient le visage, il avait tout du guerrier barbare ou du taureau sous l'estocade du matador.

Eva n'hésita pas une seule seconde.

Lorsqu'il recula le coude pour asséner à sa victime un nouveau crochet de son énorme poing droit, elle alla se placer pile dans sa trajectoire et, levant la tête, le regarda droit dans les yeux.

— Assez, ordonna-t-elle d'un ton sans réplique, tout en s'efforçant de dégager assurance et sérénité.

Alors qu'en réalité elle n'en menait pas large.

Vibrant de colère, les muscles bandés, le poing toujours brandi, prêt à s'abattre, l'autre baissa les yeux sur Eva.

Lunden rompit le silence électrique qui s'installait.

— Du calme, Beck. J'ignore ce qui s'est passé mais lâche l'affaire pour le moment. Si tu veux qu'on t'aide à régler le problème, il faut commencer par te calmer.

Convulsant comme un ours blessé, Beck (puisque apparemment c'était ainsi qu'il s'appelait) laissa mollement retomber son poing. Ses épaules monumentales s'affaissèrent et, discrètement, Eva soupira, soulagée. L'adrénaline courait dans ses veines. On avait frôlé la catastrophe. Un rapide tour d'horizon lui apprit que les cuistots n'avaient détruit ni four, ni gril, ni cellule de refroidissement. Par chance, ils n'avaient pas non plus renversé la bonbonne d'azote liquide : ça n'aurait pas été beau à voir. Sans compter que pour faire jouer l'assurance...

— Ce psychopathe m'a agressé ! mugit une voix au ras du plancher.

Eva baissa les yeux : par terre, Ryan Larousse, jeune cuistot prodige de Chicago et trublion notoire, massait sa lèvre inférieure qui triplait de volume. Un de ses collègues l'aida à se relever.

— J'exige qu'on le fasse virer ! Je vais engager des poursuites ! Je vais le faire coffrer, ce taré !

Voilà qu'il refaisait des vagues. Avant qu'Eva ait pu intervenir, Daniel bondit, et la vague vira au tsunami :

— Dans tes rêves ! Et je t'interdis de parler comme ça de mes coéquipiers !

Eva s'efforçait de calmer les esprits et cet abruti de Lunden lui mettait des bâtons dans les roues ! Heureusement pour lui qu'il était craquant dans son rôle de caïd, ses bras ciselés croisés sur sa poitrine. La jeune femme se surprit à penser à tout ce qu'elle pourrait faire avec ces bras et une paire de menottes en fourrure…

— Je connais mes hommes, poursuivit l'autre. Beck a la tête froide, il n'est pas du genre à chercher la bagarre pour un oui ou pour un non, comme un gamin en mal de rébellion.

Larousse était visé par sa remarque. Pour que ce soit bien clair, Lunden le toisa de la tête aux pieds, et le jeune chef se colora du même rouge sang qui perlait de sa lèvre fendue.

— Si Beck a agressé cet homme, c'est qu'il a dû bien le chercher, conclut le pâtissier.

Eva, qui n'avait pas affaire à Larousse pour la première fois, le croyait volontiers. Il fallait cependant se montrer juste.

— Je t'écoute, Ryan. C'est vrai ?

— Bien sûr que non ! On discutait, tranquille… Il délire ! grommela le cuistot.

Mais son regard fuyant en disait long.

Beck se tenait coi et muet comme un bloc de granit. Seule sa cage thoracique se soulevait et retombait à un rythme élevé. Eva se dévissa la nuque pour mieux le considérer.

— Beck, tu as quelque chose à ajouter ?

La hargne qui ravageait ses traits un instant auparavant s'était dissipée et il se contenta de poser sur Eva un regard impavide.

Mais Lunden ne s'estimait pas satisfait.

— Allez, Beck, dis-lui ce qu'il s'est passé, il faut qu'on règle cette histoire.

Pas de réponse. Il se tourna vers le petit Black.

— Win, tu étais là. Que s'est-il passé ?

Win se redressa, l'air malheureux comme les pierres. Chaque fibre de son petit corps noueux semblait chargée de culpabilité.

— J'en sais rien, avoua-t-il à contrecœur. On est entrés, on s'est présentés, on s'est demandé où vous étiez passé, tous les deux, puis on a entamé les échanges d'usage : vous venez d'où, vous avez fait quelle formation, tout ça, quoi ! Comme d'hab.

Il piétinait d'un pied sur l'autre, dans ses petits souliers.

Eva connaissait bien ces « échanges » : sitôt que deux cuistots se rencontraient, ils comparaient d'abord leurs CV ; c'était à qui pisserait le plus loin. Ensuite, inévitablement, on passait aux ragots.

Dans la restauration, tout le monde se connaissait, au moins de nom, même d'un État à l'autre. En effet, beaucoup de cuisiniers se déplaçaient de ville en ville au gré des opportunités, tels des nomades, et l'industrie fonctionnait plus ou moins en vase clos.

L'adorable Winslow avait le rose aux joues. Il n'en fallut pas plus à Eva pour deviner la nature du ragot qui avait déclenché l'échauffourée.

Surprendre une conversation privée entre deux cuisiniers, c'était comme infiltrer les locaux de *Voici*. Les seules histoires jugées dignes d'intérêt concernaient le sexe. Qui avait couché avec qui, quand, et dans quelle position. Or l'équipe de la Côte Est n'était pas la seule à compter une femme parmi ses membres.

— Il s'agit d'une femme, je parie ! affirma Eva en guettant attentivement la réaction de Beck.

Il ne broncha pas. Ne cilla même pas. Rien en lui ne trahissait la moindre émotion. Pourtant, Eva savait qu'elle avait vu juste.

Win, pour sa part, commençait tout juste à comprendre : il dévisageait son collègue, l'air ahuri. Sa mine valait son pesant d'olives à Martini !

— Bon, j'ai l'impression que tout ça n'était qu'un grossier malentendu, dit Lunden.

Il tendait les mains et son sourire semblait dire : « On fait la paix, les copains ? »

— Je regrette que la situation ait dérapé, continua-t-il. C'est sans doute à cause du concours. On est tous sous pression, on réagit au quart de tour…

Il eut un coup d'œil furtif en direction de Beck, et poursuivit :

— Mais les épreuves n'ont même pas encore commencé. Imaginez ce que ça fera quand on sera vingt-cinq et qu'on aura les caméras braquées sur nous ! Aujourd'hui, ce n'était qu'un avant-goût du stress auquel on va être soumis. D'ici là, autant se ménager, vous ne trouvez pas ?

Eva observa les cuisiniers : ceux qui se coltinaient Ryan Larousse au quotidien opinaient. Grâce au charisme de Lunden, la tension s'était évaporée comme de l'eau de cuisson.

Il faisait très fort. D'abord, il lui roulait une pelle à lui décoiffer le brushing, puis il défendait son coéquipier et calmait les esprits.

À une exception près.

— Non, mais pour qui tu te prends ? cingla Ryan. Je ne vais pas passer l'éponge aussi facilement !

Eva s'interposa aussi sec :

— Ne t'occupe pas de lui ! Moi, ta supérieure hiérarchique et la responsable de ce concours, je t'ordonne de te calmer. Ryan, tu as voulu remuer la merde :

félicitations, tu nous as tous foutus dedans. Si tu n'es pas content du résultat, tu n'as à t'en prendre qu'à toi.

Du coin de l'œil, Eva vit plusieurs mâchoires se décrocher, celle de Ryan y compris.

Une femme ne pouvait donc pas jurer comme un charretier sans qu'on la dévisage comme une bête de foire ?

— C'est carrément fair-play de votre part, mademoiselle Jansen, lui dit Win avec un sourire timoré.

Elle fut tentée de s'attendrir, mais non. Ils n'allaient pas s'en tirer à si bon compte.

— Ouais, merci, ajouta à son tour Lunden.

Mais il serrait les dents, comme s'il prenait sur lui pour prononcer ces mots.

— Bon, on y va ? demanda-t-il à ses coéquipiers. À demain, tout le monde.

Tiens, tiens. Monsieur le pâtissier n'aimait pas qu'on marche sur ses plates-bandes : le défenseur de son équipe, c'était lui, et personne d'autre. Question d'habitude, sans doute. L'espace d'une divine seconde, un frisson d'excitation parcourut Eva comme une onde et tout son corps se contracta.

Que de facettes présentait ce spécimen ! Daniel – un prénom vieillot qui ne lui allait pas – Lunden... Dix minutes plus tôt, dans la même pièce, on tentait de s'entretuer et voilà qu'il se retirait dignement, ses hommes sur les talons. Quelle diplomatie ! Oui, il était plein d'épaisseurs alléchantes et juteuses. Comme un artichaut.

Et il tardait à Eva de les savourer, une par une, pour parvenir jusqu'à son cœur.

Ils y étaient presque. Encore quelques pas et ils auraient quitté ce guet-apens, dignement et presque indemnes. Mais quand sa main se posa sur la poignée, une voix féminine roucoula :

— Pas si vite !

Lunden prit le temps de se composer un air amène, lissant le pli qui lui barrait le front, ouvrant de grands yeux innocents et souriant tant bien que mal, puis il fit demi-tour.

Qu'est-ce qu'elle lui voulait encore, bon sang ?

Plantée au milieu de la cuisine, entourée d'hommes qui la dominaient tous d'une tête et pesaient deux fois son poids, Eva le regardait.

Il devait émaner d'elle une sacrée force de caractère, car Lunden n'avait aucun scrupule à la laisser seule au milieu de cette meute, même après la violente altercation qui venait de s'y dérouler. Ryan Larousse, la petite teigne hargneuse et réfractaire à l'autorité, ne faisait pas le poids face à Eva.

La jeune femme tendit en l'air l'un de ses doigts vernis pour leur intimer l'ordre d'attendre, puis elle se détourna un instant : c'était au tour de l'équipe du *Limestone* de se trouver dans sa ligne de mire.

— Quant à vous, vous n'avez rien de mieux à faire que de vous bagarrer dans ma cuisine ? Vous connaissez les lieux, ça vous favorise par rapport à vos concurrents. Alors, à moins que vous ne soyez en train de saboter les grille-pain, je ne vois pas ce que vous glandez là. Oui, Larkin, j'ai dit « glander », essaie de te contrôler, tu n'as plus douze ans. Montez plutôt vous reposer dans les chambres qu'on a eu la largesse de vous fournir. Je compte sur vous pour demain. Rompez !

Ils s'exécutèrent.

Danny observa le défilé de cuistots rebelles, tatoués et balafrés, envieux de leur liberté.

Ryan Larousse, en bon cabotin, massait avec ostentation son menton plein de bleus. Avant de vider les lieux, il décocha un regard assassin à Beck. Ce dernier, qui avait repris son passe-temps favori, à savoir imiter le chêne, ne sembla pas l'intercepter. Une fois de plus, Danny admira son stoïcisme en béton armé.

— Bon, fit Eva quand les autres furent partis, je devine de quoi il était question. Quand on connaît Ryan, ce n'est pas sorcier. Puisque techniquement, il travaille sous mes ordres, je vous présente à tous mes excuses en son nom.

Même en temps normal, Beck tenait du roc : il fallait un certain cran pour l'aborder. Aussi, pour l'aborder après une baston, alors qu'il était en nage, échevelé et à cran, il fallait de la témérité. En voyant Eva s'approcher de lui d'un pas vif et assuré, Danny conçut pour elle une certaine estime.

Elle lui tendit la main, la tête en arrière afin d'établir avec le géant un contact visuel.

— J'ignore ce qu'il a dit d'elle mais je me doute qu'il lui a manqué de respect. J'en suis désolée.

Pourquoi et comment Eva était-elle parvenue à la conclusion que la bagarre avait à voir avec une femme ? Danny n'en avait pas la moindre idée. D'ailleurs, on imaginait mal Beck, cet ours bourru et mal léché, se mettre à jouer les preux chevaliers. Cependant, au lieu de détromper Eva, Beck prit sa main et la serra.

— Merci. Je n'aurais pas dû perdre mon sang-froid.

Eva acquiesça et lâcha sa main sans le quitter des yeux.

— Personnellement, je n'insisterai pas, mais vous devriez vous confier à vos coéquipiers. Ainsi, ils seront plus à même de vous épauler, et on évitera ce genre de désagrément à l'avenir. Ryan n'est pas du genre à renoncer. Une fois qu'il a trouvé le point faible de quelqu'un… bref.

Son ton se durcit.

— Je me fiche de savoir de quoi il retourne. Par contre, je veux être certaine que ce genre d'incident ne se reproduira pas. Pas tant que je dirigerai les opérations. C'est bien compris ?

Danny retint son souffle. Qu'allait répondre Beck ? Depuis le début de la journée, il n'avait pas cessé de le prendre de court. Mais il se cantonna à secouer la tête, les épaules en arrière, raide comme un prisonnier lors d'une audience de libération conditionnelle.

— Compris, grogna-t-il. J'assume la pleine responsabilité de ce qui s'est passé. Ça ne se reproduira pas.

— Il n'y a pas intérêt, dit Eva, déjà radoucie.

Quand elle se baissa pour ramasser son grand sac à main en cuir vernis, avec ses breloques en forme de C entrecroisés, elle souriait. Elle lança à Danny un regard oblique.

— Je vous aurai à l'œil. Pour plus de sûreté.

— Bon, ben, à plus, mademoiselle Jansen ! couina Winslow, promenant de l'un à l'autre son regard affûté.

Il attrapa Beck par la manche et le hala jusqu'à la porte, non sans ajouter :

— Prends ton temps, Danny, y a pas le feu au lac !

Danny grimaça. Winslow était incorrigible. À tous les coups, il avait lu un roman à l'eau de rose dans l'avion.

Ainsi donc, pour la deuxième fois en moins d'une heure, Danny se retrouvait en tête à tête avec Eva Jansen, et il doutait que son cœur supporte un tel stress.

— C'est mignon, dit-elle en passant la pointe de sa langue rose sur sa lèvre inférieure divinement bombée. Ça vous va bien.

Hébété, déconcerté par les possibilités que lui inspirait cette langue, Danny crut qu'il avait raté un élément crucial de la conversation.

— Quoi donc ? demanda-t-il.

— Ce surnom. « Danny ».

On l'appelait ainsi depuis la maternelle mais, dans la bouche d'Eva Jansen, son nom devenait crûment sexuel. Comment s'y prenait-elle ?

Danny chassa sans pitié toute pensée intrusive et tenta de s'éclaircir les idées.

— Merci d'avoir fermé les yeux sur la baston, dit-il. On est là pour le concours, point barre. Je ne laisserai plus rien se mettre en travers de notre chemin.

Eva leva un sourcil dubitatif.

— Ce n'est pas la première fois que Ryan Larousse fait des siennes. Mais il est très doué, alors on lui pardonne… jusqu'à un certain point.

Elle enfila la bandoulière de son sac à main et s'éloigna d'un pas chaloupé. Ses hanches ondulaient diaboliquement sous sa petite jupe moulante.

Avec indolence, elle tourna la tête.

— Vous voulez quelques conseils ? Méfiez-vous de lui comme de la peste. Ce n'est pas seulement un emmerdeur de première, c'est aussi votre rival. Et, vu les événements de tout à l'heure, il va redoubler d'efforts pour vous écraser, vous et vos petits copains.

— Je m'en doutais. Je l'aurai à l'œil. Autre chose ?

Eva lui décocha un sourire aguicheur et le cœur de Danny bondit dans sa poitrine.

— Parfois, il fait bon se laisser détourner du droit chemin…

Et elle disparut, laissant derrière elle un nuage de parfum et un pâtissier tout chamboulé.

7

— C'est lequel, déjà, Ryan Larousse ? se renseigna Max discrètement en tripotant le micro-cravate que le type de la télé remettait à tous les candidats à l'entrée de la cuisine.

L'équipe était enfin au grand complet.

— Une baston ! répéta-t-il, rêveur, pour la énième fois. Je n'en reviens pas. Vous auriez pu attendre que je sois là !

— Ce n'était pas une partie de plaisir, gronda Danny. C'était idiot, inutile et on a bien risqué de se faire disqualifier.

En plus, se retint-il d'ajouter, Max était gonflé de se plaindre : s'il avait accompagné ses coéquipiers au lieu de faire des folies de son corps avec sa chère et tendre, il n'aurait pas raté l'événement. Après tout, c'était lui, le chef d'équipe !

À moins que ce ne soit Jo ? Danny avait perdu le fil. Le premier prix de La Toque d'Or, le restaurant de ses parents, l'héritage de son père, tout semblait lui glisser entre les doigts comme du sable. Et, tandis que lui se démenait pour tout retenir, Max et Jo roucoulaient et gloussaient tels des tourtereaux en pleine parade nuptiale.

Enfin, en gros.

Une fois le concours derrière lui, Danny devrait sans doute opérer quelques ajustements dans sa vie. Mais, en attendant, il ne manquait pas de professionnalisme, lui ! Il mettait de côté sa vie privée pour faire de la cuisine sa priorité. C'était ça, être cuisinier. Dire qu'il se trouvait des gens pour croire le métier de pâtissier efféminé… S'ils savaient !

— Disqualifier ? Avec Super-Danny à la barre ? Ça m'étonnerait. Tu n'aurais pas laissé faire une chose pareille.

Comme toujours, Max se reposait entièrement sur les prétendus pouvoirs de son frère sans s'interroger une seule seconde sur leurs éventuelles limites. Jo lui adressa un sourire de compassion et allait intervenir, mais Danny ne lui en laissa pas le temps.

— Bon, on fait un point ? suggéra-t-il avec un sourire contraint. Les juges ne vont pas tarder à arriver pour nous briefer sur la première épreuve.

— Bonne idée, renchérit Jo en se redressant. Les gars, approchez !

Winslow accourut comme un basketteur miniature en plein dribble sur le terrain. Beck lui emboîta le pas, plus lentement. Depuis la bagarre de la veille, il semblait fonctionner au ralenti. Ce qui ne laissait pas d'inquiéter Danny. Le poissonnier ne présentait pourtant pas de blessures : Danny n'avait pas assisté à toute la scène mais, à son arrivée, Beck mettait une bonne raclée à ces petits morveux aux faux airs de loubards.

Depuis, toutefois, sa concentration, d'ordinaire tranchante comme un rayon laser, laissait à désirer. La forteresse imprenable de son calme avait été ébranlée.

Max se lança dans un discours inspiré sur cette incroyable opportunité qui s'offrait à eux, sur le talent de l'équipe et le plaisir qu'il avait à y travailler, etc. Danny, pendant ce temps, passait au crible les concurrents réunis aux quatre coins de la pièce.

Au fond, les cuisiniers du *Limestone*, qui représentaient la région du Midwest, se tenaient adossés à leur comptoir en acier inoxydable. Avec leurs cocards, leurs hématomes et leurs lèvres fendues, ils ressemblaient à une bande de voyous rôdant dans quelque ruelle sombre. Mais ils jouaient sur leur propre terrain, ce qui les avantageait. Et ils le savaient.

De fait, cela les avantageait énormément. Danny mesura du regard l'immense cuisine ; la veille, entre la bagarre et le reste, il n'en avait pas eu le temps. Décidément, ils auraient dû se familiariser avec leur nouvel environnement.

Les voyous du *Limestone* cuisinaient là chaque jour depuis des années ; ils en connaissaient tous les recoins mieux que leurs propres appartements. L'équipe de Danny ne pouvait pas en dire autant.

Alors, tout en guettant d'une oreille les pauses dans le discours de son frère (elles signalaient en général le moment d'opiner ou d'applaudir), Danny étudia la vaste salle rectangulaire. On l'avait aménagée pour accueillir cinq rangées de tables de préparation, une par équipe. Cinq fois cinq planches à découper blanches en zébraient l'acier rutilant.

Derrière les voyous, tout le long du mur du fond couraient des fours à convection noirs à la pointe de la technologie. Une falaise de réfrigérateurs se dressait à la gauche de Danny et, à sa droite, sous de gigantesques hottes aspirantes, des gazinières s'alignaient en bancs serrés. Une porte au fond à droite menait sans doute à la réserve où l'on stockait le sucre, la farine, le miel, le riz et les autres aliments secs, ainsi qu'aux armoires réfrigérées contenant le lait, les œufs, les viandes et les légumes frais.

Rien que dans la pièce principale, on aurait pu loger trois fois sans peine la cuisine d'*Au plaisir des sens*. Quatre, en comptant la réserve.

L'équipe de Danny avait l'habitude de cuisiner dans un espace réduit, en se contorsionnant pour ne pas se bousculer. Ils allaient être complètement perdus avec toute cette place pour manœuvrer. Et s'ils n'arrivaient pas à s'adapter ? Et si leur concentration, leur réactivité, leur dynamisme se disloquaient dans cette vaste salle, sous ce haut plafond ?

Mais c'était surtout l'œil intraitable de la caméra dont Danny se méfiait. Bien en évidence, juste sous leur nez. S'ils se laissaient troubler, ils allaient courir au carnage.

Tant de risques à maîtriser ! Danny pinça les lèvres et fit craquer sa nuque afin de se décontracter. Il lui faudrait veiller à ce que son équipe reste alerte et coordonnée. Comme tous les soirs à New York, en somme. Sauf que, cette fois, il le ferait devant un jury de célébrités, une équipe de cameramen, et la femme dont les yeux gris et le parfum fleuri le hantaient.

Son parfum... C'était bien la seule chose chez elle qu'on pût qualifier de délicat !

Pour la première fois depuis qu'il était entré, Danny s'autorisa à la regarder.

À l'avant de la salle, Eva Jansen se tenait en grande conversation avec un moustachu débraillé vêtu d'une chemisette et coiffé d'un casque. Quand les équipes étaient entrées, elle était déjà là, occupée à donner ses instructions à Drew, son assistant, un grand maigrichon aux cheveux encore plus noirs que les verres de ses Ray-Ban. Danny se souvenait de lui, notamment parce que, pendant les qualifications régionales, Winslow et lui s'étaient liés d'amitié. Voire plus que ça ! Mais, interrogé sur la nature exacte de leur relation, Win haussait les épaules d'un air détaché : ils s'étaient « bien éclatés », mais « en mode tranquille, sans se prendre la tête ».

Lâchant des yeux l'assistant, Danny observa sa patronne. La détermination et l'autorité animaient chacun des mouvements d'Eva, qui portait une robe assez rouge et collante pour stopper net la circulation sur Michigan Avenue[1] en pleine heure de pointe.

Dans l'esprit de Danny défilait en boucle le film de leur baiser. Comment vivre une scène aussi torride « sans se prendre la tête » ? Pour « s'éclater », il s'était éclaté ! Mais ça l'avait plongé dans un état de manque impossible à rassasier. Il était en manque de caresses, de baisers, de peau, de soupirs gémis à son oreille. En manque d'Eva.

Donc, à moins que la définition du terme n'ait radicalement changé, question « tranquillité », il repasserait. C'était fâcheux. Car, tandis que Danny se prenait la tête, Eva la Diva était la tranquillité incarnée, en chambre comme en cuisine. Il en aurait mis sa main à couper.

Pour l'heure, cependant, la jeune animatrice semblait tout sauf tranquille. Avec sa robe fourreau, sa ceinture vernie, ses escarpins pointus assortis, ses cheveux lisses et brillants et son maquillage impeccable, elle était sur le qui-vive, prête à démarrer le tournage d'un instant à l'autre.

Il lui faudrait juste songer à troquer sa moue renfrognée contre un des sourires ultrabrillant dont elle avait le secret et dont la télé raffolait. Elle avait de belles dents : Danny les avait vues de près…

Il n'eut pas le temps de s'interroger sur l'origine du pli qui assombrissait son joli front : Max venait d'achever son discours d'encouragement. Danny lui donna une claque amicale dans le dos et serra la main de ses coéquipiers.

— Max a raison, dit-il, le visage éclairé par un large sourire. On déchire. On va cartonner. On va leur montrer que personne ne cuisine comme les New-Yorkais !

Max cligna des yeux.

---

1. L'une des principales artères de Chicago.

— Merci, Danny. Bien résumé. Tu aurais pu commencer par là, j'aurais économisé ma salive !

— Attention, tout de même, ce n'est pas encore gagné, tempéra Jo.

Cette chère Jo, toujours à s'inquiéter ! songea tendrement Danny. Mais Max passa un bras autour des épaules de la jeune femme : elle était sa chère Jo à lui, désormais. Non qu'elle n'ait jamais été celle de Danny.

— Jo ! Je suis gonflé à bloc, là ! s'exclama Winslow qui, de fait, menaçait de décoller de ses baskets tant il était excité. On stressera plus tard, OK ? D'abord, on leur botte les fesses !

Danny lui lança aussitôt un regard sévère et Win leva les mains en gage d'innocence :

— Métaphoriquement parlant, bien sûr ! Aux fourneaux uniquement ! Pas pour de vrai ! Promis ! La violence, c'est mal, ça ne mène rien, sauf à l'escalade, et tout ça !

Danny se détendit, satisfait de constater que Winslow avait retenu l'essentiel de ses remontrances de la veille. C'était une chose de défendre ses hommes face aux agressions extérieures, c'en était une autre de tolérer de leur part le genre de comportement qui risquait de les faire disqualifier. C'était inacceptable, et il s'était assuré que Win et Beck le comprenaient.

— Désolée, poursuivit Jo, dont le corps athlétique palpitait d'impatience, mais la réalité n'attend pas. C'est le grand jour et on joue dans la cour des grands. Alors, pour commencer, essayons de cerner nos adversaires. Qu'est-ce qu'on sait d'eux, au juste ?

En toute autre circonstance, Jo Cavanaugh aurait explicitement chargé ses coéquipiers de lui fournir sur leurs concurrents des fiches de renseignements à faire pâlir d'envie le FBI. D'après elle, le savoir, c'était le pouvoir. Elle mettait un point d'honneur à être constamment informée, engrangeait sans cesse de nouvelles connaissances et dégainait sa culture à la première occasion. Seulement, ces derniers temps, son sujet d'étude de prédilection, c'était les mille et une façons de rendre Max encore plus fou d'elle qu'il ne l'était déjà.

Depuis l'annonce des noms des finalistes, Danny avait cherché un moment pour établir leur profil ; chacun savait pour quels restaurants ils avaient travaillé par le passé, mais cela ne suffirait pas. Malheureusement, il avait fallu embaucher du personnel temporaire pour remplacer l'équipe au restau le temps du concours, se préparer pour le départ et, dans la course, les recherches de Danny étaient passées à la trappe.

Chez les Lunden, on disait souvent que Max avait hérité de son père sa passion et son énergie, tandis que Danny ressemblait à sa mère : dotée d'un flair infaillible en ce qui concernait les individus, Nina était de facto préposée aux embauches d'*Au plaisir des sens*.

Du moins, en temps normal. Avant le départ, comme Gus se remettait d'une opération de chirurgie cardiaque, Nina passait beaucoup de temps à le soigner (dans la mesure où le vieux bougon l'y autorisait). Quant à Max et Jo, ils avaient la tête ailleurs : ainsi, comme par hasard, c'était Danny qui avait écopé du gros des préparatifs.

N'empêche. Il se cherchait des excuses, mais le fait était qu'il n'avait pas fait ses devoirs. Il ignorait tout des cuisiniers que son équipe s'apprêtait à affronter.

Penaud, Danny scruta les visages des chefs assemblés autour des plans de travail voisins.

— Ceux-là, ils doivent représenter le Sud-Ouest, chuchota Winslow en lorgnant une grappe de cuisiniers bronzés, leurs trousses à matériel bariolées de motifs psychédéliques.

Danny hocha la tête.

— Tout ce que je sais d'eux, c'est qu'ils sont de Santa Fe. Leur restaurant s'appelle *Le Maize* et leur chef, Paulina Santiago, est une femme.

Le seul élément féminin de l'équipe en question alignait ses couteaux d'un geste compétent le long de sa planche à découper. C'était une petite femme dodue au visage rond, au regard bienveillant et aux doigts recouverts de cicatrices.

Une pensée fulgurante traversa l'esprit de Danny. Et s'il s'agissait de cette mystérieuse inconnue que Ryan Larousse avait dénigrée, mettant Beck hors de lui ? Danny scruta son coéquipier : il restait de marbre. Non, ce n'était pas pour Paulina Santiago que Beck s'était battu. Mais à mieux y regarder, fermement campé sur ses pieds légèrement écartés, il semblait se préparer à encaisser un coup…

— Ça alors ! Le chef de l'équipe du Sud, je le connais ! s'écria Max en saluant de la tête un grand type maigre, au crâne rasé à blanc et aux yeux bleus perçants, deux rangées plus loin. Il s'appelle Ike Bryar. Il est bon. On s'est affrontés en duel lors de la foire gastronomique d'Édimbourg. C'est une fine lame. Un chic type, aussi.

Deux affirmations qui, dans le milieu de la restauration, revenaient pratiquement au même.

Danny considéra les équipiers d'Ike Bryar. La femme mystère ne s'y trouvait pas : l'équipe ne comptait que des hommes.

La quatrième table, juste avant celle qu'occupaient les cuistots blasés du *Limestone*, restait vide. Les candidats avaient été convoqués pour huit heures.

— La Côte Ouest est en retard, observa Jo.

Les yeux rivés à l'horloge, elle ne vit pas l'ombre qui passa sur les traits de Beck.

Mais Danny, lui, la vit. Il surveillait du coin de l'œil le poissonnier avec tant de concentration qu'il tressaillit comme un lardon dans une poêle chaude quand cela se produisit.

Pas de panique, se raisonna-t-il. Il n'y avait pas de quoi s'affoler. Après tout, mieux valait savoir d'où venait le vent.

Danny risqua un regard en direction d'Eva Jansen. Elle consultait sa montre d'un air boudeur ; sa bouche charnue et ourlée n'en était que plus alléchante.

Puis elle gagna le centre du no man's land qui séparait les plans de travail de la caméra. Le sol de liège assourdissait le claquement de ses talons.

— Quelqu'un sait-il ce qui retient l'équipe de la Côte Ouest ?

Au fond, des rires fusèrent. Danny, Winslow et Beck se raidirent.

— Ça doit être leur chef. Elle n'a pas dû beaucoup dormir cette nuit ! siffla une voix goguenarde.

Danny n'eut pas besoin de se retourner pour savoir qu'elle appartenait à Ryan Larousse. Ne serait-ce que parce que son élocution hasardeuse suggérait une coupure à la lèvre.

En plus, il n'y avait que lui pour inspirer à Eva cet air exaspéré.

Au lieu de répliquer, toutefois, elle plaça ses mains sur ses hanches et fit un tour d'horizon.

— Personne n'a d'information plus pertinente à m'apporter ?

Du bruit retentit à la porte et tous les yeux ainsi que la caméra se tournèrent pour assister à l'entrée de la brigade de cuisine la plus farfelue que Danny n'ait jamais vue.

Dans le métier, on rencontrait pas mal de durs à cuire. Des marginaux, des cas sociaux, des gens qui n'auraient pas tenu trois heures dans un bureau et se moquaient éperdument des normes et des conventions. Dans la salle, quatre-vingt-dix pour cent des candidats étaient piercés et/ou tatoués.

Mais les nouveaux venus remportaient la palme, et de loin.

Non seulement ils formaient un hommage vivant au *body art*, mais il se dégageait aussi d'eux quelque chose d'éminemment... différent.

Un Asiatique noueux arborait des dreadlocks orange qui lui pendaient jusqu'à la taille. Une blonde vénitienne en jupe ethnique, des bracelets autour des chevilles, remplissait de ses formes généreuses un T-shirt orné d'un soleil stylisé aux yeux baignés de larmes et légendé du mot « sublime ».

Danny n'avait jamais vu ça. Et il venait de New York, c'était dire !

— Pardon pour le retard, dit la blonde au soleil en se ruant vers Eva, les mains tendues. C'est ma faute, je n'ai pas entendu mon réveil, j'étais épuisée.

Un rire gras éclata au fond de la salle et, par mesure de précaution, Danny posa la main sur l'avant-bras de Beck.

— J'en déduis que c'est elle, lui souffla-t-il.

Pas de réponse. Mais, sous la paume de Danny, les muscles contractés de Beck parlaient pour lui.

La blonde se décomposa et chercha des yeux la source du ricanement. Eva la rassura :

— Aucun problème, on ne commence officiellement qu'à huit heures et les juges ne sont même pas encore arrivés.

La blonde retrouva le sourire.

Adressant à Danny un regard d'avertissement, Eva la prit par le bras et mena les retardataires au look improbable jusqu'à leur plan de travail.

« Je contrôle la situation », lui signifia Danny du regard, ravi de cet instant de complicité télépathique.

Sauf qu'il ne contrôlait rien du tout. À la seconde où la jolie hippie passa devant leur table et aperçut Beck, tous les efforts de Danny furent réduits à néant : ce fut la débandade.

8

« Jusqu'ici, tout va bien ! » songeait Eva en menant par le bras la chef du *Queenie Pie Café* tout en évitant soigneusement le regard du cameraman, dans le coin de la salle.

Les candidats étaient enfin au complet et semblaient prêts à commencer. Restait à prier pour que les juges se dépêchent d'arriver avant que cet abruti de Ryan Larousse ne refasse des siennes.

Pourquoi en voulait-il aux New-Yorkais ? En était-il jaloux ? Eva l'ignorait et s'en contrefichait. Tout ce qu'il lui importait, c'était de lancer le concours sans qu'un nouvel accroc vienne troubler la paix.

Mais… où était passée la blonde ? Eva fit volte-face : Skye Gladwell, la dernière venue, était tombée en arrêt devant l'équipe d'*Au plaisir des sens* et dévisageait bouche bée l'un de ses cuisiniers.

— Henry ?

Toute l'équipe de la Côte Est pivota vers le poissonnier.

— C'est qui, Henry ? piailla Winslow, mais personne ne prêta attention à lui.

Skye Gladwell leva vers Beck une main tremblante mais s'arrêta avant de le toucher.

— C'est bien toi ? lui demanda-t-elle, éberluée.

Elle n'en croyait pas ses yeux.

Eva renifla : elle flairait une odeur suspecte. Le second de Skye portait une blouse d'artiste ainsi qu'un parfum étrange dont la note de tête n'était autre que la marijuana. Eva le fusilla du regard. Si Skye fumait autant de substances que lui, pas étonnant qu'elle se croie frappée d'hallucinations !

Mais elle ne rêvait pas. Le cuistot baraqué qu'elle fixait, ahurie, était bien là. Et, comme par hasard, c'était celui qui s'était fait remarquer en se bagarrant avec un concurrent pas plus tard que la veille. Une lueur vacillait dans ses yeux noirs : il la reconnaissait. Et, sous son masque d'indifférence, Eva distinguait autre chose. Beck était bouleversé. Ce qui n'était pas fait pour rassurer Eva.

— Skye, dit-il en la saluant du menton.

— J'ignorais que tu participais au concours, bredouilla la jeune femme.

— Surprise.

Eva regarda Skye et s'aperçut que tout le monde suivait la scène avec la même attention qu'un fan de tennis accorde à une balle de match à Wimbledon.

À propos, la caméra tournait-elle déjà ?

— Oh là là..., balbutia Skye, qui s'empourprait jusqu'aux oreilles. Je n'en reviens pas. C'est énorme !

Du fond de la salle monta une voix railleuse :

— Je parie que tu ne lui disais pas ça hier soir !

Eva avait eu la veille un aperçu de la fureur de Beck mais n'avait pas vu de ses yeux la rage fondre sur lui. C'était un spectacle terrifiant.

— Petit merdeux, grogna-t-il.

Il fit volte-face et bondit, déchaîné ; pour un peu il aurait enjambé les unes après les autres les tables qui le séparaient de sa proie comme de vulgaires haies d'athlétisme.

Ryan Larousse éclata d'un rire mauvais, aussitôt imité par ses hommes, tandis que Danny et compagnie se démenaient pour contenir Beck. Quant aux autres équipes, excitées par l'action, elles contribuaient au brouhaha général. Et ainsi, en un clin d'œil, la cuisine se trouva en proie au chaos le plus total.

— Laisse tomber, Beck. Du calme, lui intima Danny en nouant un bras autour de son torse pour le maîtriser.

Bras qu'il avait viril et musclé, nota au passage Eva avant de se secouer et de siffler entre ses doigts. Malheureusement, même ce son strident perça à peine le vacarme environnant.

Elle hésitait à sortir de son sac la corne de brume qu'elle y conservait depuis ses années de fac sur les recommandations de son père, quand les juges firent leur entrée. Le silence retomba comme un morceau de viande sous le couperet.

Skye Gladwell courut jusqu'à sa table, ses hommes sur les talons, et Eva envoya par transmission de pensée un avertissement à Danny Lunden : « Contrôlez votre colosse ! »

Le cameraman, qui traînait jusque-là au fond de la salle, l'air blasé, filmait avidement la scène, l'œil collé à sa machine. Consciente de son attention, Eva revêtit son sourire spécial télé, vérifia que son micro était allumé et s'avança pour saluer les membres du jury.

Si elle ne voulait pas que le concours de la Toque d'Or vire à la foire d'empoigne, elle allait devoir reprendre les choses en main, et vite !

Danny croisa le regard d'Eva et, pendant une fraction de seconde, il sut qu'ils étaient exactement sur la même longueur d'ondes.

Il était temps d'arrêter les bêtises et de passer aux choses sérieuses.

Visiblement, les juges partageaient leur point de vue.

— Bienvenue à cette dix-septième édition du concours national de la Toque d'Or, lança Devon Sparks, le célébrissime chef cuisinier qui siégeait au jury.

Salve d'applaudissements. Sparks dévoila une rangée de dents scintillantes et ses joues se fendirent de fossettes : il faisait du charme à la caméra. Bien qu'ayant récemment démissionné de son émission culinaire à succès, séduire le public restait chez lui une seconde nature. Et il s'échauffait à peine !

— Vous avez tous travaillé dur pour arriver jusqu'ici, reprit-il. Des centaines de chefs ont été éliminés à travers les États-Unis mais vous, vous avez l'honneur de disputer ce concours aujourd'hui. C'est la chance de votre vie. L'occasion unique de prouver votre talent. Car, ne vous y trompez pas, le vrai prix, c'est ça !

— Mais pas de panique, blagua Kane Slater, le deuxième juge, les vrais prix ne sont pas mal non plus !

Kane n'était pas cuisinier, il ne travaillait pas non plus dans la restauration, mais c'était un fin gourmet et un amateur éclairé. La star du rock était connue pour organiser des banquets à thème pantagruéliques et des fêtes gastronomiques légendaires. Quand on lançait Winslow sur le sujet, il n'y avait plus moyen de l'arrêter.

La nomination au jury de Kane Slater avait divisé l'opinion mais Danny, pour sa part, l'approuvait. Lors des demi-finales, le rockeur blond aux yeux bleus avait fait montre de solides connaissances dans le domaine culinaire.

En revanche, le clin d'œil et le coucou qu'Eva venait de lui lancer, hors champ, Danny les désapprouvaient fortement !

Il dut fournir un tel effort pour masquer son irritation qu'il entendit à peine l'énumération des prix. Il n'aurait pas craché sur la récompense des sponsors, un sacré pactole, ni sur la voiture neuve, d'ailleurs, bien que trouver une place où se garer à Manhattan relevât du casse-tête chinois… Mais ce que Danny convoitait, c'était l'article que *Délices*, le magazine gastronomique de renommée internationale, consacrerait au restaurant des vainqueurs. Danny tendit l'oreille dès que retentit le léger accent français de Claire Durand, sa rédactrice en chef.

— Bonjour à tous. J'espère que vous avez bien dormi la nuit dernière parce que vous n'allez plus en avoir l'occasion de sitôt.

À cette nouvelle évocation de la nuit passée, Danny craignit que les rebelles du dernier rang se remettent à persifler, mais il s'inquiétait pour rien. Apparemment, même Ryan Larousse avait suffisamment de jugeote pour fermer son clapet en présence de Claire Durand.

— Les prochaines semaines vont être éprouvantes. Les épreuves sont toutes éliminatoires. Il va donc falloir tout donner pour relever les défis qui vous seront proposés, parce que, si vous n'êtes pas au niveau, l'aventure s'arrêtera pour vous. Seuls les meilleurs parviendront en finale et à l'ultime… comment dit-on, déjà ?

Elle fronça son joli nez.

— Tête-à-tête ? lui souffla Kane Slater.

Claire lui décocha un regard que Danny ne sut pas interpréter.

— L'ultime face-à-face, rectifia Devon en croisant les bras d'un air grave. En effet, la finale verra s'affronter en duel le chef des deux équipes restantes.

L'excitation se propagea dans la salle comme une traînée de poudre. Un face-à-face ! C'était une première. Lors des éditions précédentes du concours, la finale était une épreuve collective.

Claire reprit la parole :

— Pour l'heure, cependant, l'esprit d'équipe doit primer. Il vous sera nécessaire pour réussir les épreuves que nous vous avons concoctées. Votre coordination nous en dira long sur vos qualités de cuisiniers. C'est bien clair ? Bonne chance !

Du regard, elle invita Eva à prendre la relève. Coinçant derrière son oreille une mèche de ses cheveux sombres et scintillants, la jeune animatrice se tourna vers les candidats :

— Les États-Unis sont un vaste pays au patrimoine culturel riche et diversifié, et la gastronomie américaine est, elle aussi, très variée. Dans cette discipline, certaines villes se distinguent particulièrement. On ne présente plus notamment la rivalité qui oppose les chefs de New York et ceux de San Francisco ! Alors pourquoi avoir choisi Chicago ? Pour deux raisons.

Elle marqua une pause, ménageant ses effets, et Danny en profita pour admirer la façon dont sa petite robe rouge moulait ses courbes. Le vêtement n'en était pas spéciale-ment provocant : décolleté pudique, manches trois quarts, jupe au genou. Pourtant, dès qu'Eva apparaissait dans son champ de vision, le désir lui coupait le souffle : le peu de peau que sa tenue dévoilait était à croquer.

Comme si elle lisait dans ses pensées, Eva plongea ses yeux dans ceux de Danny. Ils pétillaient d'une étincelle que le pâtissier savait déjà décrypter : « Je te tiens », lui susurraient-ils.

— Nous avons choisi Chicago pour rendre hommage aux vainqueurs des qualifications régionales, l'équipe du restaurant *Limestone*, situé ici même, à l'hôtel *Gold Coast Arms*.

Un murmure parcourut l'assistance : c'était une révéla-tion, et les candidats se retournèrent pour jauger les favoris.

Danny assimilait la nouvelle, lui aussi, mais sans quitter des yeux Eva. Il lui semblait qu'elle le narguait. Bien sûr, il n'en était rien. Les organisateurs avaient dû prévoir ce mini-coup de théâtre longtemps avant qu'Eva, pour une raison qui lui échappait, jette son dévolu sur Danny. D'un point de vue stratégique, c'était habile : pour convaincre Cooking Channel de diffuser l'émission, Eva avait tout intérêt à favoriser le suspense et l'action.

En tout cas, la jeune femme paraissait enchantée de la réaction qu'elle venait de provoquer. On aurait dit un chat en train de jouer avec une souris.

— Deuxièmement, poursuivit-elle, nous avons voulu promouvoir la richesse et l'inventivité de la cuisine de Chicago. La ville est célèbre pour de nombreux mets et techniques gastronomiques. Ainsi, pour la première épreuve, nous vous invitons à concocter un repas avec entrée, plat et dessert, afin de mettre en vitrine vos talents… accommodés à la mode locale ! Vous avez deux heures pour composer votre menu et acheter vos ingrédients, suivis de quatre cet après-midi pour préparer vos plats. Demain, vous aurez deux heures supplémentaires pour terminer le tout, puis vous soumettrez vos créations aux juges pour la dégustation. Oh, et n'oubliez pas…

Il y avait de l'électricité dans l'air, et le cœur de Danny frappait si fort qu'il en ébranlait sa poitrine. Quelle surprise leur réservait-elle cette fois ?

— L'épreuve est éliminatoire, conclut-elle de sa voix de miel. L'équipe perdante repartira chez elle demain soir. Il ne restera plus que quatre équipes en lice. C'est bien compris ? Vous êtes prêts ?

Un chœur de voix lui répondit par l'affirmative ; la pièce sentait l'adrénaline, les candidats étaient dans les starting-blocks. Les muscles de Danny tressaillaient, ses mains palpitaient presque tant il lui brûlait de doser, de hacher, de fouetter, de glacer.

Eva tendit son bras gainé de rouge vers le chronomètre mural et déclara :

— C'est parti !

Des chiffres écarlates s'y allumèrent et le compte à rebours commença, de sorte que Danny avait l'impression d'être déjà à la traîne.

Dans la salle, les chefs se concertaient frénétiquement. Les juges se retirèrent. Il ne resta plus, outre les candidats, qu'Eva et le cameraman.

Danny peinait à rassembler ses facultés de concentration : il suivait des yeux la jeune femme, comme hypnotisé. Passant la main à l'arrière de la ceinture vernie qui soulignait sa taille de guêpe, elle ôta son micro d'un geste exercé et partit à l'assaut du cameraman débraillé. Son air soucieux réapparut.

— Ça ne t'intéresse pas, ce qu'on raconte ? railla Max, coupant court à sa rêverie.

Les joues en feu, il s'éclaircit la gorge et prit la résolution d'oublier Eva Jansen, aussi désirable soit-elle.

— Désolé. On en était où ?

— On liste les spécialités culinaires de Chicago, dit Jo, armée d'un crayon et du carnet à menus qu'elle gardait en permanence dans la poche arrière de son jean. Pour l'instant, on en a trouvé deux : le steak, et les hot-dogs.

— Pas les hot-dogs, la corrigea Beck. Les saucisses de manière générale. Comme le disait le poète Carl Sandburg, Chicago est le boucher de porc pour le monde.

Quelle culture ! Danny inspecta son coéquipier. Ainsi, on pouvait être taillé comme une armoire à glace et toucher sa bille en poésie.

Win ajouta son grain de sel :

— N'oublions pas la pizza ! Vous savez, ils la font super épaisse, ici.

Les pizzas du coin étaient connues pour leur pâte moelleuse et leur garniture généreuse. Rien à voir avec les pizzas new-yorkaises fines comme des galettes et huileuses à souhait. On peinait à croire qu'à l'origine il s'agissait d'un seul et même plat !

— C'est trop risqué. Maîtriser l'art local de la pizza en une journée, ça me paraît un peu ambitieux, commenta Danny. Quelles sont nos autres options ?

— Il y a quelques bons restaus de cuisine moléculaire à Chicago, avança Beck. Le *Limestone* en fait partie.

Son regard restait enfiévré mais il se concentrait sur le carnet de Jo. Quel que soit son passif avec cette Skye Gladwell, Beck prenait sur lui et gérait la situation.

Danny aurait aimé pouvoir en dire autant. Son attirance pour Eva Jansen tombait franchement mal.

« Un peu de sérieux, que diable ! » s'invectiva-t-il.

— En toute logique, l'équipe locale va jouer la carte des plats expérimentaux, avec mousse d'ail, granité de basilic et Chantilly de tomates confites, réfléchit Max à voix haute.

Il avait toujours été fin stratège, ce qui exaspérait Danny lorsqu'ils jouaient, enfants, à des jeux de société. À présent, il s'en félicitait. D'autant que Danny aussi avait sa botte secrète : il était bien documenté.

— Je me suis renseigné sur la ville de Chicago, annonça-t-il en évitant le regard de son frère.

À tous les coups, Max allait encore le traiter de rat de bibliothèque. Pourtant, ses recherches leur avaient déjà sauvé la mise plus d'une fois, à lui et à son équipe.

— La tendance actuelle est au brunch ainsi qu'aux plats simples et classiques, voire régressifs. Dans les quartiers branchés de Bucktown et de Wicker Park, on fait la queue sur le trottoir des cafés pour déguster des gaufres au sucre ou une omelette baveuse, et il n'y a pas un restau en ville qui ne serve de traditionnelle tourte au poulet ou d'écrasé de pommes de terre.

— Génial ! s'écria Jo en noircissant les pages de son carnet, des étoiles plein les yeux, comme toujours quand son imagination s'emballait. D'autres idées ?

— Oh ! glapit soudain Winslow comme si on venait de lui pincer les fesses. Oui, moi ! Je sais ! Le jazz ! Chicago, c'est la ville du jazz. Et de la prohibition ! Et des gangs, et des mafiosos ! Et... et de la *soul food*[1] !

Comme souvent, Winslow semblait ébahi de constater que les convulsions erratiques de son cerveau survolté aient accouché d'une bonne idée. Danny, lui, ne s'en étonnait plus.

— Bien joué ! lui dit-il, bourrade fraternelle à l'appui.

— Ouais, mais l'équipe du Sud va sûrement y penser aussi, dit Win. En plus, même si ma mère est black, j'ai grandi à New York, et elle aussi. Chez moi, on bouffait

---

1. Nom d'une cuisine traditionnelle afro-américaine.

des nems et des plats thaïs à emporter. La soul food, j'y connais que dalle !

Danny médita en contemplant le plafond et ses multiples hottes.

— Il est trop tôt pour tenter de battre nos adversaires sur leur propre terrain. On ferait mieux de s'en tenir à ce qu'on fait de mieux, à savoir le steak.

Au plaisir des sens, le restaurant des Lunden, était connu pour son steak depuis des décennies. Il avait conquis, entre autres, Ronald Reagan, Luciano Pavarotti et Frank Sinatra. Jusqu'à la mort de ce dernier, les Lunden avaient toujours en stock une certaine marque de sardines italiennes en conserve dont il était friand, au cas où.

— On a déjà servi du steak lors des qualifs, protesta Jo. On ne va pas remettre ça ! Même sans répliquer à l'identique le bœuf laqué au soja de Max, le jury va trouver qu'on peine à se renouveler.

Winslow semblait de son avis :

— Mlle Jansen a dit que cette épreuve devait nous représenter en tant que cuisiniers et en tant qu'équipe, alors il faut leur montrer qu'on a de l'imagination. Si on ne fait pas preuve d'audace, autant rendre tout de suite notre tablier !

Danny se sentait toujours un peu nerveux à l'idée de sortir des sentiers battus, mais il opina vigoureusement. De toute façon, les autres étaient unanimes : mieux valait se ranger à l'opinion de la majorité.

— Accordé, on oublie le steak pour cette fois. Mais alors on fait quoi ? Qu'est-ce qu'il reste sur la liste ?

Un ange passa. Chacun de son côté passait en revue des idées déjà évoquées et rejetées. Les neurones de Danny s'activaient à mesure qu'il envisageait différentes possibilités, différentes combinaisons d'ingrédients. Mais il n'était pas facile de concevoir un dessert sans connaître le plat qui le précéderait : il fallait que le repas dans son ensemble forme une expérience gustative cohérente et harmonieuse.

À la surprise générale, ce fut Beck qui rompit le silence. Il prenait rarement les devants. Bien sûr, il lui arrivait d'émettre des suggestions mais, le plus souvent, sa nature taciturne l'emportait.

— J'ai une idée, dit-il lentement.

Sa voix grave et rocailleuse roulait comme des pneus sur du gravier.

Décidément, il se comportait de façon étrange, ce jour-là. Il semblait plus présent. Danny l'examina attentivement, cherchant à déterminer à quoi cela tenait.

— Le brunch, ça me parle, reprit l'autre. Je pourrais mitonner une saucisse de fruits de mer.

Il n'en fallut pas davantage pour inspirer l'équipe. Les possibilités fusaient, Danny s'en trouvait tout étourdi. Ses coéquipiers, animés par la flamme de leur passion commune, échafaudaient des plans en noircissant les pages du calepin de Jo. Danny s'humecta les lèvres.

Ils tenaient le bon bout. Avec un peu de chance, ils gagneraient. C'était possible, il le sentait.

Les minutes filaient. Danny se risqua à lever la tête et rencontra le regard d'Eva.

Cela ne dura qu'une seconde, mais la vision de sa bouche rouge et provocante suffit à lui donner des frissons. Ainsi qu'un début d'érection.

Oui, la victoire était possible… s'il parvenait à contrôler sa libido et à se concentrer sur son boulot.

L'animatrice passait à présent de table en table pour s'assurer que les candidats ne manquaient de rien.

Rester concentré… Plus facile à dire qu'à faire, songea Danny en admirant son déhanché.

9

Sitôt sortie de la cuisine, Claire rendit son micro et dévala le hall sans se retourner.

Kane serra les poings et se résigna à écouter ce que lui racontait Devon Sparks.

— Vous êtes le chanteur préféré de ma femme. Elle m'en veut à mort de sillonner le pays en votre compagnie ces prochaines semaines. Plus encore que de l'abandonner à ses envies de fraises et à ses nausées !

Son sourire ne ressemblait pas à celui qu'il réservait aux caméras. Ses yeux bleu vif pétillaient.

Kane marqua une pause et respira profondément : à l'évidence, son interlocuteur lui parlait de quelqu'un qui lui tenait à cœur. Or Kane avait fait le vœu longtemps auparavant de ne jamais devenir égoïste ni méprisant. Un vœu difficile à respecter quand on divisait sa vie entre l'univers superficiel de Los Angeles, avec ses fêtes et ses paillettes, et l'existence irréelle qu'on menait sur la longue route des tournées. Mais il faisait de son mieux.

Claire attendait l'ascenseur. Elle allait lui filer entre les doigts. Tant pis ! Kane rendit son sourire au futur papa :

— Toutes mes félicitations pour le bébé. Et merci pour le compliment, on ne s'en lasse pas ! Elle s'appelle comment, votre femme ?

À cette seule mention, les traits trop lisses du chef cuisinier se plissèrent d'une joie sincère.

— Lilah. Lilah Jane Sparks. Elle écoute vos chansons non-stop. Si je ne la savais pas amoureuse de moi, il y a longtemps que j'aurais piétiné tous vos CD.

Cet homme ne doutait pas de l'amour de sa femme. Rien que d'y penser, il revêtait une expression confiante et posée qui piqua la curiosité de Kane.

Qu'est-ce que cela faisait de se savoir aimé, complètement et absolument, par quelqu'un d'autre que ses parents ? Kane s'interrogeait. Ouvert de nature, il passait sa vie à se poser ce genre de questions ; il n'y avait donc rien d'étonnant à ce qu'il s'intéresse à ce sujet en particulier. Par contre, la notion de couple suscitait en lui des réactions contradictoires : elle le séduisait et l'horrifiait à la fois. Bizarre.

Être aimé, qui n'en rêvait pas ? Mais être casé, rangé... Brrr ! Kane réprima un frisson d'effroi. Très peu pour lui ! Il avait trop de choses à découvrir, trop d'expériences à vivre, trop de projets à réaliser pour rentrer au bercail, poser sa valise et s'encroûter.

Cette réflexion lui inspirait des paroles de chanson et troublait son attention.

— Merci de ne pas avoir détruit mes CD, balbutia-t-il en reprenant ses esprits. Vous voulez un autographe pour Lilah ?

— À vrai dire, j'ai un service à vous demander.

L'air contrit, Devon sortit de la poche de son blazer beige immaculé un téléphone portable.

— C'est son anniversaire aujourd'hui. Vous pourriez... ?

Kane respira. Fastoche !

— Pas de problème ! Appelez-la, je m'occupe du reste.

Devon appuya sur un raccourci et tendit l'appareil à Kane. Une voix endormie, un peu pâteuse et suave comme du miel, ronronna à son oreille :

— Bonjour, toi ! Tu devances mes moindres désirs.

Kane lança à Devon un regard complice et se mit à chanter. Au silence stupéfait succédèrent un piaillement ravi et des cascades de rire. Quand il entonna le dernier « Joyeux anniversaire », Devon jubilait, Lilah frisait l'hystérie… et Claire avait disparu.

Étouffant un soupir, Kane dit au revoir à Lilah et rendit son portable à Devon.

— Merci, Kane, vous êtes chic ! J'ai une dette envers vous. À plus tard !

Kane balaya de la main ses remerciements et le chef s'éclipsa pour bavarder en privé avec sa dulcinée. Après cette plongée au cœur de l'intimité du couple, Kane fut ravi de se retrouver seul, lui aussi. Il salua Devon et, les mains dans les poches, s'élança dans le couloir.

Pouvait-il se servir de sa célébrité pour extorquer à la réceptionniste le numéro de chambre de Claire ? Il se tâtait quand Eva franchit les portes de la cuisine et le rejoignit.

— Salut, ma belle ! Tout se passe bien, là-dedans ? lui lança Kane.

Cette diversion tombait à pic : il tournait en rond et commençait à déprimer.

Eva fit mine de se mordiller un ongle mais, à la vue de son vernis carmin, elle se ravisa et croisa les mains dans son dos.

— Ça va. Enfin, je crois. Je ne sais pas. Oh, crotte ! Dans quelle galère me suis-je fourrée ?

— Hé, relax !

Eva ne manquait jamais de réveiller le grand frère bienveillant qui sommeillait en Kane. Il suffisait qu'elle tombe un instant son masque de requin, qu'elle révèle une faille pour le faire fondre.

— Tu paniques pour rien. Quand je suis sorti, les cuistots m'avaient l'air au top et impatients de se mettre au boulot. Tu assures ! Viens là.

Il lui passa le bras autour des épaules et la serra contre lui. Perchée sur ses échasses vernies, elle mesurait presque la même taille que lui, et Kane regretta soudain ses bottes de cow-boy à talonnettes, mais il y avait renoncé en quittant le Texas.

— « Au top » ? Ils pètent tous les plombs ! La compétition commence à peine qu'ils se bastonnent déjà ! gémit la jeune femme en se blottissant contre son épaule.

Et en la tartinant de mascara, selon toute vraisemblance.

— En plus, le cameraman me rend marteau. D'après lui, les producteurs redoutent que l'émission manque d'action. Ils hésitent à filmer la finale en direct. Non, mais ils s'attendaient à quoi ?

— Ils veulent plus d'action ? Avec la mêlée d'hier, je ne sais pas ce qu'il leur faut !

— Je n'ai aucune envie de montrer ce genre de dérapage à l'écran ! se récria Eva. Ça compromettrait l'image de La Toque d'Or.

Kane prit la jeune femme par les épaules et recula d'un pas pour la regarder en face.

— Crache le morceau. Vas-y, ma belle. Dis-moi ce qui te tracasse vraiment.

Nerveuse, Eva lui parut soudain toute jeune. Kane se la remémora telle qu'il l'avait rencontrée, cinq ans auparavant, lors d'une fête chez un producteur pervers : immature et provocante, ses longs cheveux bruns luisants comme du vison, elle se démenait pour attirer l'attention de tous les hommes qui l'entouraient. Non pas qu'elle voulût coucher avec eux. Non, Kane avait vu au premier coup d'œil que son manège répondait à un besoin plus profond, bien caché derrière son jean moulant et sa brassière à sequins.

Il s'était reconnu en elle. Cette gamine était comme lui, toujours en vadrouille, toujours en quête de quelque chose. Il l'avait tout de suite compris, lors d'un de ses éclairs de lucidité foudroyante.

Au cours de la soirée, la jeune Eva avait perdu pied, elle avait abusé des gin tonics, des types friqués aux mains baladeuses avaient tenté d'en profiter et Kane l'avait secourue. Depuis, il la considérait comme son alter ego. En cinq ans, lui s'était vu décerner deux disques de platine et elle avait grimpé les échelons du monde de la restauration. Cinq ans qu'il la fréquentait, et pourtant, elle continuait de le décontenancer. C'était là tout son charme, d'ailleurs.

— C'est à cause d'un mec, marmonna Eva.

— Sans blague ?

Kane pouffa et elle lui asséna une petite tape sur le bras, vexée. Il se radoucit :

— Ma belle, avec toi, c'est toujours à cause d'un mec. Donc ça, je m'en doutais déjà. Mais qu'est-ce qui te chiffonne ? Dis-moi tout.

Eva grimaça, le regard vague.

— Il n'est pas comme les autres… Je ne sais pas comment te l'expliquer. Mais… je le veux.

Kane haussa les épaules.

— Alors, va le chercher !

En général, pour Eva, c'était aussi simple que ça. Une chance que Kane lui enviait. Mais il n'en laissa rien paraître.

Eva ne semblait pas convaincue. Elle secoua la tête et ses cheveux lui caressèrent le menton.

— C'est compliqué. C'est l'un des candidats.

« Tel père, telle fille ! » songea Kane.

Mais il se garda bien de formuler à voix haute cette pensée : Eva lui aurait fait une scène !

— Et… ça te pose un cas de conscience ?

— D'habitude, non, admit-elle sans ambages. Il ne s'agit que de sexe, après tout ! C'est la nature. On accumule toutes sortes de stress et de tensions au quotidien, alors il faut bien décompresser sous peine d'exploser comme une cocotte-minute. Tant qu'on n'y met pas de sentiments, que ça reste naturel et décomplexé. Une fonction corporelle, quoi ! Comme le fait d'éternuer.

— Tu as parfaitement raison, opina Kane, pince-sans-rire. D'ailleurs, c'est la dernière tendance dans le monde du porno : l'éternuement. À poil, bien sûr.

— Oh, ça va ! Tu vois très bien ce que je veux dire, et d'ailleurs je sais que tu partages mon point de vue. Alors ne me la joue pas rockeur sentimental, ça ne prend pas. Je t'ai vu à l'œuvre avec les femmes : tu les prends et tu les jettes comme des kleenex !

— Berk ! C'est une manie, chez toi, les métaphores grippales ! Qu'est-ce qui ne tourne pas rond ?

Les yeux d'Eva s'agrandirent.

— Je n'en sais rien ! C'est ce mec. Je crois que j'ai perdu le coup de main. Je me suis débrouillée pour qu'il m'embrasse dans l'ascenseur, et c'était génial ! J'en avais des fourmis partout. Mais après… il m'a… troublée. Et il est parti. Juste comme ça ! Comme s'il ne s'était rien passé !

De plus en plus intéressant. La Diva aurait-elle trouvé adversaire à sa mesure ? Kane prit un air compatissant :

— Allons, tu aurais préféré qu'il t'arrache tes vêtements dans un lieu public ?

— Évidemment ! affirma Eva en levant le menton. Je veux dire, ça aurait été la moindre des choses ! Alors que là… je suis paumée.

Une fois de plus, Kane et son alter ego vivaient une situation similaire. Pour un peu, il s'en serait amusé. Mais il était trop abattu pour ça. Kane soupira.

— À qui le dis-tu, ma belle. Moi aussi, je suis dans une impasse.

Oubliant instantanément ses mimiques éplorées, Eva plissa des yeux rusés et déclara :

— Mais assez parlé de moi. À ton tour ! Je sens que tu brûles de t'épancher, toi aussi. Raconte-moi tout, je peux peut-être t'aider.

— À moins que tu ne parviennes à convaincre une femme brillante et bornée de me donner une chance, alors que j'incarne tout ce qu'elle fuit, j'en doute.

— Tu mérites cette chance, décréta sa loyale Eva. Et Claire a intérêt à te la donner. Je ne peux pas l'en persuader, mais je peux te filer un coup de pouce…

Le rythme cardiaque de Kane s'accéléra et il saisit les mains d'Eva.

— Si tu fais ça pour moi, ma belle, je te dédicace mon prochain single.

— Bah ! Je tourne en rond de mon côté, autant t'éviter le même sort. Claire est dans la suite 3218. Son ancienne chambre ne contenait pas de bureau alors je me suis arrangée pour la faire transférer. Je te parie qu'elle s'y trouve en ce moment… toute seule… avec la bouteille de champagne que j'ai fait livrer à chacun des juges…

Oubliant aussitôt ses bonnes résolutions (il s'était promis de garder ses distances), Kane agita les sourcils, l'air grivois :

— La pauvre, elle a sûrement besoin d'un peu de compagnie.

— Bonne chance ! lui souhaita Eva en le poussant vers l'ascenseur. Et n'oublie pas qu'elle est française : par définition, elle a l'esprit de contradiction. Si elle se braque et qu'elle te sort son fameux air sévère, c'est que tu es en bonne voie. Merde à toi !

Kane lui envoya un baiser et s'engouffra dans l'ascenseur. À mesure que la cabine grimpait dans les étages, le rapprochant de Claire Durand, il lui semblait que son cœur, lui aussi, s'envolait.

« Bonne chance »…

De la chance, il allait lui en falloir une sacrée dose.

Eva suivit des yeux son complice qui filait faire la cour à sa meilleure amie. Elle se sentait un peu abandonnée.

Mais elle n'était pas le centre du monde.

Un détail qu'on tendait à oublier quand on était la fille unique et choyée d'un homme riche à millions. En perdant sa femme, Theo Jansen avait aussi perdu ses repères et sa raison d'être. Du coup, Eva avait passé ses jeunes années livrée à elle-même dans leur grand manoir de Long Island. Plus tard, son père, rongé par la culpabilité, l'avait couverte de cadeaux. Aussi Eva se figurait-elle parfois que le monde gravitait autour de sa personne.

Elle consulta sa montre. L'aiguille des minutes, sertie d'un saphir, n'avait pratiquement pas bougé.

L'attente n'en finissait pas.

Elle avait quitté la cuisine pour échapper un moment à la frénésie des cuisiniers. Une demi-heure plus tard, il faudrait les entasser dans des voitures et les emmener faire les courses chez *Fresh Foods*.

À cette idée, Eva se fendit d'un sourire. Elle avait réussi à convaincre Lincoln de sponsoriser l'événement, et n'en était pas peu fière. La célèbre marque de voitures leur offrait non seulement en guise de prix un superbe 4 × 4 flambant neuf, mais elle mettait également des berlines à la disposition des organisateurs le temps de l'émission.

Eva dégaina son portable et passa quelques coups de fil pour s'assurer que les voitures et leurs chauffeurs se tenaient prêts devant l'entrée de l'hôtel et qu'ils connaissaient l'itinéraire le plus direct pour se rendre au magasin.

Un nouveau coup d'œil à sa montre la décida à regagner la salle afin de hâter les préparatifs : il ne restait plus que quelques minutes. Avec un peu de ruse et de manipulation, elle ferait en sorte de se retrouver seule avec Danny Lunden à bord d'une des Lincoln.

Assez larmoyé ! Elle était Eva Jansen, restauratrice à succès, it-girl, millionnaire. Une sorte de star, en somme ! Ce pâtissier lui faisait de l'effet, soit. Ce n'était pas une raison pour virer fleur bleue et cucul la praline.

Elle, son truc, c'était la conquête, se rappela-t-elle en arrêtant le chrono et en guidant les cuistots jusqu'aux véhicules. Ni une, ni deux, elle harponna Danny, l'attira dans sa voiture privée et ferma les portières à clé.

— Roulez ! ordonna-t-elle à son chauffeur en livrée.

Puis elle se tourna sur la banquette de cuir moelleuse pour faire face à Danny. En un clin d'œil, sa stupéfaction se mua en suspicion :

— Encore vous ! C'est du harcèlement.

L'adrénaline courait dans les veines d'Eva, lui échauffait le sang et l'emplissait d'une folle insouciance. Elle exultait. La chasse était ouverte !

— Ça vous déplaît ? susurra-t-elle en s'adossant et en croisant lentement les jambes.

Sa jupe se retroussa, dévoilant ses cuisses. Eva frissonna à cause de l'air conditionné mais il n'était pas question de tirer sur son ourlet.

Bingo ! Danny baissait ses jolis yeux bleu-gris sur ses bas de soie. Furtivement, presque imperceptiblement. Si Eva n'avait pas guetté ce regard, il lui aurait échappé. Mais rien de ce que faisait Danny n'échappait à Eva.

— Dois-je me sentir flatté ou porter plainte ? maugréa-t-il en pivotant vers elle.

L'habitacle était spacieux mais Danny avait de bonnes épaules et de longues jambes.

Qu'il étendit machinalement. La toile rêche de son jean frôla le genou d'Eva. Une sensation divine ! Le regard de Danny se fit sombre et intense. Un frisson parcourut l'échine d'Eva.

— Vous pouvez vous sentir flatté, répliqua-t-elle crânement pour masquer son propre trouble. Figurez-vous qu'en matière d'hommes j'ai beaucoup de goût.

Là, elle exagérait. Elle avait fréquenté son lot de minables. Mais, en l'occurrence...

Elle déshabilla Danny du regard. Il se tenait sur sa banquette comme un roi sur son trône. Sa barbe de trois jours et sa moue renfrognée ne faisaient qu'ajouter au charme de ses traits réguliers et de sa bouche gourmande.

En l'occurrence, décidément, Eva n'aurait pas de regrets !

— Vous n'êtes peut-être pas au courant, mais je suis en plein concours culinaire. Je joue ma carrière et la réputation du restaurant de mes parents. Ce n'est pas le moment de m'envoyer en l'air.

Danny s'exprimait avec une politesse extrême mais dans ses yeux dansait un éclair ardent et dangereux. Et son argumentation ne tenait pas la route.

— Foutaises ! C'est le moment ou jamais, au contraire ! Vous êtes stressé, crispé... Il faut vous décontracter si vous voulez gagner.

— Il faut surtout que je reste concentré sur mes priorités.

Eva décroisa les jambes avec ostentation, effleurant de son mollet gauche le tibia de Danny. Une pluie d'étincelles envahit l'habitacle et l'atmosphère se chargea d'électricité. La respiration d'Eva s'accéléra et, à en juger par les mouvements du torse de Danny, il avait le souffle court, lui aussi. Fixant ses yeux assombris, elle ôta ses escarpins et s'agenouilla sur la banquette, face à lui, les jambes repliées sous ses fesses. Sa robe lui remontait sur les hanches de sorte qu'elle lui dévoilait presque ses dessous.

— Mais, Danny, lui dit-elle dans un souffle. Ceci *est* une priorité.

Sur ce, elle se pencha, enveloppa de la main son biceps saillant, et l'embrassa.

110

Pendant une seconde qui lui en parut cent, il ne réagit pas. Puis, grondant comme un loup dans un piège, il l'empoigna et la hissa sur ses genoux.

Ouvrant la bouche, il mordit dans la sienne. Sa langue se fit caressante et Eva soupira d'aise. C'était délicieux, plus encore que dans l'ascenseur parce que, cette fois, elle anticipait l'explosion : un appétit insatiable s'empara d'elle, comme une envie irrépressible de le goûter, en entier, là, tout de suite, maintenant. Oh ! pourvu que ça ne s'arrête jamais !

La robe retroussée jusqu'aux hanches, elle s'assit à califourchon sur lui, nouant ses jambes autour de sa taille. Plaquant les mains de part de d'autre de ses joues rugueuses, elle pressa son bassin contre le sien et tous deux frémirent de désir.

Elle dut mobiliser tout son sang-froid pour se retenir de se frotter contre sa braguette tendue à craquer. C'était si bon, cette sensation de dureté tout contre son intimité, qu'Eva peinait à se contrôler.

Au moins, elle avait désormais la preuve concrète que Danny avait autant envie d'elle qu'elle de lui. Rassurée, elle prit une profonde inspiration et reprit le contrôle. Elle se mit à onduler du bassin, trouvant d'instinct le rythme qui le faisait vibrer. Il l'embrassa avec une ardeur redoublée. Le satin délicat des dessous d'Eva faisait un piètre rempart contre cet assaut de sensations.

Des frissons parcouraient sa colonne vertébrale comme autant de divines déflagrations. Heureusement que sa limousine n'était pas équipée de caméras : il ne manquerait plus qu'une vidéo de leurs ébats échoue sur Internet.

Pantelante, Eva plongea les mains dans les cheveux châtains de Danny et l'embrassa fougueusement. Elle continuait d'ondoyer, ferme, précise, prit ses mains dans les siennes et les fit remonter de son bassin jusqu'à ses côtes avant de les placer enfin sur le renflement de ses seins.

Eva se cambra pour reprendre son souffle et le regarda. La voracité déformait ses traits, durcissant sa bouche et faisant ressortir ses pommettes.

La jeune femme savoura le spectacle : il avait le regard ardent, un voile luisait sur ses lèvres ciselées. Son désir flagrant alimentait le sien, l'embrasait comme du petit bois et, quand Danny passa les pouces sur ses tétons turgescents, elle s'abandonna au plaisir qui montait en elle inexorablement.

— Qu'est-ce que tu es belle, murmura-t-il, les yeux brillants, tandis qu'elle succombait à l'extase, et ces mots déclenchèrent chez elle une nouvelle vague de jouissance, comme un écho de la première.

— Mmm, fit-elle en se lovant contre lui, vidée, liquéfiée.

Sa posture évoquait dangereusement une étreinte amoureuse, mais Eva était tellement comblée qu'elle s'en fichait.

— Tu n'es pas mal non plus, ajouta-t-elle.

L'érection de Danny frottait toujours contre son entrejambe humide et sensible, et Eva se remit à soupirer et à se tortiller. Elle glissa la main entre ses cuisses pour le caresser.

Danny prit une inspiration heurtée et son ventre plat se tendit comme un arc.

Eva buvait du petit-lait.

Pour plus d'effet, elle posa le front contre son épaule et enroula ses doigts autour de son membre, à travers ce satané jean qui lui faisait obstacle. La nuque de Danny sentait le sel et la fumée, ainsi qu'une note plus douce, comme si sa peau avait été finement saupoudrée de sucre glace.

— Non, attends... Arrête, bredouilla-t-il.

Eva leva la tête, les sourcils froncés, bien décidée à lui expliquer qu'elle n'avait aucune intention d'attendre ou d'arrêter, qu'avec Eva Jansen, c'était donnant-donnant, quand son téléphone se mit à rugir les notes sinistres de l'air de Dark Vador dans *La Guerre des étoiles*.

Dans le véhicule, la température chuta aussitôt de plusieurs degrés.

C'était la sonnerie du seul individu capable de casser l'ambiance à trois États de distance : son père.

10

— Il faut que je décroche, dit Eva en se dégageant brusquement.

Mais sans lui broyer les parties au passage, nota Danny à son grand soulagement. Même en fondant sur son sac à main, elle semblait consciente de la douleur qu'elle risquait d'infliger à un homme dans sa position si elle ne faisait pas un peu attention.

Le petit air sinistre se répétait en boucle. Eva mit la main sur son téléphone et le porta à son oreille.

— Salut, papa, dit-elle.

Il n'en fallut pas plus à Danny : son excitation était retombée comme un soufflé.

Mais s'il voulait profiter de ce répit, mieux valait éviter de regarder Eva. En effet, agenouillée sur la banquette à côté de lui, sa jupe collée en haut des cuisses, la jeune femme lui dévoilait ses dessous en satin noir et en dentelle rouge. Des dessous délicats, hors de prix, qui contrastaient délicieusement avec sa peau couleur de crème. Et puis, ce rose sur sa nuque et ses joues, vestige de son plaisir, ces lèvres toutes gonflées de baisers…

Danny remua et pressa sa paume contre l'érection lancinante qui le reprenait.

Restait à écouter la conversation de la jeune femme : avec un peu de chance, l'effet produit serait le même que lorsqu'elle avait décroché.

— Oui, oui, tout va bien, affirmait-elle gaiement en injectant de l'assurance dans chaque syllabe de sa phrase.

Mais sa main se crispait sur l'appareil, elle en avait les articulations toutes blanches.

— Papa, je te dis que je maîtrise la situation. La Toque d'Or va prendre de l'envergure et gagner en visibilité, cette année, crois-moi. La télé ? C'est dans la poche. Alors déstresse, tu veux ?

Elle se tut un instant et ses yeux s'agrandirent, pleins d'effroi.

— Surtout pas ! Je veux dire… Je sais combien tu es occupé. Bien sûr que ça me ferait plaisir de te voir mais ne te dérange pas. On se verra après le concours, OK ? Comment ? Tu tiens à assister à la finale. D'accord. Mais non, je n'essaie pas de t'exclure ! Simplement, je n'ai pas besoin que mon père joue les chaperons !

Sa bouche, où flottait toujours d'ordinaire l'ombre d'un sourire goguenard, perdait de sa superbe. De fait, elle frémissait presque ; Eva luttait pour la contrôler. Quant à sa voix, elle trahissait son désarroi. La jeune femme se détourna et chuchota, face à la vitre :

— Tu as dit que tu me faisais confiance. C'est toi qui m'as confié cette responsabilité. Tu veux me la retirer ?

Un long silence s'étira comme un élastique. Enfin, les épaules de la jeune femme se détendirent, et Eva baissa les paupières.

Danny soupira. Sans s'en rendre compte, il retenait son souffle. Ce qui était absurde ; rien de tout cela ne le concernait. D'ailleurs, il n'aurait pas dû écouter cette conversation.

Malgré tout, il tendit l'oreille pour intercepter une dernière phrase, prononcée d'un ton calme et plein d'une gratitude sincère :

— Merci, papa chéri ! Promis, je ne te décevrai pas.

116

Danny avait l'impression qu'il venait de recevoir un sac de farine de dix kilos sur le crâne. Combien de fois avait-il fait la même promesse à ses propres parents ? Certes, il n'appelait pas Gus « papa chéri » mais, à ce détail près, il s'identifiait sacrément à Eva.

Laquelle dit au revoir à son père puis appuya sur la touche « off » de son portable. Son dos s'affaissait : elle respirait de nouveau. Sous l'œil attentif de Danny, elle prit une profonde inspiration et se retourna face à lui. Elle avait reconstitué son expression habituelle : insouciante, aguicheuse et magnifique. Soigneusement étudiée... et parfaitement factice.

— Bon, dit-elle en rangeant machinalement son téléphone et en se glissant vers Danny. Où en était-on ?

— Range tes appas, créature démoniaque ! plaisanta Danny. Tout va bien. Je n'ai pas besoin que tu me rendes la pareille.

Elle semblait déboussolée. Ce qui ne faisait qu'augmenter son charme.

— Mais... ce n'est pas comme ça que ça marche !

Danny en ressentit comme un pincement au cœur et il se radoucit ; il peinait moins à se montrer gentil envers Eva Jansen depuis cet échange avec son père et son propre élan de compassion involontaire qui avait écrasé son envie de lui faire l'amour sauvagement.

— Écoute, j'ignore comment tu procèdes d'habitude avec tes copains, conquêtes, ou que sais-je encore, mais le sexe ne se limite pas toujours à un troc équitable d'orgasmes. Il s'agit de plaisir, pas d'une économie de marché. Et rassure-toi, le plaisir, j'en ai pris énormément à te regarder perdre le contrôle. On est quitte, ma puce. Tu ne me dois rien.

— Je le sais bien ! riposta-t-elle, irritée.

Elle rajusta sa jupe et se rassit normalement.

Danny tenta de rester insensible à sa bouderie. Peine perdue : elle le faisait craquer.

— Vraiment ? insista-t-il.

Appuyé contre son dossier, il la considéra. C'était jubilatoire de parvenir à la déstabiliser. Cela ne devait pas arriver tous les quatre matins.

Eva se mit à fourrager dans son énorme sac – comment diable parvenait-elle à y localiser quoi que ce soit ? – et en sortit un bâton de rouge à lèvres.

— Je ne suis pas une oie blanche, dit-elle. Tu n'as pas de leçons à me donner en matière de sexe ou de plaisir. Je connais toutes les possibilités qui s'offrent à deux adultes consentants.

Et de rectifier d'un geste compétent son maquillage, effaçant toute trace de leurs baisers voraces. Danny chassa cette pensée et s'efforça de maintenir son calme.

— Tu sais ce que tu fais, c'est évident rien qu'à ta façon d'embrasser, dit-il d'une voix un peu plus bourrue que prévu. Mais, sans rire, tu es toujours d'humeur à batifoler ? Même après ce coup de fil de ton père ?

Elle se raidit sensiblement, mais il eut le tact de faire comme si de rien n'était.

— Moi, la seule mention de mes parents a tendance à, euh, me couper les moyens, précisa-t-il.

Ainsi qu'il l'espérait, Eva se dérida et se relaxa légèrement.

— Tu as entendu notre conversation.

— Eva, cette voiture est super ; c'est la première fois que je vois une vitre de séparation pour le chauffeur, comme dans les films. Mais ça reste une voiture, pas un hall de gare. Je ne vais pas te mentir : oui, j'ai suivi votre échange dans les grandes lignes.

— Mon père a fondé le concours de la Toque d'Or il y a près de vingt ans. Jusque-là, je ne t'apprends rien. Sauf qu'en réalité ce n'était pas son idée, mais celle de ma mère.

Ça, c'était un scoop ! Danny se creusa les méninges : que savait-il des parents d'Eva ?

Theo Jansen était une légende vivante dans le monde de la restauration. Son empire s'étendait des meilleures tables françaises de New York aux trois étoiles les plus branchés de Las Vegas. Tout ce qu'il touchait se changeait en champagne ou en caviar.

Et, d'après la légende, en dehors de la cuisine, il faisait aussi parler de lui. Theo Jansen était un vrai Casanova. À chaque ouverture de boîte ou de restau, il se présentait avec une nouvelle fille à son bras. Vedettes de Broadway, héritières, top models : il les collectionnait. Quant aux activités auxquelles il se livrait avec ces créatures... Danny se demandait ce que cela faisait d'entendre autant de ragots salaces sur le compte de son propre père. Cela ne pouvait pas manquer de perturber un enfant.

Il était donc normal, tout compte fait, qu'Eva Jansen s'applique à marcher dans les pas de son père, en chambre comme en cuisine. Car elle avait une sacrée réputation, elle aussi, dans le milieu !

En revanche, Danny avait beau se creuser, il ne se rappelait pas avoir lu un seul potin à propos de la mère d'Eva. Il ne connaissait même pas son prénom. Sans doute s'agissait-il d'une ancienne starlette vivant dans quelque riche villa italienne de la pension que lui versait son ex-mari plein aux as.

Du moins Danny l'aurait-il parié avant de vivre ces instants intimes avec Eva Jansen. Elle rayonnait toujours de plaisir et dégageait un délicieux parfum de femme comblée. Mais elle se repliait sur elle-même, d'une manière qui tranchait radicalement avec l'insolence de son port coutumier : cela cachait quelque chose.

— Ah, vraiment ? la relança-t-il, prudent.

— Ma mère adorait la cuisine, sa chimie, sa technique, son art. Elle trouvait dommage qu'il n'existe pas de rencontre permettant aux chefs de se mesurer les uns aux autres, de perfectionner leurs talents et de les faire connaître à l'échelle nationale.

Eva s'exprimait au passé. Danny en avait la gorge nouée.

— Ta mère avait raison. Il y a tant de chefs qui travaillent d'arrache-pied et cuisinent comme des dieux... Seule La Toque d'Or leur apporte la reconnaissance qu'ils méritent et leur donne l'occasion de se démarquer.

— Ainsi qu'une chance de décrocher des financements, ajouta Eva, le regard illuminé comme par une vision. C'est ça, mon but : faire du rêve de ma mère une réalité.

Danny savait déjà Eva pétrie de contradictions, mais il ne s'attendait pas à trouver tant de ferveur sous sa poudre, ses paillettes, et ses ruses de Sioux.

— Mon compliment vaut ce qu'il vaut mais, moi, je te trouve super douée, dit-il.

Oups. Pourvu qu'elle ne voie pas dans ses propos une allusion à leurs ébats !

Elle eut un faible sourire.

— Ça me touche beaucoup, vraiment. Je sais que si tu me le dis, c'est que tu le penses.

Comment Eva avait-elle deviné l'importance que Danny attachait à la franchise ? Il n'eut pas le temps d'élucider ce mystère : la voiture freinait et se garait au pied de *Fresh Foods*, l'immense magasin d'alimentation.

— On est arrivés, remarqua-t-il de façon superflue.

Une certaine gêne s'était installée dans l'habitacle. Entre ça, la faim, et les relents de désir torride, le cerveau de Danny tournait un peu au ralenti.

Raison de plus pour éviter les filets d'Eva Jansen, ennemi public numéro un de la concentration.

Dépité, Danny secoua la tête, ouvrit le loquet de sa portière et s'apprêtait à sortir quand de longs doigts graciles se refermèrent sur son coude.

— Minute ! Avant de partir...

Eva baissa les yeux et lui jeta un regard par en dessous, entre ses cils charbonneux. Elle était jolie comme un cœur ; il ne l'avait jamais vue si sage et vulnérable.

— Je voulais te dire... Merci. Pour tout. Et j'espère que tu garderas ça pour toi.

Danny était estomaqué. Elle le traitait comme un sex-toy et le jetait sans autre forme de procès. Il en avait la nausée.

— Sois tranquille, répondit-il sèchement. Je suis un gentleman. Ce que je fais avec les filles, je ne le crie pas sur tous les toits.

Eva releva vivement la tête, écarquillant ses yeux de chat.

— Oh ! Je ne parlais pas de ça. Tu peux raconter nos ébats à la terre entière, si ça te chante ! Je parlais du coup de fil de mon père...

Le regard fuyant, elle se mit à tripoter l'attache de sa montre en argent.

— ... et de ses doutes concernant ma capacité à diriger l'événement. J'aimerais autant que ça ne s'ébruite pas. C'est ma vie privée.

Jamais Danny n'avait rencontré un être plus déconcertant qu'Eva Jansen. Il lui sembla soudain évoluer dans la quatrième dimension.

Sa « vie privée »... Et sa vie sexuelle, alors, elle ne relevait donc pas du domaine privé ?!

Abasourdi, il opina et fuit le véhicule sans se retourner. Sa nausée était passée, chassée par une autre sensation, bien plus inquiétante : il avait l'impression de tomber dans le vide et de voir le sol se rapprocher à grande vitesse.

Sur la route du magasin, Danny avait égaré quelque chose d'essentiel : sa résistance aux charmes d'Eva Jansen.

L'approvisionnement des équipes tourna rapidement à la campagne militaire. Le stand du boucher fut pris d'assaut sur trois fronts à la fois, par trois équipes concurrentes, et Danny se réjouit d'avoir renoncé à l'option steak : Beck n'eut même pas besoin de jouer de sa masse considérable pour se frayer un chemin jusqu'au comptoir du poissonnier ; c'était toujours un peu de temps de gagné. Pendant que Jo et Winslow s'approvisionnaient en fruits et légumes, Max et Danny dévalisaient le rayon pâtisserie. Ils n'avaient pas eu le temps d'inspecter la réserve du *Limestone* mais elle comptait forcément de la farine et de la levure. Manquait le babeurre, le sucre brun, et d'autres aliments moins courants.

Par intermittence, lorsque sa course folle parmi la foule et les rayons le rapprochait des caisses, il entrapercevait Eva. Le brushing impeccable, le rouge à lèvres nickel : personne ne se serait douté que moins d'une heure auparavant, elle chavirait dans ses bras sur la banquette arrière de sa voiture, en proie à un orgasme ébouriffant.

Mais Danny, lui, savait. Cette vision superbe était gravée dans son esprit comme dans du marbre. De même que celle d'Eva le regardant, incertaine et timide, ses cils noirs se découpant comme des demi-lunes sur son teint d'albâtre.

Danny avait vu le vrai visage d'Eva Jansen, celui que cachait son masque de diva aux dents longues. Et il ne parvenait pas à l'oublier.

Rien ni personne ne l'avait autant fasciné depuis qu'il avait appris qu'en combinant du beurre, de la farine et du sucre, on obtenait des cookies.

Il voulait Eva Jansen. Et une petite voix innocente et parfaitement raisonnable lui soufflait sans relâche : est-ce un crime de vouloir quelque chose pour soi, pour une fois ?

11

Le plaisir pulsait encore dans les veines de Kane comme le tempo d'une chanson : puissant et obstiné, il battait au rythme intense et lent de la joie qui l'animait. À grand renfort de cymbales.

Le jeune homme s'était écroulé sur le flanc, en faisant attention à ne pas écraser le corps menu de Claire : bien que de taille moyenne, Kane était « compact » et « pourvu d'une musculature fine et dense », à en croire la journaliste qui l'avait interviewé pour *Cosmo* récemment.

Ainsi, Claire reposait paisiblement à ses côtés, la peau voilée d'une pellicule de transpiration. Sa respiration encore haletante soulevait par à-coups sa poitrine, et ses seins haut perchés frôlaient le bras dont Kane, rechignant à la lâcher déjà, l'avait entourée.

— Mon Dieu ! souffla-t-elle en français, que sommes-nous en train de faire ?

C'étaient les premiers mots qu'ils échangeaient depuis que Kane avait toqué à sa porte. Claire l'avait attiré à l'intérieur, plaqué contre un mur et embrassé à perdre haleine… Mais voici qu'elle rompait le charme avec ses scrupules.

— On se fait du bien, répondit Kane fermement. Pour moi, c'était même mieux que bien. À moins que… Tu n'as pas, euh… tu sais ?

Claire ouvrit les yeux et contempla le plafond.

— Seigneur ! Tu es bien jeune. Ne t'affole pas, Kane. J'ai bien « euh, tu sais ». Je te remercie.

Quelle douche froide ! Il n'en fallut pas davantage pour réduire le tombeur irrésistible à l'état d'adolescent gauche le soir de son premier rencard. Confus, un peu blessé, il sentait lentement s'évaporer la douce torpeur de son orgasme. Kane frissonna et dégagea son bras.

— De rien, dit-il sèchement. Donc, je suis prié de disposer, c'est bien ça ? Maintenant que le lion est rassasié ?

Il fit mine de se relever comme pour chercher son pantalon. Quitte à avoir une conversation déplaisante, autant ne pas le faire tout nu. Il espérait secrètement que Claire le retiendrait, l'attirerait à elle… Mais elle n'en fit rien.

— Je t'ai fâché. Tu préfères que je ne fasse pas allusion à ton âge ? C'est pourtant vrai que tu es jeune.

— La valeur n'attend pas le nombre des années, se défendit Kane en tendant le bras vers la commode où traînait son jean. En plus, j'ai de l'expérience à revendre.

Il était sorti avec un mannequin hyperlaxe qui maîtrisait l'intégralité des positions du *Kama Sutra* sur le bout des doigts. Hélas, cette fois, ce souvenir ne suffit pas à regonfler son ego malmené.

Claire s'insinuait dans chaque recoin de sa vie. À cause d'elle, il se prenait à réviser les paroles de toutes les chansons qu'il avait composées. Il se découvrait des traits de caractère insoupçonnés.

Ce qui n'était pas désagréable en soi ; Kane n'avait pas froid aux yeux. Sinon, il serait resté au Texas, à jouer dans les bars pour quelques bières entre deux barbecues. Au lieu de quoi, il suivait des stages de parachutisme, faisait la tournée des grands-ducs, à San Sebastian, avec des héritières cinglées cocaïnomanes, et enchaînait les concerts à un rythme toujours plus dément. Et, gage ultime de courage, à chaque fois qu'il changeait de téléphone portable, il donnait son nouveau numéro à sa maman.

À d'autres le calme et la sérénité !

— Repose ce pantalon et reviens te coucher.

La voix lente de Claire et son accent charmant rappelèrent Kane à l'instant présent : il se tenait immobile, nu comme un ver, au milieu de la suite de Claire Durand, une chaussette dans une main, un jean retourné dans l'autre.

Il lâcha le tout et lui fit face. Elle rayonnait de désir, et Kane s'émerveilla une nouvelle fois du pouvoir de la beauté. Qu'il se sentait fort, nu et fier, devant elle ! Sûr de lui et de son corps dur et musclé… Kane était tout à fait à son avantage sans ses vêtements, et il le savait.

Pourtant, s'il n'avait lu que du désir dans les joues roses et les traits épanouis de Claire, il aurait pris ses jambes à son cou, pantalon au poing : personne n'avait le droit de le traiter comme une vulgaire poupée gonflable.

Jouer les sex-symbols pour ses groupies, c'était une chose. Mais il commençait à se rendre compte qu'aux yeux de Claire il avait envie de représenter davantage. Quoi, au juste ? Difficile à dire. Mais c'était en rapport avec ce frémissement de la bouche de Claire, toute mordue de baisers, et ce tremblement incertain de ses longs cils cuivrés pudiquement baissés.

Cependant, Kane avait toujours envie de bouder. Il contrôlait mal son souffle et ses cordes vocales, et ce fut au prix d'un effort qu'il déclara :

— Je suis monté te voir alors que tu m'avais demandé de garder mes distances. Je ne regrette rien. J'ai envie d'être avec toi, et je suis à peu près sûr que c'est réciproque. Alors, qu'est-ce que tu en dis ? Je reste ?

Il pencha la tête de côté et retint sa respiration.

Quand elle ouvrit la bouche, sa voix lui parut aussi douce et pure que les notes d'ouverture de son solo de piano préféré.

— Oui, reste. Mais, Kane, cela ne veut pas dire que je sois prête à divulguer notre… ce qu'il y a entre nous, comme tu dis.

Kane n'entendit que « oui ».

Une explosion de chaleur inonda sa poitrine comme s'il venait d'avaler une étoile. Ou un grand verre de tequila.

Les draps étaient frais quand il s'y glissa mais il se réchauffa rapidement en se couchant sur le dos et en hissant Claire sur lui.

— Ma petite couverture !

Elle était douce et légère et, sous la pression de son corps, il écarta les jambes et leurs bassins se rapprochèrent.

Elle se trémoussait, radieuse. Pour Kane, chacun de ses rares sourires constituait un trophée. Comme s'il avait accompli un exploit.

— Tu comprends, n'est-ce pas ? poursuivit-elle dans un murmure.

Sa cuisse fine frottait l'intérieur de celle de Kane. Le visage enfoui dans le creux de son cou, elle parlait d'une voix légèrement étouffée.

— L'idée qu'on puisse jaser… commenter ma vie privée, mon intimité… Ce qu'il y a entre nous ne regarde que nous.

— Tout à fait.

Il lissa ses boucles soyeuses et réprima de justesse un énorme bâillement. Sur le matelas moelleux, ses muscles lui semblaient fondre.

— Ne t'en fais pas, ajouta-t-il.

La dernière chose qu'il perçut avant de basculer dans le sommeil fut l'haleine paisible de Claire contre son épaule.

Ah ! L'agitation frénétique qui animait les cuisines en période de compétition ! Rien de tel pour vous donner un bon coup de fouet, songeait Eva. Même sans faire partie des cuistots qui se démenaient aux fourneaux en maudissant sur sept générations une plaque chauffante capricieuse ou une flaque d'huile d'olive glissante.

Eva se faisait toute petite, afin de ne pas gêner les candidats et d'éviter la caméra de Bernard Cheney, le cameraman, posté dans un coin à l'avant de la salle.

Dans sa poitrine, son cœur cognait comme un sourd. Elle respirait avec difficulté. Ce devait être la chaleur. Quand son père avait fait équiper la cuisine du *Limestone*, il avait dû rogner sur la ventilation.

Cela dit, une heure avant le premier service, même la mieux aérée des cuisines ressemblait inévitablement à un volcan en activité ; Eva le savait.

En l'occurrence, entre les rôtisseries et les grils vomissant une chaleur de fournaise, les friteuses crachant des giclées d'huile bouillante, les flammes des chalumeaux et la frénésie d'une foule de cuisiniers surmenés, la température avoisinait les mille degrés.

Eva était passée entre les tables, le cameraman bougon sur les talons, pour découvrir les mets que concoctaient les différentes équipes.

L'équipe du Sud-Ouest préparait des hot dogs maison et farcissait des saucisses à tout-va. L'équipe du Sud avait choisi de jouer la carte de la soul food. L'équipe de Danny – non, « l'équipe de la Côte Est », se reprit mentalement Eva, en espérant ne pas se tromper plus tard devant la caméra – revisitait le brunch si cher aux habitants de Chicago. Leur menu était intéressant et, si les plats tenaient leurs promesses, ils en mettraient à coup sûr plein la vue aux juges.

Tant que les plats étaient réussis, l'émission le serait aussi. Et Eva avait bien l'intention de réussir, dans la classe et la dignité.

Ce qui s'annonçait compliqué : on aurait dit que les équipes de la Côte Ouest et celle du Midwest faisaient tout pour lui mettre des bâtons dans les roues. Eva assista ainsi à une collision entre Skye Gladwell et Ryan Larousse devant la réserve, et se mordilla la lèvre. C'était la cinquième fois qu'ils se bousculaient : tous deux cherchaient les ingrédients de la pâte à pizza.

Oui, leurs équipes préparaient le même plat. Et, déjà, cela faisait des étincelles.

— Hors de mon chemin ! cracha Ryan en retrouvant l'équilibre, et de s'accrocher au chambranle pour se ruer le premier dans la réserve.

— Je pense qu'il y a assez de levure pour tout le monde, grinça Skye dans son sillage. À moins que vous ne soyez du genre à négliger vos stocks, au *Limestone* ?

Venant de Miss Peace & Love, c'était rude. Au début de la phase de préparation, chaque fois que Ryan heurtait Skye pour attraper un ingrédient ou simplement la dégager de son passage, elle se contentait de lui adresser un sourire un peu crispé et de fermer les yeux. Mais il ne restait plus que trois heures aux cuisiniers et, excédée par le comportement de son concurrent, même la très zen Skye Gladwell commençait à montrer les crocs. L'agressivité haineuse de Ryan avait dû finir par l'atteindre. De notoriété publique, Ryan était revanchard comme pas deux. On murmurait qu'il s'était cruellement vengé d'un ancien professeur ayant osé le critiquer, des années auparavant… Après l'humiliation que Ryan avait subie la veille avec les New-Yorkais, il devait bouillir de rage.

Mais Ryan Larousse n'était pas un imbécile. Ce qui ne le rendait que plus dangereux, d'ailleurs. On avait mis en garde Eva lorsqu'elle lui avait confié la direction du *Limestone* : il savait se montrer rusé comme un renard et doux comme un agneau lorsqu'il convoitait quelque chose. La guerre franche et ouverte, ce n'était pas son style de prédilection.

Ryan Larousse était un calculateur. Un manipulateur. Ainsi, en l'occurrence, torturait-il Skye Gladwell dans le seul but de faire sortir Beck de ses gonds.

Sauf qu'il faisait d'une pierre deux coups : les nuages noirs qui s'amassaient au-dessus de la tête de Beck troublaient à l'évidence la concentration de Danny. Sans cesser de peler ses prunes de Damas, le pâtissier promenait un regard inquiet de Skye à son coéquipier, en passant par l'infâme Ryan.

À côté d'Eva, Bernard Cheney cala son crayon derrière son oreille et se pencha sur sa caméra pour zoomer sur le colosse pile au moment où il serrait les dents et lançait à son concurrent une œillade assassine.

— Ça, c'est du bon matos ! marmonna-t-il en se redressant.

Eva pinça les lèvres avant de lui répondre :

— Écoutez, je sais que vous êtes payé pour tirer le maximum d'action de cette compétition. Je sais que c'est comme ça qu'on fait grimper l'audimat et qu'on appâte les publicitaires, mais...

Elle marqua une pause. Elle ignorait au juste où elle voulait en venir. Elle savait seulement que si elle se taisait, elle finirait par craquer.

— ... vous êtes obligé de mettre autant l'accent sur la vie privée des candidats ? La gastronomie devrait se suffire à elle-même, non ?

Cheney ricana. Quel sale bonhomme !

— Vous êtes complètement à côté de la plaque ! La bouffe, c'est rien qu'un prétexte. Les téléspectateurs, ils veulent de l'intrigue ; tout le reste, c'est indigeste... « Indigeste », ha ! Elle est bonne ! Bref, ce qui compte, c'est le rire, les larmes, les conflits, les jalousies, et les affaires de fesses. C'est ça qui est vendeur.

— Le sexe fait vendre ? Quelle révélation !

Fronçant ses sourcils broussailleux, Cheney lui lança un regard mauvais.

— C'est pas pour rien que c'est un lieu commun. En tout cas, je vous garantis que sans une bonne dose de rivalité ou un scandale bien croustillant, mes chefs ne diffuseront jamais votre petit concours de marmitons.

Les tripes d'Eva se vrillèrent et ses poumons se contractèrent.

Elle avait promis de promouvoir La Toque d'Or et de séduire une certaine tranche de marché, à savoir celle des abonnés à Cooking Channel. Il fallait impérativement filmer l'émission, et donc ses candidats. Son père s'était montré très explicite à ce sujet.

Pour autant, était-il nécessaire d'insister sur la vie privée des cuisiniers ? Eva trouvait cela vulgaire et grossier.

Mais tant pis ! Elle n'avait pas le choix.

— Faites ce que vous avez à faire, ordonna-t-elle à Cheney.

Il eut un grognement triomphal, qu'elle ignora.

Voilà donc ce qu'on éprouvait en passant dans le camp des vendus ? Brrr ! Abattue, Eva scruta la salle en quête de son complice dans cette sinistre campagne de conquête des masses. Il entrait, justement. Décoiffé, à moitié endormi et l'air très content de lui. Kane Slater : plus qu'une star, une comète.

Claire le talonnait. Elle était un peu moins débraillée (elle, au moins, avait pris la peine de se passer un coup de brosse et de reboutonner correctement son chemisier), mais elle était nimbée de la même aura de bien-être. Intéressant !

— Nous ne sommes pas en retard, j'espère ? s'enquit-elle en rejoignant Eva dans un cliquetis de talons. Non, je vois que Devon n'est pas encore là. Ouf !

On devait filmer les juges en train de constater l'avancée des travaux avant de libérer les candidats pour la soirée. Eva ne se rappelait plus qui avait eu cette idée. Mais elle était mauvaise. Les cuisiniers étaient déjà suffisamment sur les dents comme ça. En présence du jury, la tension monta encore de quelques crans.

Eva avait bien besoin de ça.

À quelques minutes de la fin du temps imparti, le fracas prit des proportions assourdissantes : casseroles abattues bruyamment sur les plaques, mixeurs vrombissant à plein volume, ordres et instructions proférés à tue-tête d'un bout à l'autre de la pièce – chacun se dépêchait de finir ce qu'il faisait.

Ryan Larousse alimentait un immense brasier en vue des grillades qu'il préparait. Même lui semblait à deux doigts de flancher, et il en oubliait ses manigances. Au grand soulagement de Danny, las de surveiller ses moindres faits et gestes.

En général, les pâtissiers coupaient à l'hystérie qui précédait toujours le premier service. Dans les grands restaurants, ils confectionnaient leurs œuvres aux heures creuses, entre sept et dix-sept heures, environ.

Danny coupait à cette règle. Au fil des ans, son père, le propriétaire d'*Au plaisir des sens*, s'était reposé de plus en plus sur ses épaules. Danny n'était donc pas de ces bienheureux pâtissiers qui travaillaient au calme et à leur rythme. L'avantage, c'était qu'il était rompu au vent de panique qui soufflait sur les cuisines peu avant le dîner. Il avait l'habitude de superviser les préparatifs de ses coéquipiers tout en minutant à la seconde près la caramélisation de ses crèmes brûlées.

Pourtant, même les soirs de grande affluence au *Plaisir des sens* ne l'avaient pas préparé à cette tornade de fébrilité.

Si encore il avait pu se fier aux autres cuisiniers ! Danny savait qu'en cas de pépin il pouvait compter sur le soutien de ses collègues : il régnait au sein de l'équipe un climat de confiance et de respect absolus. Mais pour réaliser un repas sans fautes dans un temps extrêmement limité, cela ne suffisait pas. Sans compter que la concurrence était très rude, et qu'elle partageait leur cuisine. Pauvre Danny ! Lui qui aimait tant l'ordre et le contrôle, il était bien malheureux.

Il y avait trop de choses à surveiller en même temps. La consistance de la compote de prunes. Les va-et-vient de Winslow. Max et Jo, qui exécutaient aux fourneaux une espèce de tango. Et Beck, qui menaçait d'exploser chaque fois que ce petit merdeux de Ryan Larousse lançait un regard de travers à Skye Gladwell, la hippie blonde de la Côte Ouest.

Sans oublier Eva.

En gros, Danny n'arrivait pas à se concentrer, et le chrono n'allait pas tarder à sonner. Il y jeta un regard oblique : il restait un quart d'heure et les minutes filaient. Quand le minuteur afficherait zéro, tout devrait être prêt, emballé et mis au frais pour la nuit.

Danny se résignait à oublier Larousse quand il vit la hippie contourner une des tables du fond, les bras chargés d'une énorme marmite. Elle semblait lourde et, à en juger par les volutes de vapeur qui s'en échappaient, remplie d'un liquide en ébullition. Elle lança le traditionnel « Chaud devant ! » aux concurrents qui se penchaient au-dessus du gril, afin qu'ils ne reculent pas soudainement.

Et soudain, Danny sentit s'abattre sur lui une chape de plomb : parmi ces concurrents se trouvait Larousse.

Il avait l'impression d'assister à l'une de ces émissions japonaises déjantées dans lesquelles les candidats doivent gravir en courant les marches de châteaux gonflables, esquiver des coups de marteaux géants ou encore franchir des bassins en sautillant de rondin en rondin. Sauf qu'en l'occurrence personne ne tomberait à l'eau en pouffant.

Ce qui se produisit dans les cuisines de l'hôtel *Gold Coast Arms* fut tout aussi prévisible mais bien moins divertissant que le bain forcé de ces imbéciles.

Devant Skye surgit un couteau. La jeune femme écarta de justesse son écumante cargaison, sans ébouillanter le cuistot qui se baissait pour prendre sur l'étagère une bouteille d'huile. Elle progressait rapidement jusqu'à son but, l'œil rivé au chrono, sa jolie bouche pincée en une moue décidée.

Elle touchait au but. Alors, Larousse passa à l'action.

12

Juste avant le drame, Danny surprit le rictus qui tordait la lèvre de Larousse. Il était blanc de rage. Avant même d'en tirer ses conclusions, Danny avait bondi.

Il fonçait droit sur Larousse, ses chaussures couinaient sur le revêtement de caoutchouc.

L'autre s'était discrètement mais délibérément placé en travers du chemin de Skye, l'obligeant à le contourner. Or elle commençait à fatiguer.

— Attention ! lui cria la jeune femme.

Elle agrippait de toutes ses forces les poignées, ses doigts étaient tout contractés mais la marmite menaçait de lui glisser des mains.

Un rugissement bestial retentit : Beck avait repéré le manège de Larousse. L'instant d'après, il dépassait Danny au pas de course et chargeait l'importun comme un taureau au triple galop.

Beck plaqua Larousse pile au moment où Skye lâcha sa marmite. Danny eut à peine le temps de noter l'effroi qui figeait ses jolis traits, et il plongea pour rattraper le récipient.

La douleur enflamma ses doigts comme s'il avait posé les mains sur une plaque chauffante. La marmite manqua de lui échapper mais Danny serra les dents et tint bon.

Un bouillon de poulet encore frémissant gicla sur les parois du faitout, lui éclaboussant les poignets.

— Saloperie ! lâcha-t-il en s'agenouillant pour poser sur le sol le récipient.

— Pardon ! Je suis désolée ! balbutia Skye, accroupie à ses côtés.

Elle examina l'une de ses mains rougie et cloquée.

— Oh, regardez vos doigts ! Sans vous, je me serais ébouillantée de la tête aux pieds, je serais brûlée au troisième degré… Merci, merci !

Avant que Danny réagisse à cette effusion de gratitude, il entendit derrière lui le bruit caractéristique d'un poing qui s'écrase sur du cartilage.

Il se releva tant bien que mal. Skye, elle, se décomposait.

— Henry ! Non, je t'en prie, arrête ! gémissait-elle, horrifiée.

Danny n'eut pas le temps de l'en empêcher : dans un cliquetis de bracelets, elle courut, bras tendus, vers l'endroit où les deux hommes se battaient.

Beck était repassé en mode Hulk. Son visage exprimait un calme déroutant. Il ne semblait pas avoir entendu la supplique de Skye : il était tout à la proie qu'il épinglait au plancher.

Flûte, la caméra tournait ! Elle n'en perdait pas une miette ! Soudain pris de panique, Danny fondit sur Beck et empoigna son épaule solide comme le roc.

— Beck ! Assez, le pressa-t-il. Laisse-le se relever.

— Il aurait pu la blesser, dit Beck d'un ton étrangement détaché. Il a tenté de la blesser, Danny.

— Mais je n'ai rien, Henry. Alors laisse-le, dit Skye.

Danny sursauta et la considéra. Sous sa voix douce perçait une sacrée autorité. La belle cachait bien son jeu !

Beck n'avait prêté aucune attention à la main de Danny sur son épaule malgré les secousses répétées qu'il y imprimait. En désespoir de cause, le pâtissier envisageait de le hisser sur ses pieds, quitte à aggraver l'état de ses mains. C'est à ce moment-là que Skye s'était interposée.

Elle effleura à peine le dos du colosse.

Il frémit de toute sa large carcasse. Sa voix s'éleva, semblable à un éboulement de roche montagneuse.

— Tu n'as vraiment rien ?

— Pas une égratignure, le rassura-t-elle. Mais, Henry, même dans le cas contraire, tu n'aurais pas dû faire ça.

Dans sa voix, l'autorité affleurait de nouveau.

— Je refuse de servir de prétexte à la violence. Tu m'entends ? Ne me compromets plus jamais comme ça.

Beck leva vers elle des yeux si tristes que la gorge de Danny se serra. Lentement, le poissonnier relâcha sa victime. Danny respira. Ses épaules retombèrent et l'adrénaline qui saturait son organisme commença de se dissiper.

Du coup, il prit conscience de la torture qu'enduraient ses pauvres mains.

— Bon, ça suffit comme ça, tout le monde debout, commanda Eva.

Danny tressaillit et darda sur elle un regard hébété.

Max et Win les avaient rejoints et aidaient Beck à se relever. Ils l'entraînèrent hors de la cuisine, sans doute dans l'intention de lui passer la tête sous l'eau froide afin de le rendre à la raison. Skye les suivit des yeux, l'air pensif, touchant du bout des doigts ses lèvres blêmes.

Enfin, elle se tourna vers son sauveur pour se répandre à nouveau en remerciements. Mais Eva y coupa court :

— Hugo, raccompagne Ryan jusqu'à sa chambre et bon sang, tâchez de vous tenir à carreau jusqu'à demain ! J'en ai par-dessus la tête de vos conneries !

— Mais je ne l'ai pas fait exprès ! se défendit Ryan, ses traits poupins tordus en une mimique contrite. C'était un accident !

Il semblait si désolé que Danny faillit y croire. Après tout, Ryan n'était qu'un gamin irréfléchi. Peut-être n'avait-il pas prévu les conséquences de ses actes.

Sauf que Ryan ne s'en tint pas là.

— Comme si c'était moi qui enfreignais le règlement ! C'est lui qui m'a agressé, pour la deuxième fois. Ce mec, c'est un chien enragé ! Faut l'enfermer ou bien le piquer !

Déjà Danny fulminait mais il n'eut pas l'occasion de rabattre son caquet au petit merdeux : Skye l'avait devancé.

— Toi, ta gueule ! Henry Beck est un homme bien, tu ne lui arrives pas à la cheville. Tu n'es qu'un minable.

Ryan s'empressa évidemment de lui cracher des insultes, mais la jeune femme ne l'écoutait pas ; elle avait tourné les talons pour déposer un baiser sur la joue de Danny. Il ouvrit des yeux ronds.

— Je vous aurais volontiers serré la main, se justifia-t-elle en souriant, mais je craignais de vous faire mal.

— Oh ! Merci. Je commence à souffrir, en effet.

Inquiète, rongée par la culpabilité, Skye se rembrunit.

— Faites voir.

Eva s'intercala brusquement entre eux ; ses yeux verts lançaient des éclairs.

— Je m'occupe de lui. Vous, rassemblez vos hommes et regagnez vos chambres. C'est fini pour aujourd'hui. Vous aurez droit à dix minutes supplémentaires demain matin pour compenser.

Les autres équipes firent entendre quelques protestations mais Eva n'y prêta aucune attention et bientôt tous emballaient leurs plats et nettoyaient leurs plans de travail. L'animatrice se retourna vers Danny.

— Les mains en l'air, dit-elle, impérieuse. Voyons l'étendue des dégâts.

— Ce n'est rien, mentit Danny, et de serrer les poings pour dissimuler sa peau rougie.

Geste qui, bien sûr, fit pression sur ses cloques et lui arracha une grimace.

— Pas la peine de jouer les durs, cingla Eva, j'ai fait couper la caméra quand Beck a menacé d'étrangler l'autre abruti.

Et de lui saisir les poignets avec une délicatesse inattendue.

— Je ne joue pas les durs, s'agaça Danny. Mais merci pour les caméras. Avec des preuves vidéo, Beck aurait eu du mal à plaider non coupable si Larousse y était resté.

— Un homicide, voilà qui aurait plu aux producteurs, marmonna Eva, sardonique. Mais il me reste un vague fond d'intégrité.

Elle caressait du bout des doigts la peau vive et frémissante de Danny.

— Tant de scrupules, ça fait chaud au cœur. Beck serait touché, débita Danny.

Il chancelait. La tête lui tournait comme le crochet de son batteur-mixeur en mode pétrissage. Il cligna des yeux et secoua la tête afin de s'éclaircir les idées.

— Danny, ne me les brise pas. Je veux bien organiser un festival, un téléthon et un gala de charité en l'honneur de ton petit copain tant que vous arrêtez de saborder mon concours. Sans rire, il va falloir vous calmer ! Mais d'abord, il va nous falloir un médecin.

Elle dégaina son portable et pianota sur l'écran tactile à la vitesse de l'éclair, de sorte que Danny ne vit même pas ce qu'elle tapait. Mais cela importait peu. Il devait y aller, on l'attendait.

— Non, merci. Tout va bien. Je dois retourner auprès de mes collègues, m'assurer qu'ils vont bien…

— Minute, papillon ! gronda Eva, rempochant aussi sec son portable et dardant sur lui deux grands yeux sévères. On ne bouge plus, et on oublie son équipe cinq minutes. Beck n'avait pas une égratignure et tu as trois autres collègues pour prendre soin de lui. Ils peuvent très bien se passer de toi.

Un pincement indéfinissable transperça la douleur qui embrumait l'esprit de Danny.

— Sympa, grogna-t-il.

Eva se reprit, adoucie :

— Ce n'est pas ce que je voulais dire. Seulement, tu leur seras plus utile avec deux mains valides et en bon état de marche. Tu arrives encore à manier le fouet ?

Les mains de Danny étaient agitées de spasmes convulsifs ; ses brûlures jetaient des langues de feu jusque dans ses avant-bras. La douleur se brouillait, il ne savait plus où elle commençait et où elle s'arrêtait.

Quelle plaie !

— Je pourrais mettre un peu de pommade, concéda-t-il en tâchant de contrôler ses soubresauts.

— À la bonne heure.

Eva le prit par le coude et l'emmena dans le hall de l'hôtel, où les attendait un petit homme en blouse blanche.

L'hôtel ne lésinait pas sur l'air conditionné et Danny, qui sortait d'une fournaise, se mit à grelotter. Après la frénésie des cuisines, il peinait à s'ajuster à tant d'espace et de silence.

— Asseyez-vous, lui dit l'homme en blouse, repérant son malaise.

Il guida le blessé jusqu'à la banquette près de l'ascenseur. Danny sentait ses genoux fléchir sous lui. Embarrassé, il résista lorsque le médecin voulut lui faire placer la tête entre les genoux.

— Vous êtes en état de choc, lui expliqua ce dernier en revenant à la charge. Une brûlure de cette ampleur, c'est éprouvant pour tout l'organisme.

Il céda. Le sang lui monta à la tête et se mit à y tourbillonner comme des paillettes dans une boule à neige. Sonné, il n'écoutait ni les questions de l'urgentiste, ni les réponses d'Eva, et remarquait à peine l'examen minutieux auquel on le soumettait.

Quand enfin on l'aida à se remettre en position verticale et que le sang reflua, Danny constata qu'il avait les mains pansées dans de la gaze et qu'il ne restait plus de la douleur aiguë qui le torturait quelques instants auparavant qu'une faible palpitation. Danny inspecta ses pansements.

— Je ressemble à un boxeur sur le ring.

— Ou à un gosse avant une bonne bataille de boules de neige, suggéra Eva en signant les papiers que lui tendait le médecin.

— On ne pouvait pas me bander les doigts individuellement ?

Danny n'était pas fan du look moufles.

— Ce soir, ne touchez pas aux bandages. Ne les mouillez pas. Demain, on verra comment ça évolue et, selon la cicatrisation de vos brûlures, on vous fera un pansement plus léger.

Danny n'insista pas.

— Merci, docteur, dit-il en appuyant sa tête contre le mur.

Cicatrisation ou pas, demain, il se débarrasserait de ces pansements. Il avait besoin de ses mains !

Eva le toisait, sourire en coin et sourcils arqués, comme si elle lisait dans ses pensées, mais elle ne le dénonça pas au médecin. Danny lui sourit. Eva prit le petit flacon d'antidouleur que lui remettait le médecin avant de l'imiter.

— Tu en veux un ? demanda-t-elle en faisant tinter les pilules dans leur flacon.

Danny se déliait la nuque et évaluait son propre état. Il avait mal aux mains mais cela restait supportable.

— Ça va, pas tout de suite, merci. Cette pommade fait des miracles.

— Bon, dis-moi si tu changes d'avis, dit-elle en glissant le flacon dans son sac à main.

— Euh, au risque de passer pour une petite nature, j'en prendrai peut-être un avant de me coucher…

— Pas de problème, répondit Eva sans se troubler.

Elle enfila la bretelle de son sac et prit Danny par le coude pour l'aider à se relever.

— Et bonne idée, ajouta-t-elle. Le repos, c'est essentiel à la cicatrisation. En plus, il faut que tu sois en forme pour l'épreuve de demain.

— Tout à fait. Du coup, tu peux me passer le flacon ?

— Non, décréta Eva en appelant l'ascenseur. Oh, je ne t'ai pas dit ? Tu es mon prisonnier pour la nuit.

Danny cligna des yeux et une vision lui apparut. Il était étendu sur le dos, pieds et poings liés, et Eva se penchait sur lui. Puis la vision se brouilla et à son tour Eva lui apparut, les jambes écartées, ligotée avec des foulards en soie, sa peau laiteuse et nue luisant au milieu des draps. Les fantasmes se succédaient dans sa tête à la vitesse de l'éclair, de sorte que ce n'étaient plus seulement ses mains qui le brûlaient à présent.

Danny se secoua.

— Il vaut mieux que je regagne ma chambre. Je dois faire le point avec les copains.

Mais son ton manquait de conviction.

Eva ne s'y trompa pas. Les coins de sa bouche écarlate se relevèrent en un sourire ravi.

Les portes de l'ascenseur s'ouvrirent dans un chuintement et elle ne perdit pas de temps : elle y hala son protégé et appuya sur le bouton du dernier étage.

— Tu leur passeras un coup de fil depuis ma suite, déclara-t-elle. Ce soir, il faut que quelqu'un prenne soin de toi. Or, si tu retournes dans ta chambre, c'est encore toi qui vas te retrouver à materner ton équipe.

— Mais pas du tout, je…

Il laissa sa phrase en suspens.

Bon sang, mais où était passée sa conviction ? On aurait dit qu'elle s'était évaporée au contact de la marmite brûlante.

— Tt, tt ! On ne discute pas, cingla Eva.

Elle se mit à envoyer des SMS tandis que la cabine poursuivait sa silencieuse ascension.

Dans la poitrine de Danny, un petit noyau de ressentiment se forma. Le pire, c'était qu'Eva avait peut-être raison. Mais pas question de l'admettre.

— Je veille sur mes coéquipiers, et alors ? Où est le mal à ça ?

— C'est très bien de veiller sur les siens, dit la jeune femme sans cesser de pianoter. Tant que c'est donnant-donnant.

Danny fit mine de serrer les poings avant de se rappeler qu'il avait les mains bandées.

— Je ne suis pas un gamin qui a un bobo. Je n'ai pas besoin d'aide.

— Exceptionnellement, ce soir, si. C'est le médecin qui l'a dit.

— Dis donc, ça t'embêterait de ranger ton téléphone quand je te parle ? s'emporta enfin Danny.

Elle s'empourpra, appuya rapidement sur un bouton et rangea son portable, puis elle leva la tête vers lui. Ses jolis yeux gris argenté paraissaient empreints de compassion et de quelque chose qui ressemblait à s'y méprendre à de la gravité.

— Pardon. J'écrivais au service d'étage.

— Pour commander quoi ? s'enquit Danny avec lassitude.

— De quoi dîner, principalement. Et j'ai chargé la réception d'envoyer quelqu'un te racheter de la pommade.

Danny ferma les paupières.

— Désolé, grommela-t-il, penaud.

Il avait la même voix que son père lorsque ce dernier demandait pardon à son angélique épouse pour un coup de gueule un peu trop explosif. Danny soupira.

— Je n'aime pas beaucoup qu'on s'occupe de moi. J'ai l'habitude de me débrouiller seul.

Un éclair vacilla dans les pupilles d'Eva : elle voyait très bien de quoi il voulait parler.

— Je sais. Mais sois chic, Danny, laisse-moi te soigner. Fais-moi ce plaisir.

Elle lui demandait si gentiment que Danny perdit toute volonté de lui résister. Il sentit toute la tension quitter ses épaules pile au moment où la cabine s'immobilisa.

— Bon… Mon équipe survivra.

Eva rayonnait dans la pénombre du couloir à l'éclairage chaud et tamisé.

Elle ouvrit la marche. Devant l'ascenseur se trouvaient une banquette et une grande porte à double battant. Danny inspecta les environs : c'était la seule de l'étage.

— Pas possible ! Tu as loué le penthouse ?

Eva brandit une carte magnétique et l'inséra dans la fente.

Danny n'en revenait pas.

— L'immense suite de luxe avec terrasse ?!

— L'hôtel a insisté, lâcha-t-elle en poussant la porte et en l'invitant à la suivre. Elle est souvent inoccupée alors ils la filent aux clients VIP.

— Eh bien ! Ça a l'air sympa, la vie de VIP.

Danny fit deux pas avant de se figer, fasciné. Il se trouvait sur le seuil d'un grand vestibule à l'ancienne. Une chambre d'hôtel avec vestibule ! Un immense lustre en laiton baignait de sa douce lueur des tapisseries de soie vert d'eau et or. Sous les sabots de cuisine crottés de Danny s'alignaient des dalles de marbre ornées d'arabesques vertes – s'agissait-il d'incrustations de jade ? La pièce débouchait sur un fastueux salon meublé de deux canapés de cuir vert, d'un secrétaire en bois laqué aux pieds étroits et d'une table basse circulaire en verre où s'empilaient papiers, classeurs et ordinateur. Là aussi, les luminaires étaient en laiton, depuis les liseuses jusqu'au lustre. Lustre qui surplombait…

— Une table de salle à manger ! s'écria Danny.

Il désigna le meuble, comme si Eva avait pu manquer de remarquer le bloc d'acajou massif qui occupait la moitié gauche de la pièce.

— Oui, fit-elle, blasée.

Danny compta les chaises à haut dossier encerclant l'immense table de bois ciré.

— Huit ! Même en abattant des cloisons je ne pourrais rien loger d'aussi grand dans mon appartement. Sauf peut-être si je jetais mon lit…

— Remets-toi, ce n'est qu'une table, se moqua gentiment Eva avant de disparaître par une porte latérale qui avait échappé à l'examen de Danny.

Il entendit le bruit caractéristique d'une porte de réfrigérateur. De fait, lorsqu'elle reparut dans l'embrasure, elle portait une carafe de jus d'orange.

— Tu as soif ? Je te proposerais bien quelque chose de plus corsé mais, vu ton état de santé, mieux vaut rester prudent.

Elle repartit chercher des verres et Danny en profita pour inspecter la cuisine. Et sa mâchoire se décrocha.

— C'est immense !

Il ne s'agissait pas d'une kitchenette mais d'une pièce à part entière avec comptoirs de granite, appareils dernier cri et, surtout, plus de plans de travail que dans certains restaurants où Danny avait travaillé.

— Tu n'en as pas marre, des cuisines ? le taquina Eva en le frôlant, leurs verres à la main.

Danny lança un dernier regard captivé à l'espace parfaitement aménagé et la rejoignit sur l'un des canapés. Contrairement à ce qu'il craignait, le cuir en était moelleux et frais, et Danny, bien calé entre l'accoudoir et le dossier, s'y enfonça comme dans une tendre étreinte.

Il soupira d'aise et laissa sa tête basculer en arrière.

— Je pourrais m'endormir.

— Et encore, tu n'as pas vu la chambre. Attends un peu !

Eva avait dit ça d'un ton neutre, sans doute sans arrière-pensée, mais les sens de Danny étaient en alerte.

« Attends un peu. »

Pas facile de se redresser quand on est à deux doigts de s'écrouler comme une masse dans le plus confortable des canapés, mais Danny y parvint. Il toussota.

— Ce jus m'a l'air délicieux…

— Je confirme, dit Eva en buvant sans le quitter des yeux. Il est frais, sucré et un peu acidulé. Je t'en sers un verre ?

Danny s'humecta les lèvres.

— Merci. Mais… Comment est-ce que je vais le tenir ?

Il se voyait déjà, le verre glissant de ses grosses paluches pansées, tachant de jus ce canapé qui valait sans doute plusieurs mois de son loyer new-yorkais.

— Ne bouge pas, dit Eva d'un ton mutin. Je vais t'aider.

Elle s'approcha et s'allongea pratiquement sur ses genoux pour attraper son verre à l'autre bout de la table.

— Je vais t'aider.

Danny inspira vivement en sentant son corps svelte contre le sien. Quand elle se releva, ses seins effleurèrent son bras.

Elle inclina la tête et lui darda un regard provocant. Danny ne put s'empêcher de la réprimander.

— Tout ça, c'était un plan machiavélique pour m'appâter dans tes quartiers ?

— Absolument ! dit-elle, puis elle fit couler un peu de jus acide et doux dans la bouche du blessé. J'ai chargé Ryan Larousse de t'asperger d'eau bouillante pour pouvoir te kidnapper. Et tout a fonctionné comme sur des roulettes. Tu es fait !

Le liquide froid attisa les sens de Danny. Une goutte s'attardait sur ses lèvres ; il la lécha.

— Hmmm, fit-il. Je crois que je suis atteint du syndrome de Stockholm. Encore !

144

Eva, les joues roses et le regard malicieux, ne se le fit pas dire deux fois : elle renouvela l'opération. Tout s'était suspendu : le corps souple et léger de la jeune femme penchée au-dessus de Danny, le jus qui coulait goutte à goutte dans sa gorge... Il songea aux rois d'antan abreuvés par leurs jeunes servantes. Ce luxe... Danny risquait fort d'y prendre goût !

— Comment te sens-tu ?

La question d'Eva lui chatouilla la joue et fit frémir les cheveux sur ses tempes. Elle se blottit contre lui.

— Mieux, dit-il en la dévisageant.

À ces mots, elle s'éclaira.

— Ah, tu vois que je te suis bénéfique ! Je me tue à te le répéter.

La présence d'Eva lui semblait naturelle, comme si elle était à sa place, là, que tout cela allait de soi. On aurait dit qu'elle s'imbriquait avec Danny et remplissait ses creux et ses failles de douceur, d'insouciance, de désir et de folie ainsi que de toutes ces choses auxquelles le pâtissier jugeait d'ordinaire plus sage de renoncer.

— Tu sais ce qui me serait bénéfique ? dit-il d'une voix que l'émotion rendait râpeuse. Un baiser.

Elle se tortilla contre lui d'une façon follement excitante. Elle paraissait tentée. Mais elle se fit prier :

— Je ne crois pas que c'était à ça que le médecin pensait quand il m'a dit que tu avais besoin de soins...

— Mais toi, tu pensais à quoi ? En plus, ça me détendrait. Tu ne veux pas que je me détende, c'est ça ?

À vrai dire, il était tout sauf détendu. Une certaine partie de son anatomie, faisant fi de la fatigue et de la douleur, était même tendue à bloc. Sous sa braguette, cette partie palpitait et gonflait, et tirait la toile de son jean.

Eva ne fut pas dupe de son numéro de charme. Elle eut un adorable froncement du nez. Mais, sans laisser à Danny le temps de s'en inquiéter, elle se pencha de nouveau sur ses genoux pour reposer son verre vide. Elle était irrésistible, à virevolter ainsi autour de lui comme un oiseau-mouche butinant de ci, de là. Sauf que Danny se sentait davantage plante carnivore que bouton-d'or.

Sans réfléchir, il l'entoura de ses bras et la renversa sur ses genoux. Ce qui aurait été parfait sans la douleur fulgurante qui irradia de ses paumes.

Eva surprit sa grimace et son grognement.

— Sois prudent, dit-elle en faisant mine de se dégager.

— Toi, tu restes ici ! articula-t-il tant bien que mal : de la hanche, elle broyait sa douloureuse érection. Et arrête de t'agiter !

— Tu as très mal ? lui demanda-t-elle, une note d'alarme dans la voix.

Danny craqua. Sans prendre la peine de camoufler le désir animal qui montait en lui, il dit :

— Atrocement. Mais avec un baiser bien placé, ça doit pouvoir s'arranger.

13

La femme de chambre avait déréglé le thermostat, ou quoi ? Eva étouffait, d'un seul coup !

Peut-être cela avait-il quelque chose à voir avec le radiateur humain qui se pressait contre elle, l'invitant à se cramponner à lui de tous ses membres comme du lierre. Eva fondait complètement.

Elle n'avait encore jamais rien vu d'aussi explosif que Danny Lunden. Pourtant, un jour, sur un pari, elle avait escaladé un volcan en activité.

Il lui avait quémandé un baiser bien placé, sa voix résonnait encore aux oreilles d'Eva. Elle releva le buste et leurs bassins s'imbriquèrent un peu plus.

Eva n'en était pas à sa première chevauchée : elle savait pertinemment où il espérait qu'elle placerait ce fameux baiser. Et elle n'avait rien contre. Mais d'abord...

Elle lui sourit et prit ses mains bandées entre les siennes. Doucement, elle fit pleuvoir sur la gaze une grêle de baisers. Les poignets de Danny se raidirent, il luttait pour ne pas les retirer. Elle lut de la surprise dans ses yeux bleus : en un instant, ils étaient passés de la provocation à une tendre complicité qui le désarçonnait.

Eva non plus ne s'y attendait pas. Et, quand Danny cessa de se débattre et lui abandonna ses mains, doux comme un louveteau, sinon comme un agneau, le cœur de la jeune femme se serra si fort qu'elle dut l'embrasser sur la bouche juste pour gagner un peu de temps et retrouver sa contenance.

Ce n'était pas une bonne idée. Une fois leurs lèvres jointes, le cerveau d'Eva fut comme paralysé. Plus rien n'existait que leur baiser. Profond, passionné, avide – parfait. Les coups de langue agiles et puissants enflammaient toutes ses terminaisons nerveuses. Gémissant de plaisir, Eva noua ses bras autour du cou de Danny.

Il ne l'imita pas. Il gardait les bras ballants le long du corps. Crispés. Au point qu'Eva finit par s'inquiéter. Pourquoi ne l'enlaçait-il pas ? Pourquoi ne la caressait-il pas, ne la palpait-il pas ? L'alchimie entre eux était manifeste, pourquoi Danny ne l'empoignait-il pas à bras-le-corps pour…

Oh. Bien sûr.

Eva mordit une dernière fois dans la lèvre sensuelle du pâtissier avant de reculer doucement.

Comment faisait-on l'amour à un homme dont les deux mains étaient brûlées au deuxième degré ?

— C'est absurde, marmotta Danny entre deux respirations saccadées, l'œil luisant de désir frustré. Enlève-moi ces machins.

— Pas question, trancha Eva. Le médecin s'est montré très clair sur le sujet. D'ailleurs…

Elle effleura ses épaules, puis son torse. Le cœur de Danny tambourinait, son souffle était torride et il haletait comme un pur-sang sous ses caresses.

— Cette situation me donne plein d'idées, susurra Eva en promenant ses doigts le long de la ceinture de Danny.

— Mais je ne peux pas te toucher !

Danny avait dépassé le stade de la simple frustration. Ses cuisses d'acier convulsaient et tremblaient sous Eva.

— Dommage pour toi. Moi, si !

Eva n'aurait pas eu l'air plus comblé si elle avait avalé une gorgée de champagne millésimé.

Danny écarquilla les yeux, entrouvrit la bouche.

D'une pichenette, Eva fit sauter le premier bouton de son pantalon.

Danny referma la bouche et émit un grognement. Il s'arc-boutait sur le canapé, faisant crisser le cuir. Eva respirait plus rapidement, elle aussi, et chaque nouvelle bouffée de son odeur sensuelle, virile et musquée lui montait un peu plus à la tête.

— Tu as réclamé un baiser, je ne fais qu'exécuter tes ordres, souffla-t-elle. Je t'avais dit que j'allais m'occuper de toi.

Sur ce, elle baissa sa braguette et écarta les pans de son jean pour libérer l'érection qu'il comprimait.

Eva se laissa glisser à genoux et s'enfonça dans la moquette épaisse. Elle fit remonter ses mains le long des jambes de Danny ; le jean rêche lui titillait les paumes.

Elle tira un peu sur sa ceinture et Danny souleva le bassin pour l'aider à baisser son pantalon et son boxer de façon à dénuder entièrement son membre imposant et fièrement dressé.

Eva adorait ces instants où le temps se figeait, quand son partenaire bouillait d'une impatience palpable et concentrait tout son désir sur elle.

Les coudes de part et d'autre des hanches de Danny, Eva contempla d'un air gourmand ses traits tendus et déposa un doux baiser sur son gland gorgé de sang. Danny gémit si fort qu'Eva se réjouit d'être la seule occupante de l'étage.

Devant son plaisir intense et manifeste, la jeune femme sentit à son tour des picotements lui envahir le bas du corps. Des frissons lui couraient le long de l'échine et se propageaient dans son bassin. Elle se déhancha ; un liquide soyeux commençait de perler au creux de ses cuisses, l'inondant d'une divine chaleur.

En général, c'était vers ce moment-là que les hommes, pressés d'en venir aux choses sérieuses, lui posaient la main sur la tête ou l'attrapaient par les cheveux, ou encore l'encourageaient d'une tape sur l'épaule à passer à la vitesse supérieure. Les moyens de lui signifier leur impatience ne manquaient pas !

En l'occurrence, cependant, Danny se contenta d'étendre les bras le long du dossier et de baisser sur elle un regard éperdu. Soit ses paumes meurtries le paralysaient, soit sa formation de pâtissier lui avait enseigné la patience.

À genoux devant lui, Eva se sentait délicieusement soumise et très libre à la fois. Rien, sinon les caresses qu'elle apposait d'elle-même sur les cuisses nues de Danny, ne l'ancrait dans cet instant. Elle se sentait puissante. C'était elle qui canalisait la force de son désir, le faisait soupirer et se cambrer au gré de ses envies.

Elle en voulait davantage. Elle s'inclina et enveloppa de ses lèvres le gland de Danny et en lécha la peau, brûlante, veloutée, satinée, finement tendue sur le membre palpitant. Il avait un bon goût de sel.

Quel délice !

Elle l'enfonça plus profondément, avide de le sentir glisser contre son palais et peser sur sa langue, de sentir aussi que Danny se retenait de toutes ses forces de donner des coups de reins alors qu'il en mourait d'envie.

Question maîtrise de soi, Danny Lunden assurait. Mais elle aurait raison de son sang-froid !

En attendant, elle, par contraste, perdait toute retenue.

Danny se courba pour lui embrasser la tête du bout des lèvres. Eva frissonna. Pour le retenir, elle explora de ses doigts avides les muscles bandés de son ventre.

— Tu es incroyable, lui glissa-t-il. Mais si tu n'arrêtes pas immédiatement, j'ai peur que ça ne dure pas longtemps.

Eva émit un son de gorge pour lui signifier son refus et le caressa avec une ardeur redoublée.

Sous cet assaut, il se raidit encore plus et poussa un grognement. Eva savourait son triomphe lorsque sa voix se fit à nouveau entendre, douce mais autoritaire :

— Viens ici, ma chérie.

Cette expression transperça le cœur d'Eva, réveillant la jeune ingénue qui sommeillait en elle et rêvait en secret d'être un jour appelée ainsi, tendrement, comme venait de le faire Danny. Elle appuya sa langue sur la grosse veine qui saillait sous son sexe et remonta nonchalamment jusqu'au gland puis, avec un adorable bruit de succion, elle rouvrit la bouche et leva les yeux vers Danny.

N'importe quel homme à sa place aurait eu l'air grotesque, affalé sur un canapé, le pantalon à mi-mollet, le sexe plaqué contre le ventre par une énorme érection.

Mais Danny, non. Danny avait l'air comestible.

Eva se pourlécha les lèvres : sourde aux protestations de Danny, pressée de retrouver son petit goût fumé, elle s'apprêtait à recommencer quand, secouant la tête, il lui caressa les deux joues du dos de ses mains pansées.

C'était une drôle de sensation. La gaze était plus douce et plus fraîche que ne l'auraient été ses doigts. Pourtant, ce fut l'expression de son visage qui acheva Eva. Il la dévorait des yeux, l'air affamé.

— Relève-toi, répéta-t-il avec ce même mélange d'autorité implacable et d'infinie douceur.

Pas étonnant que son équipe lui obéisse au doigt et à l'œil. Eva elle-même avait obtempéré, comme hypnotisée. Debout devant lui, elle constata non sans inquiétude qu'elle n'avait qu'une envie : s'en remettre à lui. Suivre ses instructions avec une confiance aveugle. Car il savait ce qu'il faisait, et le résultat leur plaisait, à tous les deux.

S'efforçant de reprendre les rênes, elle haussa un sourcil et lui décocha son sourire le plus enjôleur. Des doigts, elle se mit à jouer avec la ceinture vernie de sa robe. Un petit strip-tease, voilà qui lui rappellerait qui commandait, ici !

Danny s'adossa et fixa d'un regard fiévreux la ceinture qui coulissait dans sa boucle de métal. Elle chuta au sol avec un cliquetis. Eva retrouvait sa belle assurance. Ondulant des hanches au rythme intérieur de l'un de ses hits préférés, elle ferma les yeux et entreprit de remonter sur ses cuisses le tissu moulant de sa robe.

La voix de Danny fit irruption dans sa chorégraphie.

— Non, murmura-t-il. D'abord la fermeture éclair.

Eva prit une vive inspiration. Son cœur battait comme celui d'un oisillon tombé du nid. Hypnotisée par le regard magnétique de Danny, elle ne pouvait plus se réfugier dans son imagination.

À la place, il lui fallut se contorsionner pour pincer entre ses doigts tremblants l'attache de sa fermeture éclair et la baisser, en silence, malhabile, durant quelques secondes interminables. Enfin, elle y parvint. Les manches étroites de sa robe la maintenaient contre sa poitrine mais le souffle de l'air conditionné lui chatouillait les omoplates.

— Dès que je serai débarrassé de ces maudites moufles, dit Danny sur le ton de la conversation, je vais te déshabiller, en prenant mon temps, et goûter chaque centimètre de ta peau au fur et à mesure.

Eva haletait presque ; elle avait si chaud tout à coup qu'elle ne supportait plus ces manches qui l'engonçaient, la robe qui lui collait aux hanches et à la taille. Elle brûlait de la retirer en entier, mais elle hésitait : Danny s'apprêtait à lui dire quelque chose.

— Tu es magnifique.

Cette fois, il ne lui faisait plus la conversation. Sa voix gutturale et son débit heurté avaient un tel accent de vérité qu'Eva se sentit défaillir. Hors d'haleine, elle se tortilla furieusement pour retirer sa robe, si bien qu'elle manqua de tomber à la renverse.

Elle devait avoir l'air fin. Tant pis ! Il faisait bon sentir sur sa peau brûlante un souffle d'air frais. Sans parler du regard lascif que lui lança Danny lorsqu'il remarqua qu'elle ne portait pas le soutien-gorge assorti à sa petite culotte noire. Parce qu'elle ne portait pas de soutien-gorge, tout court. Parfois, ça avait du bon d'avoir une poitrine menue ! Décidément, elle avait été bien inspirée en composant sa tenue ce matin-là ; la coupe impeccable du vêtement lui tenait lieu d'armatures. Et, du coup, plus rien ne séparait Danny Lunden de ses seins, sinon cette brise qui réduisait ses tétons à de petits bourgeons durs et sensibles.

— Approche, lui dit-il.

D'après sa posture, il brûlait de jaillir de son siège et de fondre sur elle à corps perdu. Mais il n'en fit rien, à cause de ses mains.

D'ailleurs, songea soudain Eva, si elle ne le déshabillait pas, personne ne le ferait. Ainsi galvanisée, elle le chevaucha et colla sur ses lèvres un baiser passionné. Leurs langues s'enchevêtrèrent, se défièrent, glissantes et caressantes, tandis que, de ses doigts agiles, Eva cherchait les boutons-pressions de sa veste de cuisine. Empoignant dans chaque main un pan du vêtement, elle tira d'un coup sec et il s'ouvrit dans un agréable crépitement. Dessous, Danny portait un simple T-shirt blanc, et il leur fallut s'interrompre durant de longues secondes afin de le lui ôter, ainsi que la veste, tout en ménageant ses blessures. Quelques jurons et gloussements plus tard, Eva put enfin enlacer son cou musclé et coller ses seins nus à ses pectoraux. Cela valait la peine d'avoir attendu.

Danny possédait le genre de corps que d'autres se sculptent à coups de gonflette ou de bistouri. Sauf que lui se l'était forgé en soulevant des poêles de fonte, en pétrissant des pâtes à pain et en travaillant dur. Son torse sculptural était plus compact au toucher que celui d'un acteur ou d'un mannequin.

D'ailleurs, tout en Danny paraissait plus réel.

S'arrachant à leur baiser, Danny balbutia :

— Redresse-toi. Plus haut. J'ai envie de te goûter.

Chancelante mais enchantée, Eva s'agrippa à ses épaules pour se relever. Dès qu'elle se trouva à sa portée, Danny tendit le cou pour prendre dans sa bouche tiède et invitante la pointe de son sein.

Eva poussa un petit cri. On aurait dit qu'un fil invisible reliait son téton à son clitoris et, à chaque succion de Danny, à chaque coup de sa langue rugueuse et expérimentée, ce fil se tendait. La jeune femme remua malgré elle et sentit ses genoux vaciller. Comment parvenait-il à la plonger dans un tel état sans même se servir de ses mains ?

Facile : sa bouche valait toutes les mains du monde.

Eva remuait de plus en plus. Danny grondait de désir et des vibrations couraient comme des ondes le long de ses côtes. Soudain, il lâcha son téton et elle sentit son membre tout chaud sur la chair de sa cuisse. Il palpitait et poussait contre sa peau, à deux doigts de l'endroit critique.

Ivre de désir, elle en saisit la base et entreprit de le masser de bas en haut. Pour son plus grand plaisir, il se gonfla encore davantage sous ses doigts.

Danny eut un râle ; ses yeux roulèrent dans leurs orbites.

Eva jubilait, les sens déchaînés. Si seulement elle avait porté une culotte fendue ! Mais elle n'était pas strip-teaseuse, aussi lui fallut-il se livrer à de nouvelles contorsions pour s'extraire de son petit slip en dentelle noire. Heureusement, Danny semblait apprécier de la voir gigoter sur ses genoux.

Quand elle se trouva complètement nue, Eva se pressa contre Danny pour lui octroyer un baiser victorieux. Coinçant entre eux son érection, elle s'y frotta effrontément tandis qu'il s'emparait de sa bouche.

— Tu es la créature la plus désirable que j'aie jamais vue, lui glissa-t-il entre deux morsures.

— Tu ne te défends pas mal, lui retourna-t-elle.

Et de plonger la main entre ses jambes pour le masturber de plus belle.

Sur son visage empourpré, les yeux de Danny s'étaient réduits à deux fentes bleu-gris.

— C'est trop bon. Ah, ce que j'aimerais pouvoir te toucher !

— Moi aussi, approuva vivement Eva.

Elle était prête, ouverte et trempée. Et terriblement frustrée. C'en était presque douloureux. Elle gémit : ces frottements ne lui suffisaient plus.

Danny rouvrit les yeux, pris d'une subite inspiration.

— Sois mes mains, Eva. Fais-le. Moi, je te regarde.

14

— Quoi ?

Eva mit un moment à comprendre ce qu'il lui proposait, comme si ces préliminaires endiablés lui avaient débranché le cerveau.

Danny contracta la mâchoire et sa voix se durcit :

— Tends la main droite. Montre-moi ton index.

D'un geste hésitant, elle s'exécuta.

— Très bien, parfait, la félicita-t-il.

Ces quelques mots diffusèrent en Eva une douce chaleur. Danny posa les pieds sur la table basse et, de ses jambes repliées, il lui fit un dossier. Appuyée contre ses larges cuisses musclées, Eva se détendit. La toile de son jean râpait la peau échauffée de son dos. Elle attendit ses instructions.

— Magnifique, dit-il.

Lui adressait-il un compliment, se parlait-il à lui-même ? Qu'importe ! Eva était aux anges.

— Maintenant, passe ton doigt entre tes jambes. Je veux voir si tu mouilles.

Ses termes crus, son regard inflexible et sa volonté de la voir se mener elle-même jusqu'au seuil de la jouissance excitèrent Eva au plus haut point.

Elle n'avait jamais été pudique. Du moins s'était-elle toujours appliquée à éradiquer chez elle cette fâcheuse tendance. Quand quelque chose lui faisait envie, elle fonçait. Alors pourquoi rougissait-elle à présent, en plaçant son index sur la chair sensible et luisante de son entrejambe ?

Pourtant, si les joues lui cuisaient, ce n'était rien à côté de la sensation qui envahit la petite pelote de nerfs qui surplombait son intimité lorsqu'elle la frôla du doigt. Eva frémit.

Danny épiait ses moindres gestes comme pour fixer l'instant dans sa mémoire ; son regard attentif la recouvrait comme un manteau. Elle reprit confiance. Quand Danny entrouvrit la bouche et que son souffle s'accéléra, la nature exhibitionniste d'Eva revint au galop.

Tout en soutenant son regard, elle posa sur son entrejambe un deuxième doigt. Tantôt elle explorait les replis de sa peau humide, tantôt elle traçait le contour de son clitoris. Et son plaisir était décuplé par la présence de ce spectateur, par son regard vorace. Les gestes qu'Eva avait tant de fois répétés, machinalement, se chargèrent d'un érotisme inédit.

Frémissante, les hanches vibrant presque imperceptiblement, Eva se tordait sur ses genoux comme un chat en mal de caresses. La tête renversée en arrière, elle exposait son long cou frêle et de légers spasmes agitaient son ventre à mesure qu'elle se caressait.

— Tu me rends dingue, dit Danny.

Il ne put réprimer un coup de reins, et la braguette de son jean mordit dans les fesses d'Eva. Elle eut un mouvement de surprise et le gland de Danny rebondit contre le dos de sa main. Saisissant l'occasion, Eva l'empoigna de ses doigts humides et le pressa contre son sexe trempé.

Il était si dur, si chaud, si épais, et il appuyait pile là où il le fallait. Eva en avait les sens chamboulés. C'était exactement cette sensation qu'elle recherchait – cette friction surpassait toute masturbation. Et Danny aussi avait l'air d'apprécier, à en juger par ses yeux clos et les soubresauts de son bassin. Les épaules enfoncées dans le cuir du canapé, il se cambrait.

— Je n'y tiens plus, dit-il. Tu peux attraper mon portefeuille ?

Tout en maintenant d'une main son pénis, Eva se pencha pour embrasser Danny, goulûment, fougueusement, tout en fourrageant dans la poche arrière de son jean.

— Trouvé ! souffla-t-elle tout contre ses lèvres.

— Sors le préservatif, haleta-t-il, et mets-le-moi.

De toute sa vie, Eva ne s'était jamais sentie aussi réceptive à l'autorité. Elle trouva le préservatif et en déchira l'emballage avec les dents. Puis elle enserra dans sa paume le sexe de Danny pour dérouler le morceau de latex, lui arrachant un nouveau gémissement.

Fébrile, à deux doigts de se consumer de désir, Eva se souleva de quelques centimètres et orienta Danny vers l'orée de son intimité.

Elle geignit en le sentant entrer en elle. Il était brûlant, même à travers le préservatif, et, surtout, massif : long, large et charnu. Et elle voulait l'engloutir dans sa totalité.

Eva s'empala dessus, laissant agir la gravité et s'efforçant de se détendre pour l'accueillir en entier.

— Doucement, chérie, lui murmura Danny, un peu soucieux. On n'est pas aux pièces. On a toute la nuit devant nous.

Mais il semblait à Eva que chaque minute comptait : elle voulait qu'il la pénètre jusqu'au fond, tout de suite, qu'il la remplisse complètement et la fasse décoller de plaisir.

Elle s'enfonça sur Danny jusqu'à ce que son pubis frotte contre l'os de son bassin. Alors, quand elle sentit son membre tendre chaque centimètre de ses parois intimes, elle poussa un petit cri. Dans son esprit, ce fut un véritable court-circuit. Le monde s'évanouit. Tout n'était plus que va-et-vient, cris d'extase, poings serrés, ahanements et fulgurante ascension vers un point culminant, d'abord hors de portée, puis de plus en plus près, jusqu'à ce qu'enfin, au prix d'une ultime friction, ses muscles intimes se contractent convulsivement : elle y était.

Quand la tempête fut passée, elle cligna des yeux. Son front reposait contre l'épaule transpirante de Danny. Ses cuisses tressautaient nerveusement ; ses muscles commençaient à fatiguer d'être maintenus ainsi écartés.

Danny émit une plainte sourde et remua lui aussi pour retrouver le confort. Ce mouvement suffit à faire déferler sur Eva une nouvelle vague de sensations, comme l'écho de la première.

— Je porte plainte, dit Danny, pantelant. Ce concours est truqué. La fille du fondateur vient de drainer toute mon énergie vitale par mon pénis.

Contre sa clavicule, Eva pouffa et en profita pour laper au passage sa peau salée.

— Estime-toi plutôt heureux que je ne siège pas au jury, sinon ce sont tes concurrents qui te feraient disqualifier, par crainte du favoritisme.

Danny, qui semblait jusque-là plutôt content de lui, se vexa :

— Je n'aurais pas couché avec toi si c'était le cas ! Je ne supporterais pas qu'on me soupçonne de tricherie.

Eva ouvrit paresseusement la bouche et suçota la peau de son cou. Pas assez fort pour y laisser une marque, on aurait jasé. Mais assez pour déclencher des sensations, à en juger par la façon dont Danny se raidissait.

— Bon, d'accord, j'avoue, dit-il. J'aurais quand même couché avec toi. Sale tentatrice, tu réduis ma volonté en bouillie !

— C'est rébarbatif, la bonne volonté, lui affirma Eva en lui retirant d'une main experte le préservatif usagé.

C'était plutôt sympa de jouer les infirmières. Sympa et coquin à la fois !

Elle se leva et jeta le morceau de latex dans la corbeille près du secrétaire. Danny renâcla.

— Justement, tout le monde me trouve rébarbatif.

160

— Tout le monde est débile, lui assura Eva.

Elle s'écroula contre le dossier en poussant un profond soupir.

— Et, à l'évidence, tout le monde n'a pas couché avec toi. Mmm, ça m'a fait un bien fou !

Elle tourna la tête vers lui et ajouta :

— À toi aussi, avoue. Je me suis bien occupée de toi.

— J'avoue tout ! Je ne regrette pas de t'avoir suivie. Ce ne sont pas mes coéquipiers qui auraient fait ça pour moi, conclut-il, pince-sans-rire.

— Vraiment ? Je vaux mieux qu'un pack de glace et un cachet d'aspirine ? Tu me flattes, mon chou !

Danny, engoncé dans ses bandages, tentait en vain de remonter son pantalon. Une ombre passa sur son visage et il grommela, agacé :

— Je te l'ai déjà dit quand on s'est rencontrés : j'ai beau être pâtissier, je ne suis pas si chou que j'en ai l'air.

— Attends, laisse-moi t'aider.

Sans protester, il s'inclina contre le dossier et se soumit à Eva. Elle remonta pour lui son pantalon, exultant de le voir si docile, referma sa braguette, mais laissa le premier bouton ouvert. Il était plus sexy comme ça.

Et elle était la seule à profiter de ce spectacle.

Qui lui plaisait tellement que cela l'effrayait. Eva refoula la révélation qui commençait à poindre en elle, comme on se couvre les yeux face à une lumière aveuglante. Maudissant en silence ses jambes toujours incertaines, elle se leva et entreprit en titubant de retrouver sa petite culotte. Peine perdue. Qu'à cela ne tienne, elle traversa le salon et poussa les portes vitrées qui menaient à sa chambre.

Elle en ressortit un instant plus tard, drapée dans un peignoir éponge moelleux fourni par l'hôtel. En appui sur les coudes, son T-shirt sous le bras, Danny se relevait péniblement.

L'instinct d'Eva aussi lui dictait de prendre ses jambes à son cou. Pourtant, elle ne put réprimer une pointe de déception en le trouvant sur le point de déserter.

Elle s'appuya nonchalamment contre le chambranle de la porte et, s'efforçant de cacher son trouble, demanda :

— Tu t'en vas déjà ?

Danny pila et faillit se prendre les pieds dans son jean.

— Je ne voudrais pas m'imposer, dit-il d'un ton faussement détaché. Tu comprends, euh, j'ai cru…

Son détachement s'effritait.

Danny grimaça, exaspéré par sa propre incapacité à prendre les choses à la légère. Ne pouvait-il donc pas faire preuve d'un peu d'insouciance, pour une fois ?

Eva tripotait la ceinture de son peignoir. Elle lui lança un regard à travers ses cils.

— Tu as cru quoi ? Moi, je crois que tu as besoin d'une bonne douche.

La joie combla le vide qu'Eva avait laissé en l'abandonnant sur son canapé. Mais Danny brandit ses paluches.

— Impossible : rappelle-toi, j'ai interdiction formelle de mouiller mes moufles.

Eva s'avança vers lui à pas lents, ondoyant de toutes ses courbes comme lorsqu'elle s'était abandonnée dans ses bras au plaisir, quelques instants plus tôt.

— Je suis déçue, chef, minauda-t-elle. Je t'aurais cru plus inventif.

La gorge de plus en plus sèche, Danny la regarda dénouer la ceinture de son peignoir, qui s'ouvrit pour encadrer sa belle peau lisse.

— Pour conserver toutes ses facultés mentales en ta présence, se défendit Danny, il faut être soit gay, soit mort.

Elle gloussa :

— C'est absurde, ce que tu dis !

— CQFD.

— Viens.

Eva le prit par le coude et le délesta de sa veste et de son T-shirt.

— J'ai un jacuzzi géant dans ma salle de bains.

Mais le regard de Danny tomba sur ses vêtements, et il saisit son portable qui traînait près du canapé.

— Il faut absolument que j'appelle mes coéquipiers, dit-il les sourcils froncés.

La poigne d'Eva se resserra.

— Il y a de la place pour deux…, lui susurra-t-elle d'une voix sucrée.

Danny retourna la tête juste à temps pour la voir ajouter son peignoir à la pile de vêtements qui s'entassaient sur le plancher.

Manifestement bien dans sa peau, elle lui tourna le dos et, oscillant de ses hanches rondes et menues, se dirigea vers la porte vitrée derrière laquelle elle avait déjà disparu quelques instants auparavant, non sans lui jeter une dernière œillade par-dessus son épaule d'un blanc immaculé.

Sans même prendre le temps de réfléchir, Danny s'élança à ses trousses.

Les copains comprendraient !

Quand il ouvrit les yeux le lendemain matin, la première chose qu'il vit fut le plafond à dorures de la luxueuse suite d'Eva Jansen. Bizarrement, il doutait un peu plus de la compréhension de ses coéquipiers.

Ils avaient dû passer la nuit à gérer la rage de Beck – d'ailleurs, qu'y avait-il donc entre lui et cette Californienne ? – et à stresser en prévision de l'épreuve du jour. Danny aurait dû se trouver auprès d'eux au lieu de se vautrer dans le luxe et la débauche. Il ne manquait plus qu'une servante pour lui donner la becquée !

Danny se redressa brusquement et plia les doigts pour en éprouver la sensibilité. Ses pansements s'étaient un peu défaits pendant son sommeil et à cause des diverses activités auxquelles il s'était adonné, mais il parvint à fléchir les paumes sans trop de douleur. Ce ne fut qu'en refoulant consciencieusement le souvenir de ces « diverses activités » qu'il parvint à s'extirper du lit. Doucement, pour ne pas réveiller celle qui dormait roulée en boule à ses côtés.

Il procéda avec délicatesse, grimaçant juste un peu lorsqu'il lui fallut se retenir d'une main au coin du lit pour se baisser et ramasser son jean. Exaspéré par ses bandages, Danny mordit dans une bande de gaze qui commençait à se dérouler et tira dessus pour s'en libérer une bonne fois pour toutes.

— Qu'est-ce que tu fabriques ?

La voix pâteuse d'Eva était parfaitement assortie à ses cheveux ébouriffés et à ses yeux bouffis.

À la voir ainsi, Danny faillit replonger sous la couette pour lécher chaque centimètre de son corps. Il s'acharna sur sa bande de gaze pour chasser cette envie.

— Je retire mes pansements. Il faut mesurer l'étendue des dégâts, dit-il posément. C'est le médecin qui l'a dit.

Eva affichait une moue sceptique mais s'inclina.

— Laisse, je vais le faire. Tu te compliques inutilement la vie.

Troublé par cette volonté constante, chez Eva, de le materner, Danny tendit docilement les mains. Avec mille précautions, elle découvrit les paumes cloquées et rougies de Danny.

Elle sursauta. Pour la rassurer, Danny plia et déplia les doigts.

— Ça va. Ce n'est pas aussi méchant que ça en a l'air. Avec un peu de pommade miraculeuse, je serai d'attaque.

— Tu n'as pas mal ?

Haussant les épaules, Danny attrapa son jean.

— Un peu. Mais c'est supportable. Je serrerai les dents.

— Ça ne me plaît pas…

164

Ah, les profanes !

— Ce sont les risques du métier, répondit Danny. Tu le sais bien, tu as fréquenté des cuisiniers toute ta vie, non ? Tu as forcément déjà vu ça. On se blesse sans arrêt. On pose la main sur une plaque allumée, on se coupe le doigt… Et on ne s'interrompt pas pour si peu ! Un jour, mon père s'est lâché sur le pied dix kilos de côtelettes d'agneau. Ça lui a brisé quatre os. Son pied a gonflé comme une baudruche. Mais il a fini son service, en boitillant, sans émettre une seule plainte.

Eva s'assit, remonta les draps et posa ses coudes sur ses genoux fléchis. Sans maquillage, avec ses cheveux emmêlés, on aurait dit une petite fille.

— Tu as l'air de beaucoup l'aimer.

Danny avait perdu le fil.

— Qui ça ?

Elle eut un soupir impatient.

— Ton père. Tu en parles avec beaucoup de fierté.

— Tu trouves ? Oui, c'est sans doute vrai.

Il mit un moment à enfiler son pantalon ; la toile du jean agressait la peau de ses mains. Danny profita de ce répit pour se dérober au regard térébrant d'Eva. Décidément, rien ne lui échappait !

— Mon père est honnête et il cuisine bien. Il a toujours cru en moi.

— Quelle chance, murmura-t-elle d'une voix un peu aigre.

Alerté, Danny releva vivement la tête. Mais Eva souriait, comme toujours.

— Je suis proche de mon père, moi aussi. On a passé tellement de temps seuls tous les deux ! Enfin, si j'exclus sa tripotée de copines, de coups d'un soir et autres conquêtes. Et je préfère les exclure.

Danny commençait à se former une image de l'enfance d'Eva, et il ne la trouvait guère à son goût. Bien sûr, ses propres parents l'exaspéraient parfois, mais ils s'aimaient et ils adoraient leurs enfants, Danny n'en avait jamais douté. Ils tenaient encore plus à eux qu'à leur restaurant, c'était dire ! Avant son départ, Max avait accusé son père du contraire, mais il se trompait. Gus avait tant souffert de l'absence prolongée de son fils aîné... Danny avait redoublé de zèle en cuisine et à la maison pour compenser cette absence, mais jamais il n'avait pu chasser la peine du regard de son vieux père.

En attendant, c'était lui qui laissait tomber les siens. Quelle heure pouvait-il bien être ? Il consulta le réveil posé sur la table de nuit. Flûte, déjà si tard !

Un minuteur interne s'enclencha dans sa tête. Il fallait qu'il rejoigne son équipe, qu'il se prépare pour les défis qui l'attendaient. Mais Danny Lunden n'était pas homme à abandonner une jeune femme recroquevillée dans un lit, l'air solitaire et malheureux comme les pierres.

Sans compter qu'elle était toute nue.

Non, vraiment, Danny ne pouvait pas la laisser. La chair est faible !

Il la rejoignit à quatre pattes, l'enveloppa de ses bras et la serra contre sa poitrine. Elle ne lui opposa aucune résistance et enfouit son visage au creux de son cou. À l'aune de ce geste, Danny perçut toute la confiance qu'elle plaçait en lui, et son cœur se noua.

Max avait raison : il n'était qu'un indécrottable romantique.

15

Eva enfouit son visage contre l'épaule musclée de Danny, tout en s'étonnant : quand donc avait-elle viré aussi fleur bleue ? Certes, après une bonne partie de jambes en l'air, il lui arrivait d'avoir quelque geste tendre pour son partenaire... mais à ce point ?

Eva tenait à garder la tête froide. Quand un type lui plaisait, elle le ramenait chez elle ou dans sa chambre d'hôtel. Jusque-là, les événements de la veille ne présentaient rien d'inhabituel.

Le fait que Danny se trouvât encore là à son réveil, en revanche, sortait de l'ordinaire.

Eva ne congédiait pas forcément ses conquêtes sitôt l'acte accompli, mais d'un accord tacite, il était entendu qu'une fois le préservatif retiré, on reprenait le cours de sa vie, chacun de son côté.

Pourtant, lorsque Danny avait fait mine de s'en aller, la veille... Eva se remémora sa réaction de panique en le voyant rassembler ses affaires, et elle frémit.

Bizarre. Elle huma son odeur de coton et de feu de bois, cette note persistante de sucre glace. Oui, toute cette histoire était curieuse. Inhabituelle.

Elle repensa aux propos de Claire, dans l'avion. Que penserait-elle de sa relation avec Danny Lunden ?

Peut-être l'approuverait-elle. Peut-être que, jusqu'à présent, Eva s'était un peu fourvoyée.

Seulement, le sexe avait toujours été une chose si simple, pour elle. Si légère et insignifiante. Sans drame ni larmes. Eva aimait les hommes et l'attention qu'ils lui prodiguaient, elle ne s'en était jamais cachée.

Mais il lui arrivait de penser à l'amour qui unissait ses parents avant la mort de sa mère. Les rapports homme/femme n'étaient pas toujours insignifiants.

Cependant, qui irait de son plein gré s'encombrer d'une relation sérieuse ? Eva n'avait jamais rencontré d'homme qui lui donne envie de s'y essayer.

Du poing, Danny lui souleva gentiment le menton pour déposer sur sa bouche un chaste baiser. Elle sentit à peine ses lèvres soyeuses glisser sur les siennes. La tête lui tourna et elle dut se raccrocher aux épaules de Danny pour ne pas tomber du lit.

Danny. En sa présence, elle se demandait si elle n'était pas passée à côté de quelque chose, pendant toutes ces années.

Il était temps de reprendre ses esprits. Soit elle fonçait se brosser les dents, soit elle clouait Danny au matelas, et tant pis pour l'haleine matinale ! Mais elle n'eut pas le temps de se décider : un faible « bip » retentit dans le salon.

C'était la sonnerie de sa messagerie. D'ailleurs, maintenant qu'elle y songeait, elle sonnait depuis un moment déjà. Depuis qu'elle s'était roulée sur le côté et avait ouvert les yeux sur ce joli tableau : Danny Lunden, nu, en train de sautiller, le jean aux chevilles, au pied de son lit.

— Merde ! lâcha-t-elle. J'ai oublié de recharger mon portable hier soir. Je le branche toujours sur la table de nuit ! Comment ai-je pu oublier ?

— Alors, on est quitte, dit Danny en poursuivant sa chasse aux vêtements. Hier, c'est toi qui m'as empêché de téléphoner à mes amis pour faire le point.

— On n'est pas du tout quitte ! cria Eva depuis le salon où elle s'était précipitée. Tes collègues sont bien au chaud dans leur chambre. Les miens, et par là j'entends tout le régiment d'employés divers et variés qui m'aide à organiser ce concours, sont sur le pont depuis l'aube à régler toutes sortes de problèmes, et ils doivent se demander où je suis passée ! Tiens, qu'est-ce que je disais : sept appels en absence !

Danny apparut sur le seuil de la chambre, vêtu en tout et pour tout de son jean.

— Je suis sûr que ce n'est rien.

Il gagna pieds nus la cuisine et inspecta d'un œil critique le contenu du réfrigérateur.

— Aïe, dit-il. Moi qui voulais te préparer le petit déjeuner, c'est raté : tu n'as rien !

— Tu as dit « petit déjeuner » ? dit Eva, temporairement radoucie. C'est mon repas préféré.

— Ah, oui ?

Le sourire de Danny rivalisait d'éclat avec les rayons qui filtraient à travers les persiennes.

— Tu prends quoi, le matin ?

— Des crêpes, dit aussitôt Eva. Chez moi, on appelle ça des « pancakes à la française ». Quand j'étais petite, mon père m'en faisait tous les dimanches. Au fur et à mesure, il a dû doubler les proportions pour satisfaire mon appétit ! À cinq ans, j'en avalais déjà huit ou dix d'affilée, au sucre, à la confiture de fraises…

Elle ferma les yeux, bercée par ce doux souvenir ?

— C'est malin ! pesta-t-elle. Maintenant, j'ai faim.

Son portable se remit à sonner. Eva écarquilla les yeux. Son cœur tonnait dans sa poitrine.

Merde. Merde !

Danny s'approcha et lui posa les mains sur les épaules : sans s'en rendre compte, elle jurait à haute voix.

— Tout va bien, ma chérie. Détends-toi.

— Arrête ! dit Eva en se dégageant. Ne joue pas à ça avec moi !

Elle ramassa le peignoir qui gisait au pied du canapé, là où elle l'avait laissé la veille.

— À quoi ? demanda-t-il les yeux ronds.

Comme s'il ne voyait pas de quoi elle voulait parler !

— Je ne suis pas une bête sauvage, et tu n'es pas dompteur, dit-elle en enfilant le peignoir. C'est adorable quand tu réconfortes tes coéquipiers, mais sur moi, ça ne prend pas. Ça me donne l'impression d'être ta petite sœur, et vu ce qu'on a fait ensemble hier soir, je trouve ça nul !

Danny se rembrunit. Il renonça à retrouver son boxer et plaça ses mains sur ses hanches. Le souffle d'Eva s'accéléra. Il était à tomber.

— Tu confonds tout. Jo Cavanaugh, ma coéquipière, je la vois comme ma petite sœur. D'ailleurs, elle ne va pas tarder à le devenir officiellement, au train où vont les choses. Et de fait, avec elle, je n'ai jamais rien vécu de comparable à hier soir.

Il secoua la tête et son épi châtain capta un rayon du soleil levant.

— D'ailleurs, je crois bien que je n'ai jamais rien vécu de tel avec personne.

Eva ne put s'empêcher de lui adresser un sourire polisson. Elle se déhancha et remarqua :

— C'était pas mal, hier soi, non ?

— Pas mal ? Dis plutôt explosif ! Ou renversant !

Eva s'attendrissait de nouveau. Elle s'ébroua et se composa un air austère.

— Stop ! Je vois clair en ton jeu, petit malin. Pas de ça avec moi !

— Ah ?

Danny baissa les mains et piqua sur Eva comme un chat sur sa proie. Eva recula de quelques pas, brandissant son portable en guise de bouclier.

— Parfaitement. Tu as voulu me réconforter, ça n'a pas marché, alors tu as recours à des moyens détournés.

Tu me flattes pour que j'arrête de paniquer ! Mais si j'ai envie de paniquer, moi, hein ? Si j'ai envie de stresser et d'angoisser ou de péter carrément les plombs ?

Eva acheva sa tirade hystérique sur un piaillement désemparé, qui se mua en plainte étouffée lorsque Danny la prit dans ses bras et l'embrassa.

On frappa à la porte. Eva s'arracha à leur baiser juste le temps de crier :

— Revenez plus tard !

— Tu renvoies la femme de ménage ? s'étonna Danny. À ta place, je ferais changer les draps…

— Ça attendra, dit-elle en plongeant ses doigts dans les cheveux de Danny pour lui voler à son tour un baiser.

Mais à la porte, on introduisait dans la fente une clé magnétique, et la poignée se mit à tourner.

Tout se passa en même temps. La porte s'ouvrit, Eva couina et bondit, enroulant ses jambes nues autour de la taille de Danny, qui fit volte-face pour la cacher aux regards de la femme de chambre. La pauvre ne s'attendait sûrement pas à tomber nez à nez avec une Eva Jansen déculottée. Oh ! Ses fesses étaient jolies, elle n'en doutait pas. Mais il était un peu tôt pour ce genre de spectacle.

Le rire bouillonnait en elle et elle fourra son nez dans le cou de Danny pour cacher son hilarité.

Toujours dos à l'entrée, Danny demanda :

— Vous pourriez repasser plus tard ?

Son extrême politesse ne fit qu'aggraver le fou rire d'Eva.

Mais une voix familière y coupa court.

— Certainement pas. Nous sommes en pleine crise, ça ne peut pas attendre. Et d'abord, qui êtes-vous, et pourquoi portez-vous ma fille en tablier ?

Et merde.

Eva leva le nez et, par-dessus l'épaule nue de Danny, croisa le regard d'acier de Theo Jansen.

— J'en déduis qu'il ne s'agit pas de la femme de chambre, grommela Danny.

— J'exige des explications.

La voix qui parvenait à Danny était dure et irritée. Elle appartenait à un homme plus âgé. Un homme habitué à commander.

— Salut, papa, dit Eva.

C'était bien ce que Danny craignait.

— Dis, tu nous laisses une seconde ? Comme tu peux le constater, on était un peu occupés.

Danny se raidit, craignant de sentir s'enfoncer entre ses omoplates le canon d'un fusil. Par chance, il entendit la porte se rouvrir et claquer.

— C'est bon, il est parti, tu peux me reposer, dit Eva sans trace de gêne dans la voix.

Apparemment, pour elle, il n'y avait rien d'embarrassant à être surprise par son propre père toute nue et suspendue à un inconnu.

Par contre, elle semblait furibarde. Pas gênée pour deux sous, mais hors d'elle.

— Qu'est-ce qu'il fout ici, putain ?

Elle empoigna le peignoir et l'enfila en un éclair. Elle ne rougissait même pas : elle était blême de rage. Quant à cet éclat qui changeait ses yeux gris en deux flammèches bleues, il exprimait un seul état d'esprit : la pugnacité. Sans laisser le temps à Danny de ramasser son T-shirt, elle gagna la porte à grands pas et la rouvrit.

— Tu as fait vite, commenta son père, les yeux rivés à son téléphone.

Visiblement, dans la famille, tout le monde était accro à la technologie.

— Tu me connais, dit Eva en prenant son père par le bras. Le travail avant tout. Tu me l'as assez répété !

Elle l'escorta jusqu'au canapé.

En se remémorant ce qui s'y était passé la veille, Danny jugea préférable de s'absorber dans la contemplation du plafond.

— Ainsi, mes efforts éducatifs n'ont pas été en pure perte. J'en suis ravi, ironisa Theo en snobant le canapé au profit d'un fauteuil en forme de trône, près de la table basse. Ravi, mais dubitatif. En effet, à en juger par l'état catastrophique de la situation, il semble que tu fasses passer le travail *après* tout.

Eva grimaça et, automatiquement, Danny alla se poster à ses côtés, ce qui lui valut un premier regard de la part de Jansen père.

Un regard peu amène. Avec sa petite barbe noire, Theo Jansen évoquait cette statue de centurion romain que Danny avait vue au *Met* lors d'une sortie scolaire, quand il était petit : tout en mâchoire anguleuse et en sourcils froncés.

Un centurion romain en costume anthracite à rayures tennis avec serviette en cuir artisanal.

Theo Jansen était intimidant, pas seulement parce qu'il représentait dans le monde de la restauration une légende vivante, connue pour pouvoir faire ou briser la carrière d'un chef cuisinier d'un simple trait de son Mont blanc, mais également à cause de ce qu'il dégageait, personnellement.

Quoique bien entretenu pour un homme d'affaires presque sexagénaire, il n'était pas particulièrement massif ; toutefois, sa prestance était telle qu'il semblait remplir toute la suite. Et Danny qui était toujours torse nu ! Le pantalon déboutonné, menaçant de lui glisser aux chevilles à tout instant !

Visiblement, Eva ne souhaitait pas reconnaître qu'elle ignorait tout de la crise dont lui parlait son père. Elle esquiva :

— Un peu de café, papa ? On allait justement s'en faire monter.

Theo Jansen excellait dans l'art délicat d'exprimer en un sourire le dédain et l'incrédulité.

— C'est le nouvel euphémisme en vogue ? Je prendrais volontiers un café, mais en privé. Nous devons causer affaires.

Quelle claque ! Danny s'était rarement fait congédier avec autant de mépris. Pourtant, le mépris, il connaissait, ayant dû marcher, durant toute sa scolarité, dans les traces de Max le Magnifique, de deux ans son aîné.

— Tout doux, papa, le rabroua Eva en débarrassant le secrétaire. Je te rappelle que je me suis coltiné mon lot de petits déjeuners guindés en présence de tes coups d'un soir, moi aussi.

Danny prit sa phrase très à cœur. Tellement qu'il dut lutter pour ne pas se décomposer. Il se baissa pour ramasser son T-shirt, d'un geste délibérément lent et mesuré. Avec un peu de chance, il se sentirait mieux une fois moins exposé. Mais la chair de poule qui s'était emparée de lui refusait de se dissiper.

Il récupéra sa veste de cuisine sale et tachée de farine et déclara :

— Il faut que j'y aille, de toute façon.

Eva, plongée dans la lecture du menu du room service, leva sur lui des yeux ronds, mais Danny ne lui laissa pas le temps de protester. Il fallait qu'il mette de la distance entre lui et cette famille de cinglés gâtés qui croyaient que tout leur était dû et traitaient le sexe avec désinvolture, comme si cela ne voulait rien dire.

Pour sa part, Danny n'avait jamais su dissocier le sexe et les sentiments. La veille, avec Eva… Pour lui, ce n'était pas insignifiant. Bien sûr, il n'y avait rien d'étonnant à ce que la jeune diva voie les choses autrement ; d'ailleurs, en se jetant dans cette aventure, Danny n'en attendait pas davantage qu'une nuit torride et sans lendemain. Mais il peinait plus que prévu à tourner la page.

Un jour, peut-être, quand il aurait maîtrisé lui aussi l'indifférence et le détachement, il passerait un coup de fil à Eva. Mais, en attendant, mieux valait détaler avant de s'attacher.

— Bon… À plus, Eva.

Il ne prit pas congé de Theo Jansen, puisqu'ils n'avaient pas été présentés. Et cela valait mieux ainsi ! Danny ne tenait pas à voir son patronyme ajouté à une longue liste de toy-boys interchangeables.

Il se dirigeait vers la porte quand, à son grand étonnement, Eva s'élança sur ses talons et l'empoigna tandis que, de l'autre main, elle maintenait sa robe de chambre fermée sur ses seins.

— Attends, bredouilla-t-elle précipitamment. Je ne voulais pas…

— Laisse tomber, dit Danny en se dégageant doucement.

Elle n'y était pour rien, du moins pas vraiment. Ils provenaient d'univers radicalement différents. Il jeta un regard par-dessus son épaule vers la suite fastueuse tout en marbre, en dorures et en meubles d'époque, et son crétin de cœur se noua.

Eva vivait dans un univers de contes de fées, où elle n'avait qu'à sonner pour qu'on lui livre sur un plateau d'argent tout ce qu'elle désirait. Or elle était une femme pleine de désirs et quand elle voulait quelque chose, elle fonçait. Danny n'y trouvait rien à redire. Eva ne lui avait jamais fait miroiter autre chose qu'un moment agréable : cette honnêteté aussi, Danny l'appréciait. Elle ne lui avait rien promis et si une seule nuit en sa compagnie le laissait sur sa faim, il n'avait à s'en prendre qu'à lui-même.

En fait, le plus surprenant dans l'histoire, c'était qu'elle ait posé les yeux, ne serait-ce qu'une seconde, sur un type comme lui.

Il fallait tâcher de se réjouir du peu de temps qui lui avait été donné à partager avec elle. C'était lui qui avait mal compris les règles du jeu ou refusé de s'y plier, et il n'avait pas le droit de lui en vouloir. Aussi gentiment que possible, il lui dit :

— Vas-y, ton père t'attend. On dirait qu'il y a de l'eau dans le gaz. Et moi, je dois rejoindre mon équipe. C'était très sympa, mais il faut bien retourner à la réalité.

Elle recula comme s'il l'avait frappée et dans ses yeux passa une ombre fulgurante que Danny n'eut pas le temps de déchiffrer : rebondissant avec la grâce d'une ballerine, elle avait déjà repris contenance.

— Oui, c'était sympa, répéta-t-elle d'un ton parfaitement neutre et monocorde, comme s'ils discutaient d'une visite au zoo ou d'une promenade à Central Park. Normal, c'est ma spécialité. Avec moi, on s'éclate, c'est bien connu. Mais maintenant, mon chou, finie la récré ! On se verra en cuisine.

Danny se rembrunit : dans sa voix affleurait une note d'amertume, comme un goût de levure trop prononcé dans un gâteau. Mais elle lui tournait déjà le dos pour s'élancer vers de nouveaux défis.

Elle ferma la porte derrière elle d'un coup de talon dédaigneux et Danny se retrouva seul face au panneau de bois blanc. Si seulement il pouvait passer à autre chose avec autant de facilité !

16

Eva marqua une courte pause. Les derniers mots de Danny et le cliquetis de la poignée tintaient encore à ses oreilles.

« Sympa. » Pourquoi ce terme sonnait-il comme un reproche ? Elle n'avait jamais proposé ni recherché autre chose que du bon temps, jusqu'à présent. Pourtant, dans la bouche de Danny Lunden, ce mot lui tordait le cœur comme une vulgaire tomate séchée.

Elle poussa un soupir, se passa les mains dans les cheveux, défit au passage quelques nœuds. Il fallait qu'elle se ressaisisse. Elle avait suffisamment de complications à gérer, il ne manquerait plus que son père la voie perdre le contrôle d'elle-même à cause d'un mec.

Comme il le répétait à qui voulait l'entendre, Theo Jansen n'avait jamais laissé ses sentiments compromettre sa carrière. Une demi-heure après l'enterrement de sa femme, il négociait avec l'agent immobilier l'achat des locaux de ce qui devait devenir son premier trois étoiles.

Claire renâclait, disant que Theo Jansen se réfugiait dans son travail, comme un petit garçon qui a peur d'aller se coucher, mais Eva ne voyait pas le mal à ça. Certes, son père était un as du refoulé. Et alors, tant que ça marchait ? Or les résultats parlaient d'eux-mêmes.

Aussi s'efforçait-elle de dominer ses propres émotions capricieuses. Elle respira profondément, compta jusqu'à dix et fouilla dans les poches de sa robe de chambre à la recherche de son téléphone.

Caressant du doigt l'écran tactile, elle fit défiler ses messages jusqu'à trouver ce SMS affolé de Drew, son assistant :

Help ! Sparks est reparti à NYC pour urgence familiale. Sais pas s'il compte revenir !!!

Le cœur d'Eva cessa de battre. Toutes ses pensées, tous ses sentiments disparurent, écrasés par l'énorme bulle de panique qui gonflait dans sa boîte crânienne. Elle composa en catastrophe le numéro de Devon Sparks et plaqua l'appareil contre son oreille. Flûte ! Il était sur messagerie. Tapant nerveusement du pied, Eva attendit le signal sonore et balbutia :

— Devon, je viens juste d'apprendre ton départ, je suis désolée ! Qu'est-ce qu'il se passe, Lilah va bien ? Je t'en prie, tiens-moi au courant ! Prenez soin de vous.

— Ça y est, tu as mis à jour tes données ? railla Theo tandis qu'Eva raccrochait, zigzaguait jusqu'au canapé et s'y effondrait.

— C'est la grossesse de Lilah ? Il y a un problème ? demanda Eva.

Elle ignorait tout de la terreur qu'on devait éprouver dans ces circonstances. Elle ne connaissait même pas vraiment Lilah, ne l'ayant croisée que deux ou trois fois. Mais elle paraissait gentille, drôle et modeste, contrairement aux princesses que Devon fréquentait habituellement.

— Elle a fait un malaise. Un pic de tension, si j'ai bien compris. Un peu de repos et il n'y paraîtra plus.

Eva remercia le ciel que ce ne soit pas plus grave, mais ajouta :

— Même si elle était sur pied demain à gambader comme un cabri, cela ne changerait rien : après une frayeur pareille, Devon ne la quittera plus d'une semelle.

J'avais déjà dû déployer tous mes dons de persuasion pour qu'il accepte de participer. En clair, il nous manque un juge !

Theo se pencha vers l'avant, les coudes en appui sur les genoux.

— Il te reste Claire pour tenir le rôle de sommité en matière culinaire, et ce jeune musicien toqué de banquets pour la note de glamour.

Il secoua la tête, totalement rétif au talent et à la renommée de Kane Slater. Eva se mordit la langue. Ce n'était pas le moment de défendre son amitié avec le jeune rockeur. Theo reconnaissait qu'en l'intégrant au jury le concours toucherait plus aisément les masses, c'était l'essentiel.

— Mais sans Devon, fit Eva, on n'a plus de chef célèbre parmi les juges ! Devon représentait notre lien avec l'industrie de la restauration...

Sans compter qu'il était canon, pour le plus grand bonheur des ménagères qui se pâmaient dès qu'il faisait une apparition sur Cooking Channel.

Eva s'affaissa et repassa sa main dans ses cheveux ébouriffés. Elle commençait à accuser le manque de sommeil de la nuit passée. Il lui semblait fonctionner au ralenti, à coups de gestes empesés, et ses peurs et ses angoisses lui paraissaient décuplées.

— Comment trouver un remplaçant en si peu de temps ?

Elle interrogea son père du regard. Il respirait le calme et le sang-froid. Heureusement qu'il était là pour l'aider à surmonter cette épreuve, se réjouit brièvement la jeune femme.

Aussitôt, elle s'en voulut. L'événement représentait à ses yeux l'occasion de prouver ses compétences et son indépendance. C'était raté !

Pire. En volant ainsi à sa rescousse, Theo Jansen voyait confirmées ses pires craintes au sujet de sa fille.

Eva sentit le fruit de ses efforts lui échapper ; le respect de son père lui glissait entre les doigts comme de l'eau.

Non !

Redressant l'échine, Eva mit en branle son cerveau.

Bon sang, ce qu'elle avait besoin de café !

— Le remplaçant de Sparks doit être de taille à impressionner Cooking Channel, marmonna-t-elle en passant mentalement en revue son répertoire. Le problème, c'est que les grands chefs sont toujours bookés des mois à l'avance…

Theo fronça ses sourcils d'argent.

— Tu as du mal à convaincre les producteurs, Eva ? On en a déjà parlé, c'est…

— Je sais ! s'écria la jeune fille, qui sentait la poigne de l'échec se refermer sur sa gorge comme un étau. Je contrôle la situation. En tout cas, je la contrôlais jusqu'au départ de Devon !

Theo soupira ainsi qu'il le faisait toujours lorsqu'il jugeait que sa fille dramatisait. Il la rejoignit sur le canapé. Déposant un baiser au sommet de sa tête, il lui dit :

— Détends-toi. Tout ira bien. On finira bien par trouver quelqu'un et, d'ici là, je prendrai la place de Devon. Comme ça, pas besoin d'interrompre le concours.

Une flamme d'espoir s'allumait dans le cœur d'Eva.

— Pourquoi pas ? Dans l'intervalle, tu feras l'affaire. Loin de moi l'idée que tu n'aies pas l'étoffe d'une vedette culinaire de Cooking Channel, bien sûr !

Elle le taquinait. Les morceaux de son univers se remettaient en place. Mais Theo ne se dérida pas. Il la relâcha, se leva et se mit à faire les cent pas devant la table basse.

— Eva, ce que j'ai à te dire ne va pas te plaire, mais je n'ai pas le choix.

Resserrant les pans de sa robe de chambre, Eva s'efforça de paraître aussi digne et pro que possible. Ce qui n'était pas une mince affaire, étant donné qu'elle portait en tout et pour tout un peignoir et que ses cheveux se dressaient sur sa tête comme s'ils venaient d'être passés au mixeur.

— Je t'écoute, ne mâche pas tes mots, dit-elle d'un ton badin. Ça ne peut pas être pire que la tornade que je viens d'essuyer !

— N'en sois pas si sûre, la journée ne fait que commencer.

Theo la fixait, regard sévère et lèvres pincées.

— Je sais que je suis mal placé pour te faire la leçon en matière de relations sentimentales…

Eva blêmit.

— Papa…, protesta-t-elle faiblement, mais il brandit la main et poursuivit impitoyablement.

— Au fil des ans, j'ai fricoté avec la moitié du staff féminin du concours de la Toque d'Or…

Et notamment avec des pâtissières, songea Eva avec un frisson d'effroi. Theo les préférait de sexe féminin, mais n'empêche.

— Aussi vas-tu me taxer d'hypocrisie, s'obstina-t-il. Mais c'est un fait : le concours ne s'est jamais encore trouvé à ce point sous le feu des projecteurs. C'était notre but. Mais cela signifie que beaucoup d'yeux sont braqués sur nous.

Eva bondit du canapé.

— Eh bien, tant mieux ! Je n'ai rien fait de mal. Je ne siège pas au jury, je n'ai aucun pouvoir décisionnaire. Mes actes n'ont aucune espèce de conséquence !

— Je le sais bien, dit Theo avec un geste impatient. Il ne s'agit pas tant de déontologie à proprement parler que de publicité. Il faut te placer du point de vue des téléspectateurs, Eva. Reconnais que, de l'extérieur, quand l'animatrice de l'émission s'envoie en l'air avec un candidat, ça n'est pas du meilleur effet.

« Je m'en fiche ! voulait-elle lui crier. Je me fiche de ce qu'en pensent les téléspectateurs et le monde extérieur, je veux Danny ! »

Sauf que Danny voulait seulement passer un moment « sympa ». Une fois qu'il avait obtenu ce qu'il cherchait, il avait détalé comme un lièvre. Il lui tardait de rejoindre son équipe, ses amis, les gens qui comptaient pour lui.

À quoi bon se battre pour le défendre ?

Comme s'il avait senti son hésitation, son père passa un bras autour de ses épaules.

— Nous avions un accord, Eva. C'est notre année. La Toque d'Or va enfin obtenir la visibilité qu'elle mérite.

Cette année, Eva étendrait enfin la portée de l'héritage de sa mère.

Elle ferma brièvement les yeux, et opina.

— Je sais. Tu as raison.

Elle se peignit un sourire. Un peu pâlot, mais c'était mieux que rien.

— C'est notre année, répéta-t-elle.

« C'est *mon* année. »

— D'ailleurs, ajouta son père, rien ne t'empêche de revoir ce garçon… après la compétition.

— Non, le coupa Eva, qui ne voulait pas en entendre davantage.

Elle s'ébroua et se prépara mentalement à la rude journée qui l'attendait.

— Tout va bien. La nuit dernière, ce n'était pas sérieux. J'avais juste besoin de me détendre. De passer un bon moment.

Un moment « sympa ».

Réprimant la douleur qui lui broyait le cœur, Eva sourit, avec aplomb cette fois, à l'abri derrière son masque d'assurance policée.

— Ne t'en fais pas, papa. C'est fini. Je domine la situation.

17

Ce matin-là, dans la cuisine, la tension était à son comble. Était-ce à cause du compte à rebours qui rapprochait inexorablement les cuisiniers de l'instant fatidique de la dégustation ? De la menace de l'élimination qui planait sur eux tous ? Ou bien des regards haineux que Ryan Larousse, couvert de bleus et visiblement fou furieux, ne cessait de lancer à Beck ? Sans doute un peu des trois.

Ou peut-être s'agissait-il seulement d'une impression. Danny était à cran depuis qu'il avait regagné la chambre où l'attendaient ses quatre coéquipiers, salement remontés contre lui. Il avait bien tenté de s'excuser d'avoir disparu sans les avertir, sans prendre de leurs nouvelles, mais cela n'avait fait qu'envenimer la situation.

— Merde, Daniel ! avait grondé Max à la fin. On n'avait pas besoin que tu nous couves, mais de savoir que tu allais bien !

— J'allais très bien, avait-il bredouillé, pris de court, faute d'une réponse plus appropriée.

— Tu t'es volatilisé après nous avoir joué la grande scène du preux chevalier en rattrapant cette marmite de bouillon, avait râlé Jo, les bras croisés. On s'est fait un sang d'encre ! Tu aurais pu être à l'hosto ! Et tu n'avais pas ton portable alors on ne pouvait même pas te téléphoner !

Danny s'était mordu la langue pour ne pas lui rétorquer : « Je m'étonne que tu aies remarqué mon absence. » Depuis qu'elle sortait avec Max, Jo était dissipée. Quant à Max, Danny savait depuis des années qu'on ne pouvait pas compter sur lui.

Mais il avait tenu sa langue pour ne pas que le savon tourne à la dispute. Cela n'aurait servi qu'à déconcentrer ses coéquipiers et à les monter les uns contre les autres, juste avant le plus grand défi culinaire de leur vie.

Aussi avait-il serré les dents de toutes ses forces et tendu les mains, réprimant une grimace en sentant craquer sa peau gercée.

— Voyez vous-mêmes : je me porte comme un charme.

À la fin, pour qu'ils se calment et cessent de le traiter comme un infirme, il avait dû leur promettre de toujours conserver son téléphone portable dans la poche arrière de son jean, même si le règlement du concours l'interdisait. Du moment qu'il en coupait la sonnerie et ne s'en servait pas pour consulter des recettes en pleine épreuve, cela devrait aller.

Winslow n'avait rien dit en présence des trois autres mais, plus tard, quand ils s'acheminaient vers la cuisine, il s'était planté devant Danny, un sourire en coin et l'œil polisson.

— Alors ? Miss Eva a joué les infirmières, c'est ça ?

Danny s'était tendu, l'air impénétrable, mais Win ne se laissait pas si facilement berner. Il lui avait tapoté l'épaule :

— Pas besoin de confirmer ni d'infirmer, mon mignon. J'approuve à cent pour cent, et je suis une tombe !

— Je n'ai rien à démentir ni à cacher. C'était une aventure sans lendemain. Ce n'était pas au programme, et ça ne se reproduira pas. Et maintenant, retour à la vraie vie ! Retour à la réalité.

Réalité qui, dans le cas de Danny, se résumait au monde rassurant, méticuleux, prudent et sécurisant de la pâtisserie.

Bon, en l'occurrence, peut-être un peu moins sécurisant que d'ordinaire, puisqu'il devait cuisiner contre la montre sous le regard critique d'un jury et d'une équipe de télé.

Danny ravala un cri de douleur. Sa paume venait de racler par accident le marbre dur de sa planche de travail. Pour la énième fois, il se maudit d'avoir oublié chez Eva dans sa fuite la pommade miracle.

À côté de lui, devant les plaques chauffantes allouées à l'équipe, Winslow le lorgnait d'un air inquiet, sans toutefois cesser de remuer à rythme régulier sa crème anglaise.

— Hé, ça va ?

— Impec, dit Danny.

Il sourit, amusé : Winslow lui parlait du coin de la bouche, comme s'il craignait que les caméras ne relèvent ses propos.

— Et cette crème anglaise, comment elle se présente ?

Winslow brandit sa cuiller en bois et inspecta d'un œil critique le liquide tiède et onctueux qui la recouvrait.

— Ce n'est pas tout à fait ça. Encore quelques minutes.

En cuisine, Winslow était l'homme à tout faire, parce qu'il savait tout faire, aussi bien hacher la viande que mitonner un gâteau délicat. Ce jour-là, il s'était démultiplié, aidant les uns et les autres selon leurs besoins. Ils avaient une sacrée veine de compter parmi la troupe un chef aussi polyvalent que lui, et Danny l'appréciait à sa juste valeur.

Surtout en ce moment : Winslow se coltinait la corvée, à savoir remuer inlassablement la crème anglaise au bain-marie afin qu'elle n'attache pas, ce qui permettait à

Danny de se consacrer à la caramélisation des prunes qu'il avait fait macérer pendant la nuit dans un mélange de sucre, de jus de citron et de thym frais.

Profitant d'un instant de répit, il courut jusqu'aux réfrigérateurs chercher l'appareil à gaufres qui constituerait la base de son dessert. Pour conclure leur variation sur le thème du brunch, il avait imaginé une sorte de sandwich à base de gaufres fines garnies de prunes caramélisées et nappées de crème anglaise. Mais lorsqu'il inspecta le contenu du saladier de métal, son sang ne fit qu'un tour.

L'appareil était fichu. Aqueux, grumeleux, plein de farine agglomérée, il ne ressemblait plus du tout au mélange lisse et homogène qu'il avait mis au frais la veille au soir.

Empoignant le saladier, Danny l'apporta à la table et retira le film étirable pour examiner ça de plus près.

— C'est quoi, ce carnage ? s'enquit Max qui passait au petit trot, les bras chargés de raisin.

— Aucune idée.

Danny saisit son fouet, le trempa dans la substance défectueuse et la battit jusqu'à la faire mousser.

Jo, qui construisait des tours miniatures en fines lamelles de pommes de terre, une version raffinée des traditionnelles frites maison, s'interrompit et approcha.

— Tu vas réussir à la récupérer ?

Rien n'était moins sûr. L'appareil était vraiment bizarre.

— Je crains que non, dit Danny en lui redonnant un coup de fouet.

Des bulles de farine remontaient obstinément à la surface et y éclataient mollement.

— Il y a quelque chose qui cloche. Peut-être que la levure n'était pas bonne, ou que le saladier n'était pas bien lavé, qu'il y restait un peu de vinaigre ou de citron et que l'appareil a tourné. Qui sait ? De toute façon, peu importe : mon dessert est fichu.

Danny réprima son envie de balancer le récipient plein de pâte collante à l'autre extrémité de la pièce, ainsi que l'avait fait un jour son père au cours d'une grosse colère.

Il fit face à ses coéquipiers préoccupés qui s'étaient rassemblés autour du saladier comme autour d'un tombeau. Il lui en coûtait.

— Je suis désolé, les gars, dit-il d'une voix étranglée. Je vous ai plantés sur ce coup-là.

— Ne dis pas ça. Il reste la crème anglaise, observa Winslow d'un ton désespéré, sans s'arrêter de touiller. Et tes prunes déchirent. Je le sais : je n'arrête pas de t'en chiper des cuillerées.

— Oui, ne dramatise pas, tu ne nous as pas plantés, ajouta Jo.

— C'est le moment d'improviser, déclara Max.

Ses yeux pétillaient comme quand ils étaient gosses et qu'il s'apprêtait à entraîner son petit frère éperdu d'admiration dans quelque nouvelle bêtise.

— Pitié, gémit Danny en se plaquant la main sur les yeux.

Entre ses doigts, il lança un coup d'œil à Beck.

— Et toi, tu ne me sers pas de platitudes ni de conseil avisé ?

Beck observa une pause, l'air solennel.

— Il ne faut jamais fléchir, dit-il enfin. Jamais abandonner.

Winslow ricana :

— C'est une citation de *Star Trek* ?

— Mais non ! dit Jo, c'est *La Guerre des étoiles*.

— C'est Winston Churchill, les informa Beck en se remettant à farcir ses saucisses. Enfin, je paraphrase.

Le silence se fit, ponctué seulement par les exclamations et bruits de cuisson des autres équipes.

— Ce qu'on essaie de te dire, reprit Max, c'est que tout n'est pas perdu. Loin de là ! On a plein de super ingrédients, la crème anglaise, les prunes et…

Il consulta le chrono.

— Oups. Il ne nous reste qu'une heure. Zut, il faut que je me dépêche de boucler ma sauce au vin rouge. Bon, Danny, tu vas t'en sortir, hein ?

— Bien sûr, je gère, dit Danny en congédiant ses camarades.

Il ne gérait rien du tout, mais à force de s'apitoyer sur la pâte à gaufre ratée, ils risquaient de compromettre l'entrée et le plat, et Dieu sait qu'ils n'avaient pas besoin de ça.

— Euh, je fais quoi, alors ? demanda timidement Winslow.

— Continue de remuer.

Danny lui avait parlé plus sèchement que prévu mais Winslow se remit au boulot sans s'en formaliser. Il touillait sa crème comme si le sort de l'humanité dépendait de son onctuosité.

Le pauvre. Danny respirait l'inquiétude par tous les pores et Winslow ne pouvait pas ne pas l'avoir remarqué, mais que dire ? Danny n'avait jamais brillé par son inventivité, jamais sauvé l'équipe au débotté. Lui, il était un excellent artisan. Un exécutant. Les idées, ce n'était pas son rayon.

Les portes des cuisines s'ouvrirent dans un claquement et Danny leva le nez. Parce qu'il était tendu et déconcentré, bien entendu, pas du tout parce qu'il se demandait où Eva était passée, ni qu'il espérait secrètement la voir faire son entrée.

Mais il se racontait des histoires, comme il s'en rendit compte à la seconde où elle apparut dans l'embrasure. Le cœur de Danny fit un bond. Elle était superbe, comme toujours, avec son pantalon moulant de la couleur d'une aubergine italienne mûre à souhait, et sa blouse crème qui épousait son corps svelte sans le révéler ni toutefois en dissimuler les formes divines.

Jamais il n'avait rencontré de femme aussi naturellement sensuelle et séduisante qu'Eva Jansen. Un élan de

188

désir monta en lui et soudain il se sentit à l'étroit dans son jean ; il brûlait de la toucher.

Certes, elle le traitait comme un jouet. Et après ? Avec un peu de bonne volonté, il pourrait sans doute s'en accommoder.

Par contre, l'homme qui la suivait cassa tout net sa libido.

— Flûte, qu'est-ce qu'il fait là, lui ? marmonna-t-il.

— Qui ? demanda Winslow.

— Le vieux, dit Danny en indiquant de la tête les nouveaux venus. Theo Jansen.

— Au fait, où est Devon Sparks ?

Rien n'échappait à Winslow. Il avait tout de suite senti qu'il se tramait quelque chose quand les juges Claire Durand et Kane Slater étaient entrés seuls.

Danny haussa les épaules, épiant du coin de l'œil Eva qui terminait de briefer l'équipe de télé et s'avançait, une main levée.

— Quelque chose me dit qu'on ne va pas tarder à le savoir, dit-il.

— Mesdames, messieurs ! Rassemblez-vous un instant, je vous prie. Pas de panique, on arrête les chronos, vous ne perdrez pas une minute.

Danny suivit la foule de cuistots suants, hagards et tachés jusqu'à l'avant de la pièce.

Ces gens étaient ses collègues et il se fondait parfaitement dans la masse, avec sa veste blanche maculée de jus de prune et sa manche emplâtrée d'appareil à gaufres. Pourtant, face à Eva et à son intimidant géniteur, il avait envie de regarder ses pieds et d'épousseter ses vêtements comme un petit mendiant. C'était idiot.

— Je vous présente Theo Jansen, mon père ; certains d'entre vous le connaissent déjà, dit Eva. Il a dirigé ce concours pendant vingt ans et vient nous faire profiter de son expérience. Merci de lui réserver le meilleur accueil.

On l'applaudit poliment mais, en consultant discrètement les mines de ses concurrents, Danny y lut surtout
l'impatience de se remettre à l'ouvrage.

Theo Jansen fit un pas vers l'avant, souriant comme un
oncle bienveillant.

— Pour la première fois, cette année, je passe le relais
à ma fille Eva. Et, d'après ce que je vois, elle fait du bon
boulot !

Son enthousiasme hypocrite agressait les tympans de
Danny et il crut voir passer sur les traits de la jeune animatrice un rictus fugace. Mais non, elle conservait son
éternel air calme, chaleureux et jovial, même quand son
père ajouta :

— Cependant, je suis content d'être là pour pouvoir
veiller à ce que tout se passe bien.

Le sourire d'Eva était factice, Danny le reconnut avec
autant de certitude qu'il distinguait la vanille naturelle
d'un arôme artificiel. La jeune femme alla se tenir aux
côtés de son père, prit une inspiration et déclara :

— Mesdames et messieurs les cuisiniers, j'ai une mauvaise nouvelle à vous annoncer. Devon Sparks a dû nous
quitter.

Une rumeur s'éleva et dans la salle chacun se mit à
échanger des regards interloqués.

— Sa femme est enceinte de son premier enfant et la
grossesse est compliquée. Rien de grave, je vous rassure,
mais Devon préfère rester auprès de sa famille, ce qui est
tout à fait compréhensible.

— Qui va le remplacer ? chuchota Jo juste assez fort
pour que Danny l'entende. C'est rageant, on s'est documenté sur Sparks, ses goûts et ses dégoûts… Tout ça
pour rien !

— Vous vous demandez qui va le remplacer, dit Eva
sans cesser d'afficher son sourire artificiel. Afin de ne
pas perdre de temps et de maintenir la bonne dynamique qui s'est instaurée, mon père remplacera provisoirement Devon Sparks.

Un frisson d'horreur parcourut l'échine de Danny. Pour lui, la vraie mauvaise nouvelle, c'était ça.

— Je continuerai pour ma part de diriger le concours et d'animer l'émission, et je goûterai moi aussi vos plats.

Elle lança comme malgré elle un regard à Danny, qui le lui rendit. Comment était-il censé réagir ?

— Bon, la récré est terminée ! conclut Eva.

Elle déglutit et Danny dut prendre sur lui pour contenir ses émotions. Il fléchit les mains et se concentra sur la douleur qui l'enflammait afin de ne rien laisser paraître de ses sentiments.

Theo Jansen s'avança de nouveau et sa voix de stentor retentit dans l'assemblée :

— À vos fourneaux ! Il reste moins d'une heure au chrono.

Chacun regagna son poste au pas de course, pestant que leurs sauces avaient cuit trop longtemps, mais Danny, lui, s'attarda. Un nœud à l'estomac, il fixait Eva. Sa gorge délicate frémissait et un nuage assombrissait ses yeux gris. Un nuage qui ressemblait à s'y méprendre à du regret.

Elle s'avança vers lui et effleura la manche de sa veste. Il se figea.

— Danny, lui murmura-t-elle, non sans lancer un regard furtif à la caméra qui filmait les cuisiniers en action.

Personne ne leur prêtait la moindre attention, les candidats étaient bien trop absorbés par le tic-tac de l'horloge et les plats qu'il leur fallait encore terminer. Toutefois, Danny indiqua de la tête un coin à l'écart, près des réfrigérateurs.

Une fois dans l'angle mort de la caméra, Eva parut se détendre un peu. Ses épaules s'affaissèrent et elle poussa un petit soupir.

— Je sais que tu es pressé, lui dit-elle sans le regarder, mais je voulais m'assurer qu'il n'y avait pas de malentendu…

— Pas de panique, dit Danny, fier de son ton assuré. Je sais où j'en suis et je ne me méprends pas au sujet de la nuit dernière. Si tu es venue me dire que cela ne doit jamais se reproduire, on est sur la même longueur d'ondes.

Eva se crispa.

— Ah. Parfait.

— Super.

Elle leva un instant les yeux vers lui et Danny dut de nouveau fléchir les doigts à s'en faire mal pour se retenir de lui demander s'il y avait une chance pour qu'elle change d'avis.

Car il ne se faisait aucune illusion à ce sujet. Eva savait précisément ce qu'elle voulait. C'était là son principal trait de caractère. Elle ne laissait jamais rien se mettre en travers de son chemin.

Et elle ne voulait pas de Danny.

Pas comme il la voulait, lui.

Avec un hochement de tête affirmé, Eva leva le menton, prit une profonde inspiration, gonflant au passage son joli chemisier, et, claquant des talons, repartit d'un pas décidé en direction du cameraman.

Danny la regarda partir, tout noué du désir de l'arrêter, de la secouer, de la forcer à admettre que le feu né la veille entre eux était bien trop vif pour se consumer en une seule nuit... Mais Eva l'avait déjà oublié.

Elle avait un boulot à exécuter et, à sa manière, Eva était aussi coriace que les plus efficaces des chefs que Danny avait eu l'occasion de fréquenter. Il en concevait pour elle de l'admiration, ainsi que quelque chose de plus profond : il se reconnaissait en elle.

Sauf qu'elle, contrairement à lui, ne se posait pas de questions. Il fallait larguer le pâtissier pour rester focalisé sur le concours, cela allait de soi. À moins que ? Peut-être ressentait-elle, comme lui, la lame acérée de l'espoir et du gâchis lui lacérer les entrailles ?

Quand bien même. Cela n'aurait rien changé.

Eva n'était pas du genre à se laisser abattre. Elle poursuivrait son travail envers et contre tout. Elle ne se permettrait plus d'écarts, pas au risque de se retrouver avec une nouvelle crise sur les bras. Elle ne laisserait plus ses employés en plan. Elle prendrait sur elle, serrerait les dents, et remplirait sa mission.

Alors, Danny compris qu'il était cuit.

18

Un stylo calé derrière l'oreille sous ses cheveux grisonnants, Cheney, le cameraman, agitait d'un air suggestif ses sourcils broussailleux.

— Ben, mon cochon ! Si j'avais su que ça serait aussi chaud sur le plateau, j'aurais réclamé plus de caméras !

L'irritation d'Eva menaçait de se muer en rage déchaînée. On aurait dit que l'univers tout entier conspirait à pourrir sa journée.

— Monsieur Cheney, articula-t-elle excédée, j'ai prévenu ces empotés dénués de vision de Cooking Channel que ce concours pourrait bien devenir leur émission phare, ou du moins l'un de leurs plus gros succès, et attirer des millions de téléspectateurs...

— Ouais, approuva Cheney, et on m'a envoyé vérifier ça sur le terrain. Je suis chargé de filmer un échantillon de l'action pour qu'on voie si ça vaut le coup d'étoffer l'équipe de tournage. C'est que ça coûte cher, tout ça, je n'ai pas besoin de vous le rappeler !

Les mains sur les hanches, Eva était tellement crispée qu'elle sentait ses ongles s'enfoncer dans sa chair à travers le tissu de son pantalon.

— Puisque vous trouvez qu'on en vaut la peine, où sont les renforts ?

Cheney fit claquer sa langue.

— Ben justement, c'est là qu'est l'os. Tout roulait, entre les deux qui se sont castagnés et la minette de San Francisco qui coulait des yeux doux à Musclor. J'avais du matos. Et cet autre cuistot new-yorkais, celui qui a joué les héros hier en rattrapant la soupe de la blondinette, c'était du lourd, ça ! Mais là, vous m'avez fait couper la caméra. Et maintenant, avec le départ de Devon Sparks… Ça sent mauvais.

— Qu'est-ce qui « sent mauvais », monsieur Cheney ? demanda Eva en tâchant d'étouffer ses pulsions meurtrières.

Ce qui n'était pas chose aisée, étant donné que la seule possibilité qui s'offrait à elle consistait à révéler son désespoir. Elle se ressaisit :

— Écoutez, ce concours continue, avec ou sans Sparks ; quant à l'action dont vous êtes si friand, je peux vous assurer qu'elle ne fait que commencer.

— Pour ça, je veux bien vous croire ! renchérit Cheney en lorgnant de ses yeux jaunes les cuisiniers qui s'agitaient dans tous les sens. Je filme pour Cooking Channel depuis des années et, croyez-moi, pour les ragots et la baston, rien ne vaut une bonne grappe de cuistots rivaux. Tout le monde couche avec tout le monde, tout le monde se casse du sucre sur le dos… Pour un producteur télé, c'est le jackpot !

— Je répète donc ma question, monsieur Cheney. Où est le problème ?

Elle embrassa d'un geste la cuisine pleine d'activité. Il y faisait plus chaud et l'on y transpirait davantage que dans son club de gym, et ça criait et ça manquait de se rentrer dedans toutes les deux minutes, par-dessus le marché. Une cinquantaine d'odeurs divines se disputaient son attention.

Cheney se cala le bloc-notes sous le bras, farfouilla dans sa poche et en extirpa un paquet de chewing-gums. Eva déclina de la tête celui qu'il lui offrait ; il s'en fourra un dans la bouche et se mit à le mâchouiller d'un air pensif.

— Le problème, c'est que vous ne voulez pas la même chose que nous. Faut qu'on motive le spectateur à allumer sa télé. Faut qu'il se carre les fesses dans son canapé et qu'il n'en déloge plus, vous pigez ? Et, pour ça, il n'y a pas trente-six solutions : il faut exploiter le star-system.

— Il nous reste Kane Slater, se défendit Eva. Il a plusieurs disques de platine, et il figure sur toutes les listes de stars les plus canon…

— Ouais, il est pas mal, reconnut Cheney en suçotant son chewing-gum. Mais c'est pas un cuistot. Les spectateurs de Cooking Channel, c'est pour les cuisiniers qu'ils mouillent leur slip. C'est ça, l'idée.

Eva lui adressa une moue révulsée.

— Si vous essayez de me choquer, vous perdez votre temps. Et je rejette votre théorie. Kane Slater est une bombe tout public.

Cheney ricana, mais Eva remarqua qu'il la contemplait avec un peu plus de respect :

— Non, il ne plaît qu'aux groupies. Écoutez, je ne vous dis pas que c'est foutu, mais je préfère vous prévenir que mes chefs en attendent davantage. L'audience, c'est statistique : ça ne se discute pas ! En tout cas, pas avec les gens de la télé.

— Monsieur Cheney, nous sommes en pourparlers avec plusieurs célébrités ainsi qu'avec les assistants responsables de leurs agendas. Nous allons trouver un remplaçant à Sparks, ce n'est qu'une question de temps. L'intervention de mon père n'est que provisoire. Laissez-nous quelques jours pour nous retourner !

Son ton suppliant avait dû percer la carapace du repoussant cameraman, car il se radoucit :

— Moi, vous savez, je ne demande qu'à vous aider. Mais chaque jour que je filme des séquences inutilisables, ça coûte du blé à mon studio. Voici ce que je vous propose : vous avez perdu un chef sexy ; compensez en boostant le côté téléréalité de l'événement. C'est ça qui plaît au public : les disputes, les secrets, tout ça, quoi ! Vous en avez un peu en stock ?

Eva était à deux doigts de s'arracher les cheveux. La seule chose qui l'en retenait, c'était la certitude qu'une calvitie prématurée ne ferait que lui compliquer encore l'existence.

— Pas question ! Ce n'est pas du tout l'esprit de l'émission ! Ni du concours.

Cheney eut à peine le temps de lever les yeux au ciel que retentit la voix de Theo Jansen.

— Monsieur Cheney, veuillez me laisser parler à ma fille en privé. Je suis sûr qu'à nous deux nous parviendrons à trouver non pas une, mais plusieurs solutions qui satisferont vos supérieurs de Cooking Channel.

Mâchant à toute force son chewing-gum, Cheney promena un regard scrutateur entre Eva et son père. La jeune femme se tenait droite comme un I, déterminée à ne pas révéler la moindre émotion.

Elle aurait préféré que Cheney reste, mais avait-elle touché le fond au point de se soumettre à ses conditions ? Elle l'ignorait.

Or il lui faudrait se décider rapidement, parce que l'affreux bonhomme lui lança en regagnant son équipement :

— OK. Vous avez de la chance que j'aie envie de découvrir les plats ! Par contre, après cette épreuve, il va me falloir un nouveau juge à la hauteur et des potins dignes de *Voici*. Sinon, c'est fini !

— Merci, monsieur Cheney. Vous ne le regretterez pas.

Eva prit son père par le coude et l'entraîna hors de la cuisine.

— Eva, je t'en prie, dit-il en consultant le chronomètre. L'épreuve touche à sa fin, nous en parlerons plus tard. Cheney vient d'accepter de rester, nous ne pouvons rien faire de plus dans l'immédiat.

198

Ravalant des larmes d'impuissance, Eva contrôla sa respiration.

— Ah, vraiment, papa ? Tu n'as pas le temps de m'expliquer pourquoi tu essaies de saper mon autorité ?

Cette pique lui valut un regard peiné, celui que Theo affichait quand Eva lui rappelait sa mère. Cela se produisait régulièrement et, depuis l'âge de onze ans, Eva avait renoncé à comprendre en quoi elle lui ressemblait, exactement. Le chagrin de son père, cependant, n'avait jamais cessé de la toucher.

— Arrête ton cinéma, tu veux ? marmonna-t-il en se laissant entraîner jusqu'au couloir. Je n'ai aucunement l'intention de saper ton autorité. Je ne ferai jamais rien pour te décrédibiliser. Mais tu t'es engagée à faire diffuser La Toque d'Or et, jusqu'ici, je n'ai pas l'impression que tu sois prête à faire les sacrifices qui s'imposent.

La voix d'Eva s'éraille comme si elle venait d'avaler un morceau de verre pilé :

— Papa, je fais ce que je peux !

— Ce n'est pas suffisant. En tant que responsable du groupe Jansen Hospitality, je dois me comporter comme un colonel de l'armée : quand je donne l'ordre à mon lieutenant de prendre une colline, je veux pouvoir considérer que c'est chose faite ! Pas de faux-fuyants, pas d'atermoiements ! Or tu n'arrives pas à boucler ce contrat avec Cooking Channel…

Il pinça si fort la bouche qu'elle disparut dans sa barbe poivre et sel.

— Alors, forcément, je me demande comment tu gérerais le groupe Jansen. En toute franchise, je me demande si tu auras un jour les épaules pour ce genre de responsabilité.

Il aurait aussi bien pu la gifler. Les genoux d'Eva se mirent à flageoler. Mais elle puisa dans ses ressources et parvint à ne pas flancher.

— Tu avais raison : ce n'est pas le moment d'en discuter, murmura-t-elle, les lèvres engourdies. Viens, retournons à l'intérieur.

Dans les yeux gris clair de son père scintillait le remords. Il posa sur l'épaule de sa fille sa grande main, cette même main qui avait maladroitement tressé ses cheveux, tendrement tamponné du mercurochrome sur son genou écorché, qui l'avait attirée à lui pour la féliciter quand elle avait décroché son diplôme.

La gorge sèche, les yeux en feu, Eva se dégagea pour ouvrir la porte. Theo laissa sa main retomber mollement le long de son corps et Eva fit mine de ne pas remarquer son soupir désappointé.

Elle entendait encore sa voix pleine de nostalgie, de peine et d'agacement : « Arrête ton cinéma. »

Sans doute Eva tenait-elle de sa mère son penchant pour la comédie. Elle l'ignorait. De sa mère, elle ne conservait presque aucun souvenir, à part ceux de quelques câlins et de ces baisers parfumés qui lui laissaient sur la joue des traces écarlates.

Eva n'avait pas l'impression de faire du cinéma. Elle se sentait à deux doigts de s'effondrer, fragile comme une tuile en sucre, prête à tomber en poussière sur le plancher au moindre coup de vent…

Bon, peut-être qu'elle en rajoutait un peu. Mais aussi, quelle journée !

Danny dut mettre les bouchées doubles pour boucler son dessert dans les temps. Une fois qu'il eut trouvé son rythme de croisière, cependant, tout alla comme sur des roulettes.

Il avait regardé Theo et Eva quitter la cuisine pour leur conciliabule. À leur retour, peu après, Eva arborait son fameux sourire. Fabriqué de toutes pièces, trompeur, dissimulant ses véritables sentiments derrière un professionnalisme soigneusement étudié : une vraie mine de joueur de poker.

Danny ne put s'empêcher de compatir. Il savait par expérience qu'il n'y a rien de tel que la famille pour vous mettre le cœur en pièces et la tête à l'envers. Et encore, il avait la chance de bien s'entendre avec la sienne !

Eva aussi paraissait bien s'entendre avec son père. À l'évidence, elle l'adorait. Bien sûr, Theo ne ratait pas une occasion de lui rappeler qui dirigeait l'entreprise familiale, il lui arrivait de la blesser, il courait les jupons, mais elle l'idolâtrait. Normal : depuis qu'elle était toute petite, elle n'avait que lui.

De fil en aiguille, Danny avait repensé à l'anecdote qu'elle lui avait confiée : le week-end, le père d'Eva lui cuisinait des crêpes. C'était un bon souvenir pour elle, le souvenir d'une époque bénie où elle vivait avec son père en parfaite harmonie. Toute la douceur et l'amertume de la vie se liaient dans ces galettes souples et croustillantes, dorées à souhait et saupoudrées de sucre glace.

Danny s'attendrit : malgré d'innombrables séjours à Paris, des centaines de dîners dans les plus grands restaurants de France, Eva continuait d'appeler les crêpes des « pancakes à la française ».

À ce moment-là, Danny sut quel dessert il allait préparer, comme si Eva s'était avancée sur la pointe des pieds pour le lui chuchoter à l'oreille.

C'était risqué : la pâte à crêpes était supposée reposer au frais pendant au moins une heure, afin que les minuscules bulles d'air aient le temps d'éclater, que l'appareil soit plus maniable et que les crêpes ne se déchirent pas dans la poêle. Mais il restait moins d'une heure au chrono : il faudrait faire avec, il n'y avait pas d'autre possibilité.

Danny courut jusqu'à la réserve, attrapa les œufs et le lait entier, un mixeur, et apporta le tout jusqu'à sa table. Winslow, qui avait terminé la crème anglaise, s'occupa des autres ingrédients en suivant les instructions que Danny lui criait. Il revint au galop les bras chargés de farine, de sucre, de sel et de levure.

Danny dosa les ingrédients, les versa dans le mixeur et réalisa un mélange homogène. Pendant ce temps, Win dénicha deux poêles à frire identiques et les abattit sur les plaques chauffantes.

— J'ai besoin de ces plaques, annonça Danny à son équipe en détachant le récipient du mixeur de son socle et en se ruant vers la cuisinière. Ça ne vous pose pas de problème ?

— C'est bon, je vais me débrouiller, dit Beck.

Il maniait ses saucisses avec une telle célérité que Danny ne distinguait même pas ce qu'il faisait.

— Il m'en faut une pour mes œufs au plat ! rugit Jo de l'autre bout de la table. Mais ça peut attendre jusqu'à dix minutes avant la fin du compte à rebours.

Max était déjà en train de disposer son plat dans la grande assiette blanche rectangulaire qu'ils avaient choisie pour l'entrée.

— C'est bon, Danny, fonce, la voie est libre !

Danny ne se le fit pas dire deux fois.

— Monte le gaz, Winslow, il faut que les poêles chauffent, ça va prendre un petit moment.

— Qu'est-ce que t'as derrière la tête, patron ? s'enquit Winslow en tournant le bouton et en surveillant la couleur des deux flammes.

Un excellent réflexe : quand on travaille dans une cuisine étrangère, on perd ses automatismes. Sur son propre terrain, on sait d'instinct régler les thermostats au degré près. Ailleurs, ce genre de détail devient très périlleux et risque de compromettre les plats. Il s'agissait de ne rien faire brûler !

— Des crêpes, répondit Danny en tapotant le fond de son récipient contre la surface de la table pour accélérer le processus d'éclosion des bulles d'air de sa pâte. Un mille-feuille à base de crêpes, plus exactement. À propos, tu peux t'assurer qu'il reste de la place dans le refroidisseur ? Et transforme-moi cette crème anglaise en crème pâtissière, tu veux ?

— Ça roule !

Winslow exécuta un petit salut, grinçant des baskets sur le sol caoutchouté, et fila.

L'adrénaline pulsait dans les veines de Danny mais ses mains, elles, ne tremblaient pas. Il saisit une louche et une bouteille d'huile végétale, puis fit pleuvoir quelques gouttes d'eau dans ses poêles ; l'eau se mit aussitôt à grésiller et à tressauter : la température des poêles était parfaite. Procédant avec rapidité et précaution, il versa dans la première juste assez de pâte pour en napper le fond d'une fine pellicule. C'était le moment fatidique. Sans râteau à crêpes, cet ustensile qu'utilisent les professionnels pour dessiner des galettes bien lisses et parfaitement rondes, il fallait avoir le compas dans l'œil. Si Danny versait trop d'appareil, sa crêpe serait pâlotte et mollassonne. S'il en versait trop peu, elle cuirait trop rapidement et il n'aurait pas le temps de combler les trous en inclinant la poêle. En plus, comme l'heure tournait, Danny devait effectuer ce délicat dosage sur deux poêles en même temps. Surtout, guetter le premier signe de fumée ou d'odeur de brûlé ! En réglant la température de la plaque du fond, il faillit laisser attacher la crêpe de devant, mais il s'en aperçut à temps. D'un mouvement expert du poignet, il la retourna, la laissa foncer un peu sur l'autre face et voilà : la première crêpe était prête. Danny la fit glisser sur l'assiette que lui tendait Winslow et bondit sur sa louche pour remettre de l'appareil dans la poêle vide avant que la deuxième crêpe ne se mette à brûler.

Et il répéta en cadence l'opération. On aurait dit une sorte de danse, ou ce gracieux enchaînement de tai-chi que Max avait tenté d'enseigner à l'équipe, quelques semaines plus tôt, pour l'aider à se relaxer.

Pour réaliser un gâteau de crêpes, il fallait empiler plusieurs crêpes en intercalant entre les couches de la Chantilly, de la crème ou de la confiture. Danny disposait pour sa part de l'alléchante crème pâtissière à la vanille

Bourbon de Winslow ainsi que d'une compotée rouge et or de prunes caramélisées.

— Win, approche, dit-il une fois que la pile de crêpes atteignit des proportions respectables.

À cet instant, il eut un raté et sa crêpe se replia sur elle-même.

— Flûte ! pesta-t-il.

— Oups, fit Winslow en accourant.

— C'est le moins qu'on puisse dire.

Danny leva les yeux au ciel, exaspéré par sa propre maladresse. Il avait le choix : soit il s'échinait à déplier la crêpe et à la retourner sans la réduire en lambeaux, soit il passait à la suivante. Danny jeta la crêpe ratée à la poubelle, remit de l'huile dans sa poêle et y versa une nouvelle louche de pâte.

— C'est ma faute. J'ai été trop mou, admit-il. Les crêpes, il faut leur montrer qui est le patron !

— Où est-ce que tu as appris à les confectionner ? demanda Winslow, fasciné, comme toujours quand il voyait réaliser une technique ou un plat pour la première fois. À l'IFP ?

Danny avait suivi des cours à l'Institut français de pâtisserie de New York mais n'avait jamais trouvé un moment de libre pour passer son diplôme : il y avait toujours trop à faire au *Plaisir des sens*.

Il secoua la tête :

— Non, c'est une recette de Julia Child que m'a transmise ma mère.

Il sourit en se remémorant l'émission culinaire de Julia Child dont il suivait avidement les rediffusions avec sa mère, étant petit. Ils citaient la célèbre chef, répétaient après elle ses phrases clés en imitant sa voix haut perchée : « Il faut avoir le courage de ses convictions ! »

— Quel génie, cette nana, siffla Winslow. Bon, et maintenant, patron, je fais quoi ?

Danny lui fit part de son plan et les yeux vert vif du jeune homme s'écarquillèrent. Sa surprise initiale céda rapidement à une mine affamée : c'était bon signe !

— Allez, hop ! On s'y remet ! l'exhorta Danny en raclant la fin de la pâte avec une spatule.

— Il reste quinze minutes ! claironna Jo.

— Bien reçu ! répondit Danny par automatisme, comme s'il se trouvait dans la cuisine de leur restaurant.

Quinze minutes. Ce serait juste, mais cela irait. Toutefois, il ne fallait pas traîner. Danny s'apprêtait à manipuler des crêpes fines comme du papier, encore chaudes et fragiles. Il n'avait pas droit à l'erreur. Mais cela irait.

Des milliers de possibilités s'ouvraient soudain à lui. Il prit une grande bouffée d'air. Il se sentait grisé, invincible.

Il s'octroya une demi-seconde de répit pour regarder à la dérobée la table des juges. Eva s'y tenait, en grande conversation avec Claire Durand, Kane Slater et Theo Jansen. Elle avait repris des couleurs mais paraissait toujours vidée et comme tassée.

Rien à voir avec la veille. La veille, elle vibrait de vie, de passion et… de bonheur.

Lui aussi s'était senti heureux.

Pourquoi s'obstinaient-ils tous deux à refouler ce sentiment ?

Danny serra les dents et se remit au travail, versant dans la poêle une dernière louche d'appareil. Sa main, crispée sur le manche, l'élançait et il moulina du poignet pour oublier sa douleur.

Il allait y arriver. Il réussirait son dessert et il éblouirait Eva. Elle lui décocherait son fameux sourire, celui qui chassait tous les nuages de la pièce et lui donnait l'impression de porter l'un des T-shirts moulants de Winslow tant la joie lui gonflait le torse. Si Eva croyait pouvoir se débarrasser si facilement de lui, en faire une proie de plus à son tableau de chasse, elle se trompait. Danny n'était pas un sex-toy, et leur histoire ne se limitait pas à un vulgaire coup d'un soir. Il allait se battre pour le lui prouver. Pour décrocher l'occasion de la rendre à nouveau heureuse, de goûter à nouveau ce bonheur.

Qu'il faisait bon avoir un but ! songea-t-il en courant rejoindre Winslow et sa montagne de crêpes.

Bien sûr, gagner le concours de la Toque d'Or représentait déjà un but en soi, et pas des moindres. Danny ne le perdait pas de vue. Mais, pour l'heure, le sourire d'Eva lui paraissait la plus précieuse et urgente de toutes les récompenses.

19

Kane Slater passait une sale journée.

D'abord, la gentille dame à qui il avait chanté joyeux anniversaire au téléphone avait des pépins de santé, et personne ne daignait le renseigner à ce sujet. Ce qui avait le don de lui taper sur les nerfs. Il avait grandi dans un vrai gynécée, entre sa mère et ses cinq sœurs aînées : les affaires féminines, il connaissait !

Certes, le déroulement de la grossesse de Lilah ne le regardait pas, mais il se faisait du souci. Elle paraissait sympathique. En outre, Kane avait toujours vu en Devon Sparks une sorte de modèle. Le jeune homme appréciait sa façon de s'illuminer sitôt que quelqu'un mentionnait la belle du Sud qu'il venait d'épouser.

Et ce n'était là qu'une des multiples ombres au tableau. Quoique la plus grave, ainsi qu'il ne cessait de se le rappeler afin de remettre les autres en perspective. Quel que soit le problème de Lilah, il avait suffi à effrayer Devon au point de lui faire sauter dans le premier avion pour New York. Ça ne rigolait pas.

À côté, les petits ennuis de Kane paraissaient dérisoires. Certes, il allait devoir côtoyer l'un des ex de Claire. L'un de ceux qui avaient compté, il en aurait mis sa main au feu. Sinon, Claire n'aurait pas affiché cet air attendri à l'instant où Theo Jansen avait pénétré dans la pièce.

Mais c'était sans importance. Kane épia du coin de l'œil le bel homme d'âge mûr qui se collait à Claire, tournant vers elle sa carrure imposante et distinguée et lui consacrant visiblement une attention dévouée. Non, vraiment, aucune importance !

C'était du passé, une page tournée, à en croire Eva du moins. En effet, avant même que Kane accepte de siéger au jury, son amie lui avait révélé en avant-première le nom des autres juges et lui en avait un peu parlé.

— Claire est un amour, avait-elle dit.

Elle ignorait alors que Kane faisait sur la rédactrice en chef de son magazine gastronomique préféré une fixette aussi ridicule que persistante.

— Elle a été une vraie mère pour moi, plus que n'importe laquelle des conquêtes de papa, avait-elle poursuivi.

En effet, son père n'avait cessé de se remarier et de divorcer à un rythme soutenu au fil des années.

— Enfin, plutôt qu'une mère, elle a été comme une grande sœur. Si je la perçois comme une maman, c'est parce qu'elle a failli rejoindre le clan des belles-mères officielles ! C'est comme ça que je l'ai rencontrée : elle est sortie avec mon père pendant plusieurs mois quand j'étais gamine. Mais Claire était trop futée pour tomber dans le panneau. Quand elle a quitté papa, j'ai pleuré pendant des jours. Je craignais de ne jamais la revoir. Heureusement, Claire n'est pas sortie de ma vie. Même après sa rupture avec mon père, elle m'a emmenée prendre le thé au *Pierre* toutes les deux semaines. C'est à elle que je parlais de l'école, des garçons… de tout !

Eva avait souri avec une douceur inhabituelle pour cette enfant terrible.

— Elle m'a initiée à l'art de la french manucure, tout en râlant que personne dans ce pays ne les réalise aussi bien qu'à Paris. Et elle m'a offert mon premier rouge à lèvres Chanel.

— Ainsi, c'est elle qui a fait de toi le monstre que tu es devenue ! l'avait raillée Kane.

Eva lui avait envoyé son poing dans l'avant-bras et il avait éclaté d'un rire diabolique. Pourtant, à ce moment-là déjà, avant même de rencontrer cette Claire Durand, il s'était senti en danger.

Si cette femme l'obsédait à ce point alors qu'il ne connaissait que la photo illustrant ses éditos au vitriol, saurait-il résister à sa version originale ? Surtout si elle s'avérait en prime assez généreuse pour adopter la jeune orpheline de l'homme qu'elle venait de quitter !

Il avait eu raison de se méfier.

Au fond, il n'était pas à plaindre. Des centaines de gastronomes en herbe se consumaient d'amour pour leurs idoles sans n'avoir jamais la chance de les approcher. De discuter avec. De passer du temps en leur compagnie. De flirter avec. De les embrasser. De les voir nues, en chair et en os.

Kane avait cette chance incroyable.

Il avait toujours eu beaucoup de chance, et il le savait. L'arrivée de Theo Jansen n'aurait donc pas dû troubler les eaux calmes et cristallines de sa vie de chanceux. D'ailleurs, si Claire l'avait traité avec tout le dédain qu'on doit à un ex importun, si elle s'était départie envers lui de son charme, sa classe, son esprit et sa galanterie, Kane aurait sans doute très bien vécu la situation.

Sans doute...

Parfois, il lui arrivait d'être soupe au lait. Du moins à ce qu'on lui disait. Il répliquait qu'en tant que rock star il n'avait guère le choix. N'ayant aucune envie de se piquer à l'héroïne et tenant bien trop à Betsy, sa chère guitare, pour s'amuser à la fracasser contre le mobilier de ses chambres d'hôtel dans un accès de rage, il était bien obligé de jouer un peu les ténébreux. Ainsi, il lui arrivait de sombrer dans des abîmes de déprime, de se persuader qu'il n'arriverait plus jamais à pondre une seule chanson, qu'il avait à jamais perdu l'inspiration. Alors le vide emplissait sa tête, sombre et terrifiant.

Mais, cette fois-ci, c'était encore pire.

Le vide, le noir et le silence n'étaient rien comparés à la sensation cauchemardesque qu'il éprouvait à présent. Rien que de pitoyables angoisses de la page blanche.

Sous ses yeux, Theo Jansen posait une main tendre et autoritaire sur l'épaule de Claire. Et Claire se laissait faire.

Soudain, Eva se matérialisa aux côtés de Kane, comme aimantée par le malheur qu'il exsudait. Elle-même n'avait pas l'air dans son assiette. Kane soupira, soulagé à la perspective de la laisser s'épancher : cela lui changerait les idées.

— Tout baigne ? lui demanda-t-il en tournant délibérément le dos à la cour que le magnat de la restauration faisait à la rédactrice en chef.

— Bof, maugréa Eva.

Elle tenta de ricaner, mais sa voix s'étrangla.

— Mon père... C'est compliqué.

Kane saisit ce prétexte pour se retourner face à son rival. Décidément, son corps se mutinait contre toute instruction pouvant apaiser son malaise. Le rockeur cligna des yeux et scruta son amie.

— Raconte. Le compliqué, c'est mon rayon. D'après le magazine *Rolling Stone*, mon dernier album était « tout en nuances et en profondeur, plein de sens cachés, et fort d'une complexité émotionnelle discrètement filée de couplet en couplet. »

Il marqua une pause avant d'ajouter :

— Euh, ne va pas t'imaginer que j'apprends par cœur mes critiques...

Eva leva les yeux au ciel :

— Je ne te soupçonnerai jamais d'une chose pareille.

Elle pouffait : mission accomplie.

Fourrant ses mains dans les poches arrière de son jean, Kane désigna du menton l'horloge murale.

— C'est bientôt l'heure. Tu crois qu'ils sont prêts ?

Eva suivit son regard.

— Ils ont intérêt, s'ils ne veulent pas être disqualifiés !

Kane n'aurait pas aimé se trouver à la place des candidats. Sa jalousie d'ado attardé ne l'avait pas rendu aveugle : il avait vu les cuisiniers se démener, se précipiter, se crier des ordres…

Même à plusieurs mètres de distance des fourneaux, il faisait plus chaud dans la salle qu'en plein mois d'août à Austin. Il régnait dans la cuisine une température et une humidité écrasantes, oppressantes, assommantes, qui vous engluaient les poumons et entravaient la respiration. Tout le monde transpirait, juges y compris. Mais les cuisiniers, eux, semblaient friser la syncope.

Il était décidément très excitant de faire partie de l'aventure, d'assister à tout cela de près. C'était une occasion unique d'apprendre des tuyaux auprès des cuisiniers les plus prometteurs du pays, et Kane n'avait pas l'intention de passer à côté de cette opportunité. Claire flirtait avec son ex, et alors ? D'ailleurs, elle ne flirtait pas : elle se contentait de ne pas repousser ses avances. Elle les tolérait, avec cette dignité sereine et cette maturité qui la caractérisaient. Kane se trouvait à Chicago, l'une de ses villes préférées, au cœur d'un événement consacré à sa grande passion : la gastronomie. Il n'allait pas se laisser abattre !

Le chrono retentit, violemment, bruyamment, et Eva cria :

— Posez les couteaux !

Kane décida de cesser de se complaire dans son malheur et de commencer à profiter de l'expérience.

Cette résolution en tête, il ouvrit la marche : traversant la cuisine puis le hall de l'hôtel, il conduisit juges et candidats jusqu'à l'élégante salle à manger privée que l'hôtel mettait à leur disposition. Vaste table ovale, nappe blanche, argenterie rutilante, verres à pied en cristal, rien ne manquait.

À part les plats, bien sûr. Kane frotta son ventre musclé en se félicitant d'avoir sauté le petit déjeuner, ce matin-là.

En réalité, il avait eu le choix entre des tartines d'un côté, et Claire de l'autre. Il n'avait pas hésité !

D'autant qu'il s'était peut-être agi de la dernière fois. Si seulement Claire l'avait rejoint sous la douche, après… Kane balaya sa morosité, se cala contre son dossier et fixa son verre d'eau.

Les autres juges l'imitèrent, et Kane s'efforça de ne pas accorder trop d'importance au siège que Claire choisirait. S'il avait voulu qu'elle se place à côté de lui, il lui aurait suffi de prendre la chaise du milieu ! Mais c'eût été calculateur et puéril, et il ne tenait pas à aggraver aux yeux de Claire son immaturité.

Surtout quand un prédateur d'âge mûr à la classe indéniable rôdait dans les parages.

Justement, Theo Jansen déboutonnait son blazer irréprochable, s'avançait et… choisissait la place centrale. Kane claqua la langue, irrité. Avant de s'empourprer : en réalité, en parfait gentleman, Theo tendait cette chaise à Claire. Il avait de l'éducation, lui. On voyait qu'il n'avait pas grandi à la ferme. Kane croyait entendre les reproches de sa mère.

Il tâcha de se tenir droit. Heureusement, pour une fois, il avait troqué son sweat à capuche contre une chemise. Froissée, grisonnante et retroussée jusqu'aux coudes, certes, et pas à même de rivaliser avec le costume rayé de Jansen, mais au moins il s'agissait d'un vêtement dépourvu de fermeture éclair.

Eva entra la dernière et se hâta de s'installer en bout de table, près de Kane : déjà, la première équipe apportait ses plats.

— Ça va ? lui souffla-t-elle.

— Nickel, affirma-t-il en plaquant ses mains sur la table pour les empêcher de trembler.

« Imagine que tu as le trac avant de monter sur scène, se raisonna-t-il. Ces gens ont payé pour te voir, toi, Kane Slater ! Tu te dois de te montrer à la hauteur. »

Il décocha à Eva son plus beau sourire de star.

— J'ai faim, c'est tout. Et, sans vouloir te vexer, je hais ton père.

Eva ricana.

— Me vexer, moi ? En ce moment, je partage ton sentiment.

Elle paraissait dépitée. Normal. Son père débarquait, avec son charme et son autorité, et lui volait la vedette en direct devant les candidats. Et, pour couronner le tout, il faisait du plat à Claire. Quel tocard !

Kane avait horreur de broyer du noir. Il n'avait jamais compris les compositeurs qui écrivaient des chansons larmoyantes, ni leurs fans qui en buvaient comme du petit-lait les paroles poignantes. Mais peut-être était-il en train de virer sa cuti : ses émotions prenaient le dessus et il n'y voyait pas d'autre exutoire que la composition.

« Voyons le bon côté des choses, s'admonesta-t-il. Avec tout ça, mon prochain album va cartonner ! On parlera de ma période bleue et je serai érigé au rang de grand artiste incompris. »

Bizarrement, cette pensée ne le réconfortait que très marginalement.

Par contre, quand l'équipe du Sud-Ouest déposa devant lui ses plats, Kane se ragaillardit. Il était temps de passer aux choses sérieuses, à savoir : manger !

Les cuisiniers de l'équipe en question s'étaient inspirés du fameux hot-dog de la ville de Chicago, sauf qu'à la place de la classique saucisse de bœuf ils avaient opté pour une sorte de chorizo piquant assaisonné de guacamole et de sauces mexicaines revisitées. L'onctuosité de ces sauces était relevée de piments *jalapeño*, et le petit pain maison tout chaud mettait l'ensemble en valeur.

Par contre, c'était roboratif ! Kane ne vint à bout que d'un quart de son sandwich ; il s'agissait de se réserver de la place pour les plats des autres candidats.

Le dessert de la première équipe, une glace, le déçut quelque peu. Kane s'étonnait de son manque de consistance quand les cuisiniers avouèrent n'avoir pas eu le temps de la congeler correctement.

— Lequel d'entre vous est le chef pâtissier ? demanda Kane.

Silence. Les cuisiniers le regardaient, déconfits. Puis un petit homme velu murmura qu'il était responsable de la glace ratée.

Hum.

L'équipe du Sud entra en piste. Elle non plus ne semblait pas compter parmi ses rangs de véritable pâtissier. En ce qui concernait le plat, les candidats s'en tiraient remarquablement : ils avaient joué avec brio la carte de la soul food, bien que leur poulet frit ne vaille pas tout à fait celui de la mère de Kane. En revanche, si leur tarte au flan passait mieux que la glace fondue des premiers candidats, elle restait médiocre : la pâte était épaisse et détrempée, et elle avait le goût de la farine.

L'équipe de la Côte Ouest, quant à elle, était bien dotée d'une pâtissière, mais la pauvre était toute jeune et plus nerveuse qu'une pouliche. Il s'avéra qu'elle avait de bonnes raisons de l'être.

Les deux premiers plats, une salade et une version végétarienne de la légendaire pizza de Chicago, réconcilièrent Kane avec les légumes : plus jamais il ne les jugerait ennuyeux et sans intérêt ! Ce fut une véritable révélation. Lui qui avait tendance à en faire des tonnes découvrit que, lorsqu'un plat était exécuté avec la maîtrise de l'équipe de Skye Gladwell, rien ne valait la simplicité. Les ingrédients n'avaient rien d'exotique mais ils étaient frais et savoureux. Pour Kane, ce fut la surprise du jour.

Mais quant au dessert… Le moelleux au chocolat ne ressemblait à rien. Le cœur n'était pas coulant mais dégoulinant, et en outre bien trop sucré ; des grains de sucre mal dissous craquaient sous la dent comme du sable et l'ensemble laissait en bouche un arrière-goût amer.

Vint le tour tant attendu de l'équipe du Midwest, celle du *Limestone*. Kane se rappelait avec délices les prouesses de ses chefs lors des qualifications. Experts en cuisine moléculaire, ils avaient composé une série de créations inédites à l'aide de gadgets culinaires de pointe : pistolets à fumer, cuillers à perle, azote liquide, et autres nouveautés dont Kane s'était promis d'équiper sans tarder sa demeure de Los Angeles. En espérant réussir à y passer un jour plus de quarante-huit heures d'affilée.

Une fois encore, ils s'en tirèrent haut la main. Chaque plat éblouit le jury. Ils avaient mis au point d'audacieux mélanges de saveurs auxquels Kane n'aurait jamais pensé et le résultat était explosif. Pour un peu, il aurait fallu modifier dans le dictionnaire la définition du mot « exquis » ! En outre, ils avaient soigné la présentation des plats, élégante et ludique à la fois. Les côtelettes d'agneau braisées, par exemple, surplombaient un coussinet de papier farci de foin brûlé lequel conférait à la viande, en se dégonflant, une divine odeur de feu de camp. Pour le dessert, ils avaient préparé une mousse au chocolat avec une sauce au porto accompagnée de son sorbet à la betterave. Le tout était saupoudré de sel de mer fumé et, bien qu'il n'ait pas été réalisé par un vrai pâtissier, il était habilement exécuté et plein d'originalité. Mais pas vraiment du goût de Kane. Il en reconnaissait la qualité, ne serait-ce qu'aux mimiques ravies de Claire et de Theo, mais lui-même restait réticent. Question de goût.

Peut-être aussi commençait-il à manquer d'appétit. Dire qu'il restait tout un repas à juger !

Pendant la pause, pendant que le personnel hôtelier débarrassait la table, Kane se pencha vers Claire et lui demanda :

— Si chaque équipe est censée représenter un restaurant, comment expliquer que pas une seule jusqu'à présent n'ait été capable de produire un dessert digne de ce nom ?

Claire, qui avait renoncé à sauver son chignon une demi-heure plus tôt, se passa la main dans les cheveux, et Kane fixa comme envoûté ses boucles auburn.

— C'est toujours la même rengaine, répondit Claire. Ils se figurent que, pour gagner, ils doivent tout miser sur le plat. De nombreux cuisiniers méprisent la pâtisserie, parce qu'ils ne la comprennent pas. Ils ignorent que cette discipline, quoique plus scientifique qu'artistique, fait la part belle à la créativité et requiert beaucoup de doigté. Ils s'imaginent que c'est facile. Mais ils se trompent, ainsi qu'on vient de nous le démontrer.

— Certaines équipes ont leur propre pâtissier, s'en mêla doucement Eva en lançant un regard à son père. La dernière, notamment.

20

La dernière équipe frappa et entra. Sous la table, les jambes d'Eva se mirent à tressauter comme si ses talons aiguilles s'étaient subitement changés en balles rebondissantes.

Kane pencha la tête et scruta les nouveaux candidats. D'après son programme, ils venaient de New York. C'était la première équipe qu'ils avaient sélectionnée, des mois et des centaines de candidats plus tôt.

À mieux les regarder, il se souvenait de leur performance.

Claire lui avait fait une scène, le jugeant trop indulgent avec la grande blonde toute en jambes qui s'était emmêlé les pinceaux pendant le quiz. Comment s'appelait-elle, déjà ? Jo quelque chose. Il lui décocha un sourire. Elle le lui rendit, puis reprit son sérieux pour présenter au jury le travail de son équipe.

— Nous avons voulu rendre hommage à l'un des repas préféré des habitants de Chicago : le brunch. Dans tous les quartiers branchés, de Bucktown à Wicker Park, le brunch se répand comme une traînée de poudre, attirant les foules. Normal : le petit déjeuner, ne l'oublions pas, est le repas le plus important de la journée !

Elle cligna de l'œil et Theo Jansen gloussa complaisamment.

— Que nous avez-vous concocté ? demanda froidement Claire.

— Pour commencer, une mise en bouche pleine de peps et de punch, dit le cuisiner châtain à la coupe en brosse qui mangeait des yeux la blonde. Nous avons failli vous proposer une variation sur le thème du fameux steak local, mais cela nous a paru trop proche de nos propres spécialités. À la place, nous avons fait mijoter une pièce de bœuf dans une sauce aux herbes et au vin jusqu'à ce qu'elle s'effiloche et fonde en bouche. Le tout est surmonté d'un œuf bio et de sa sauce au beurre brun.

Il s'avança et déposa précautionneusement devant chacun des juges un petit ramequin ovale. Devant Kane frémissait un jaune d'œuf parfait, moucheté de fines herbes et de gouttelettes de beurre brun. Une pellicule recouvrait d'un voile blanc le globe orangé et, quand Kane y plongea sa fourchette, il se brisa et se répandit sur le blanc comme un torrent dévalant une colline. Kane écarta l'œuf délicatement pour inspecter la viande de bœuf. Elle ne payait pas de mine mais, quand il en porta une fourchetée à sa bouche, il dut se contrôler pour ne pas gémir de bonheur tel un adolescent découvrant le plaisir.

D'abord, une texture crémeuse envahissait le palais. Le jaune tiède et le beurre blanc formaient un contraste saisissant avec les lambeaux de viande tendre et détrempée. Plus il mangeait, plus l'œuf se mélangeait au bœuf, créant une sauce épaisse ; le beurre apportait une note de noix, l'œuf donnait au tout une texture irrésistible et il y avait un autre ingrédient, plus surprenant. Des câpres peut-être ? De manière générale, Kane s'était rarement autant régalé.

Heureusement qu'il n'avait plus besoin de se garder de la place pour la suite, songea-t-il en contemplant tristement son ramequin vide. Si seulement il avait eu un peu de pain pour éponger les restes d'œuf et de sauce au vin qui y adhéraient encore !

— Je n'aurais jamais pensé à servir du vin rouge au petit déjeuner, observa-t-il. Le brunch au champagne, je veux bien, mais un vin plein de corps ?

— Pour moi, dit le chef, quelle que soit la question, le vin rouge est la réponse.

Kane se fendit d'un sourire. Visiblement, le candidat lui avait pardonné d'avoir fait de l'œil à sa chérie.

— À moins que la bonne réponse ne soit une déclinaison sur le bœuf et les œufs. Miam ! dit le rockeur.

— Intéressant, en effet, confirma Theo de l'autre bout de la table.

Sa voix modulée, raffinée, légèrement amusée, lui ressemblait trait pour trait.

— Avec ses notes de cabernet, ce plat m'évoque les œufs en meurette.

Claire se tourna face à Theo, une rarissime lueur d'approbation dans le regard.

Kane, lui, chuchota à Eva :

— Les quoi ?

— Ce sont des œufs pochés au vin rouge avec sauce demi-glace, répondit Eva sur le même ton.

Kane aurait dû le savoir. Il se sentait complètement inculte.

— La suite, s'il vous plaît, dit Claire en reposant sa cuiller à côté de son ramequin encore à moitié plein.

Kane envisagea un instant d'intervertir leurs assiettes subrepticement pour finir ses restes. Mais déjà le grand cuistot au catogan et à la mâchoire virile leur apportait le plat suivant.

À en juger par sa taille, il s'agissait de l'entrée. Des petites rondelles de saucisse à la chair dorée et à la peau croustillante s'empilaient sur un lit de verdure. Des giclées rouges décoraient l'assiette comme autant de traits de pinceaux.

— Saucisse de la mer sur lit de scarole sautée aux noix et vinaigrette au vin rouge, annonça le colosse. Sur l'assiette, réduction de vin rouge.

— Ah, de la saucisse, l'une de mes spécialités régionales préférées ! Vous l'avez farcie vous-même ? demanda Theo Jansen.

L'autre opina, les mains croisées dans le dos, aussi grave que s'il était en train de se faire interroger par la police.

Kane, pour sa part, avait déjà attaqué.

Et il n'en revenait pas.

Il baissa les yeux vers sa fourchette, cherchant une explication au phénomène qui se produisait dans sa bouche. La saucisse était charnue, savoureuse et cependant raffinée, avec un bon goût d'océan. Il n'avait jamais rien goûté de semblable. Le chou était croquant à souhait et, toutes les deux ou trois bouchées, Kane tombait sur une saveur douce et acidulée. Des baies ? Des raisins secs ? Quel que soit cet ingrédient, il complémentait divinement le parfum riche et huileux des noix grillées.

Il enfourcha une nouvelle rondelle et l'imprégna de sauce. Le vin rouge avait été réduit jusqu'à former un sirop épais au goût proche du vinaigre. Il réveillait les papilles et faisait ressortir les flaveurs marines.

De son côté de la table, Eva repoussa son assiette. Elle y avait à peine touché. Kane fronça les sourcils. Comme Eva ne votait pas pour départager les candidats, elle n'était pas tenue de goûter consciencieusement son plat. Mais gâcher pareille merveille ? Cela confinait au sacrilège.

Les autres juges avaient presque terminé leur assiette, aussi Kane reprit-il d'assaut la sienne. Pas question d'être à la traîne, juste parce que c'était tellement bon qu'il menaçait de tomber en pâmoison !

Il se força à laisser quelques miettes dans son assiette et leva des yeux pleins d'étoiles vers l'équipe de la Côte Est : qu'allait-elle sortir de son chapeau, à présent ?

L'équipe était douée. Mais celles de la Côte Ouest et du Midwest avaient brillé, elles aussi, avant d'achopper sur le dessert.

Les deux derniers cuisiniers entrèrent. Un petit Black tout en muscles et en taches de rousseur aux yeux d'un vert perçant, et un type qui ressemblait au premier cuisinier : mêmes yeux bleu-gris, même fossette au menton, mêmes cheveux châtain.

Toutefois, contrairement au premier cuisinier, celui-ci ne souriait pas. Il restait de marbre, aussi grave que le poissonnier. Ce fut seulement lorsqu'il passa en revue le jury attablé devant lui que son expression changea le temps d'un éclair. Au même instant, à la droite de Kane, le genou d'Eva cessa de tressauter comme si quelqu'un venait de couper le courant.

Il devait s'agir du pâtissier qu'elle avait mentionné. Kane le jaugea du regard. Ses coéquipiers venaient de se distinguer ; Kane espérait qu'il se montrerait à la hauteur.

Le pâtissier se redressa comme pour affronter un peloton d'exécution : il savait qu'on l'attendait au tournant. Il ne s'agissait pas de se planter.

Tout allait se jouer sur le dessert.

Eva n'avait jamais éprouvé autant de difficultés à engloutir des plats gastronomiques. Pourtant, elle mangeait dans des trois étoiles depuis qu'elle était passée à une alimentation solide !

Elle avait la gorge et l'estomac noués, si bien qu'elle ne parvenait pas à savourer les aliments qu'on lui servait. Et cela n'en finissait pas.

Au moins, son équipe, celle du *Limestone*, ne s'était pas ridiculisée. Ce qui était à la fois une bonne et une mauvaise chose. Pour l'image du groupe Jansen, il y avait tout lieu de se réjouir. Mais pour le bon déroulement du concours… Eva se méfiait toujours de Ryan Larousse et de son penchant pour la provocation.

Dans la tête d'Eva, tout se bousculait : des raisons de ne pas trahir l'esprit de La Toque d'Or, des inquiétudes au sujet de Cheney, des arguments pour le convaincre de rester filmer l'émission... Et aussi des excuses qu'elle hésitait à présenter à Danny.

Elle ne lui devait rien, certes. Et d'ailleurs, il se fichait sans doute d'elle comme d'une guigne, maintenant qu'il avait pris son pied, que le « moment sympa » était passé. Alors pourquoi regrettait-elle d'avoir exclu toute possibilité de renouveler l'expérience ?

Quand l'équipe de New York avait fait son entrée, Eva s'était tout de suite sentie aux abois. Elle avait lancé à son père un regard à la dérobée – après tout, il avait déjà rencontré l'un des candidats, à moitié nu et tout ébouriffé. Cependant, à sa vue, Theo s'était contenté d'écarquiller très légèrement les yeux. Il avait accueilli l'équipe comme toutes les précédentes, avec le regard fixe et solennel d'un prêtre.

Lui qui d'ordinaire ne ratait pas une occasion de lorgner les jolies filles (Eva avait redouté qu'il ne s'entiche de la douce Skye Gladwell, créant toute sorte de « bon matos » pour Cheney), il se tenait à carreau. Lui qui pouvait rarement s'empêcher de batifoler en cuisine se contentait d'échanger les dernières nouvelles avec Claire, mettant ce pauvre Kane à la torture.

Mais ce n'était pas le moment de s'attarder sur cet étrange triangle amoureux. Pour le moment, la boîte à stress d'Eva (en d'autres termes, son cerveau) était pleine à craquer. Dans l'immédiat, seule une chose importait : le dernier plat de l'épreuve du jour.

— Je me présente, Danny Lunden, dit-il en s'avançant d'un pas décidé.

On ne se serait jamais douté que, le matin même, il quittait la suite d'Eva la queue entre les jambes, comme son premier petit copain les soirs où son père rentrait plus tôt que prévu d'une virée nocturne.

D'un mouvement souple du poignet, Danny déposa devant chacun des juges une assiette.

Eva essayait de capter son regard pour lui envoyer un message, un signal, n'importe quoi, mais il ne s'attarda pas devant elle ; il retourna sans attendre se poster face à ses juges.

Les yeux d'Eva la picotaient. Pour cacher son trouble, elle les posa sur son dessert. Sur son assiette de porcelaine ronde trônait un gâteau à l'ovale parfait, décoré en tout et pour tout de deux brins de thyms croisés. Le gâteau lui-même se composait d'une superposition de couches si fines qu'on distinguait à peine la garniture crémeuse rouge et or.

— Ah, fit Claire avec satisfaction. Un gâteau de crêpes !

Eva leva vivement le nez, juste à temps pour surprendre le sourire fugace qui jouait sur les lèvres de Danny. Une douce chaleur l'envahit.

— Je l'ai rebaptisé « Pile de pancakes à la française ». Cette recette m'a été inspirée par la puissance évocatrice du souvenir. J'ai puisé dans la beauté du passé pour créer une source de nostalgie future. J'espère que cela vous plaira.

Il ne l'avait pas quittée des yeux en prononçant ces mots et Eva en oubliait de respirer.

Sa main tremblait et sa fourchette heurta son assiette ; son fracas rompit le silence religieux propre aux consommateurs conquis.

Il a fait ça pour moi, pensait-elle en boucle.

Ce qui signifiait... quoi, au juste ?

Elle aurait été bien incapable de le deviner. Puis sa fourchette traversa les couches tendres du gâteau, elle le goûta, et elle ne pensa plus à rien : ses papilles gustatives étaient en état de choc.

Toutes les saveurs de l'automne éclataient sous son palais. Il y avait des prunes, leur goût sucré sublimé par le croustillant du sucre brun caramélisé. La texture onctueuse de la crème pâtissière mettait le fruit en valeur et une note fraîche et herbacée complétait le trio en lui conférant une complexité festive.

En baissant les yeux pour se resservir, elle écarta les brins de thym décoratifs : voilà donc d'où provenait cette troisième voix. Quant aux pancakes à la française à proprement parler… Eva soupira, enchantée par leur légèreté et leur élasticité qui donnaient corps et caractère à la garniture du gâteau.

Quand il trouvait le temps de passer un tablier, le père d'Eva cuisinait plutôt bien et elle chérissait le souvenir des petits déjeuners qu'il lui avait mitonnés. Mais jamais il n'avait réussi chef-d'œuvre de cet acabit. Ce plat comblait son corps et son âme à la fois et l'avait rendue accro en une seule bouchée !

Perturbé par le silence qui pesait sur la pièce, Winslow prit la parole. Il trépignait littéralement, perché sur la pointe de ses baskets.

— Pas de commentaires ? C'est bon signe, c'est que vous êtes tous trop occupés à vous régaler. Un point pour nous !

Les juges lui décochèrent un regard et l'air réjoui du cuistot disparut encore plus vite que le dessert de Danny.

— Euh, façon de parler ! Je n'essayais pas de vous influencer dans votre processus de notation ! Peut-être bien qu'on va remporter le point, et peut-être bien que non…

— Peut-être bien que tu devrais la fermer, suggéra Danny en lui plaquant la main sur la bouche.

Et il ajouta à l'attention du jury abasourdi :

— C'était la dernière pièce de notre menu.

Son regard se posa sur Eva. Il la contemplait avec tant de douceur et de vulnérabilité qu'elle dut enrouler ses chevilles autour du pied de la table pour se retenir de lui sauter dessus.

— J'espère que ça vous a plu, conclut Danny, et Eva sut qu'en cet instant il s'adressait à elle et à elle seule.

L'équipe quitta la salle en file indienne sous les yeux attendris d'Eva.

Danny Lunden... Il ne ressemblait à personne. Il était presque trop beau pour être vrai. Taillé pour donner du plaisir, excellent pâtissier, capable d'écouter lorsqu'une femme se confiait et même capable de la réconforter...

— Ce dessert m'a stupéfié, déclara son père, qu'elle n'avait pas vu aussi emballé de toute la journée. Il se trouve que j'adore les crêpes. C'est l'une de mes recettes préférées. Tu te souviens, Eva ? L'odeur de la pâte suffit à me rendre nostalgique.

Il poussa un soupir heureux et le cœur d'Eva dégringola dans sa poitrine comme une brique lâchée du haut de l'Empire State Building.

Oui, Danny l'avait écoutée lorsqu'elle s'était confiée à lui. Et il n'avait pas hésité une seule seconde à utiliser une information intime, d'ordre privé, pour manipuler les sentiments d'un des trois juges dont dépendait le sort de son équipe.

Elle reposa sa fourchette en veillant à ne pas heurter son assiette ; ses doigts s'étaient remis à trembler.

Non. Il n'aurait jamais fait une chose pareille.

Mais pourquoi pas ?

Eva s'était toujours targuée d'être lucide. Or il s'agissait d'un concours. Danny n'était pas là pour se faire des amis, mais pour gagner. Comme n'importe quel candidat d'émission de téléréalité. Et il connaissait la passion de son père, le nouveau juge, pour les « pancakes à la française ».

Eva s'efforça d'analyser la situation comme l'aurait fait son père : avec une objectivité clinique et dépourvue d'émotion. Ainsi, elle parvint à une conclusion logique, sans se laisser influencer par des éléments sans pertinence, comme le souvenir de la peau de Danny contre la sienne ou encore sa façon, durant leurs étreintes, de la regarder, de la forcer à quitter le domaine des sensations physiques pures pour se confronter à ses émotions...

Stop ! se rabroua-t-elle en contrôlant implacablement sa respiration.

Claire tendait son assiette vide à un serveur et sortait son calepin pour étudier son barème de notation.

Il était temps de se consacrer aux plats et d'oublier le reste. Eva allait attendre que le jury rende son verdict et, après seulement, elle aurait avec Danny Lunden une petite conversation.

21

— Je n'en peux plus ! gémit Jo en faisant les cent pas dans la cuisine.

Elle piétinait de long en large en se tordant les doigts devant le poste de travail de son équipe.

— Cette attente me rend dingue ! Ils ne peuvent pas nous dire simplement ce qui leur a plu et déplu, qu'on soit fixés ?

— Du calme, respire profondément, lui conseilla Max, assis par terre dans la position du lotus.

Chaque fois que Jo parvenait au bout de la bande de caoutchouc qu'elle usait de ses va-et-vient, elle devait pivoter abruptement pour ne pas écrabouiller son petit ami.

— Ne t'avise pas de m'apprendre à respirer, grommela-t-elle. En plus, tu n'es pas du tout aussi zen que tu voudrais le prétendre.

Jo n'avait jamais beaucoup aimé qu'on la réconforte. Danny se rappelait que, petite fille, elle débarquait parfois à l'improviste chez lui, blanche comme un linge, vibrant de fureur à cause du dernier coup tordu de sa mère négligente et volage. Mais il avait appris très tôt que Jo n'était pas une fille comme les autres. Elle ne pleurait jamais, détestait les câlins et, surtout, elle n'avait pas envie d'en parler.

Ainsi, quand Max s'arracha à sa méditation et l'immobilisa, nouant autour d'elle ses longs bras, Danny s'attendait à la voir le tailler en pièces.

Au lieu de quoi, elle se lova contre lui et se laissa aller, comme si elle savait qu'il la soutiendrait. Comme si les bras de Max incarnaient la quintessence de la sécurité.

Gêné, Danny détourna le regard pour leur ménager un peu d'intimité. Les autres équipes avaient déjà nettoyé leurs postes et regagné leurs chambres avant qu'ils aient fini, eux, leur présentation, aussi le couple n'était-il pas trop exposé. À l'exception de quelques membres de l'équipe d'*Au plaisir des sens*, la cuisine était vide.

Beck lui aussi avait déserté. Il était parti se doucher. Il en avait grand besoin, ayant manipulé des fruits de mer toute la matinée. Et Winslow, avec force clins d'œil et haussements de sourcils suggestifs, avait filé rejoindre Drew, le petit brun noueux qui assistait Eva et avec qui il fricotait.

Cette relation leur avait déjà valu quelques scoops : Drew connaissait avant tout le monde tous les ragots de La Toque d'Or. Aussi Danny espérait-il que cette source d'informations inestimable mangeait réellement dans la main de Winslow, ainsi que ce dernier l'affirmait. La relation de Win et Drew pourrait s'avérer être un atout précieux. Elle pouvait entre autres leur apprendre en avant-première la décision des juges. Toute information à ce sujet était bonne à prendre. D'après ce que Danny avait pu constater, Winslow était du genre à rester en bons termes avec ses anciennes conquêtes ; il était donc confiant.

L'incriminant portable pesait lourdement dans sa poche. Les téléphones étaient interdits par le règlement, or celui-ci constituait une ligne directe avec l'information qu'il convoitait tant. Il lui suffirait d'envoyer un SMS à Eva… Peut-être qu'en la suppliant de lui donner un indice sur le déroulement des délibérations…

Danny repoussa la tentation et sortit ses doigts de sa poche avant qu'ils ne se referment sur l'appareil.

Quelle mouche le piquait ? Il n'était du genre ni à supplier ni à implorer, et encore moins à paniquer. Il était la patience incarnée. Il ne perdait jamais son sang-froid. C'était lui qui assurait la cohésion du groupe.

Alors pourquoi perdait-il les pédales ?

La réponse tenait en un mot.

Eva.

Il ne savait plus sur quel pied danser avec elle. Il ignorait même ce dont il avait envie. Une seule chose était certaine : il ne voulait pas la laisser filer.

Sauf qu'elle ne lui en laissait pas le choix.

Il n'était pas prêt à ce que l'aventure se termine. Il n'était pas prêt à rentrer à la maison !

Cette pensée le décontenança. S'il s'attendait à ça ! Lui qui ne jurait que par le confort de son foyer, la compagnie de ses parents et la sécurité de sa vie toute tracée par leurs soins ! Pourquoi avait-il soudain la conviction que, s'il rentrait à présent, il aurait l'impression de regagner sa cellule de prison après un unique après-midi passé au soleil, à l'air libre ?

— Ce qui doit arriver arrivera, dit Max, et cela parut apaiser Jo.

Mais Danny, lui, vit rouge.

— Conneries ! s'écria-t-il avec une violence qui l'étonna lui-même.

— Danny ! s'offusqua Jo.

Danny leva le menton :

— Quoi ? Je suis le seul ici à ne pas avoir le droit de jurer comme un charretier ?

— Jure autant que tu veux, bredouilla Jo en interrogeant Max du regard comme s'il détenait la clé de la crise de son frère. C'est juste que tu t'exprimes rarement de façon aussi… crue. Voilà tout.

Elle avait raison, mais Danny s'offusqua.

— Ah, oui ? Ce n'est pas parce que je ne fais pas profiter la terre entière de chacune de mes opinions que je n'en ai pas !

— Personne n'en doute, dit Max. On s'étonne seulement de te voir les défendre avec autant de virulence. Ça ne te ressemble pas.

Danny serra les dents. Pour qui le prenaient-ils, tous les deux ? Pour un paillasson ? Produisait-il vraiment cette impression ? Et Eva, le percevait-elle ainsi, elle aussi ? Cela expliquerait qu'elle ne l'ait pas présenté à son père. Et qu'elle ait été si pressée de s'en débarrasser une fois le jour levé.

En voyant Max et Jo côte à côte, l'un contre l'autre, si confiants et intimes, un raz-de-marée de jalousie s'abattit sur lui et le laissa un instant sans voix.

Il en avait par-dessus la tête de se maîtriser pour les autres. Peut-être le moment était-il venu pour lui de prendre des risques, de miser gros, de jouer le tout pour le tout.

— Mettez-vous à ma place, dit-il tandis que sa main retrouvait toute seule le chemin de son téléphone, dans la poche de son jean. Si on a raté l'épreuve et qu'on doit repartir pour New York, il vous reste votre couple. Le restau, des projets d'avenir. Vous savez ce que vous voulez.

— Toi aussi, tu as le restau, lui rappela Jo en ouvrant ronds ses yeux noisette. Et toi aussi, tu sais ce que tu veux : tu es le type le plus stable que je connaisse !

— Eh bien, les choses ont changé.

« Moi, j'ai changé ! »

— Cette aventure me tient à cœur et je ne suis pas prêt à jeter l'éponge, contrairement à vous.

Les amoureux échangèrent un nouveau regard complice, achevant d'exaspérer Danny.

— Danny, on ne jette pas l'éponge, dit Max de son ton de grand frère impatient.

Jo fronça les sourcils à son attention, et il se radoucit :

230

— Mais dans l'immédiat, on ne peut rien faire. Les dés sont jetés. On a fait de notre mieux ; notre sort est entre les mains du jury à présent. Il faut bien se résoudre à attendre le verdict et à l'accepter.

— J'ai un ton aussi irritant quand je rassure les gens ? s'horrifia Danny en secouant la tête. On dirait un psy au rabais !

— À vrai dire, toi, tu fais plutôt maître d'école, lui rétorqua son frère. Et tu n'as pas à condamner notre façon de gérer le stress. On n'est pas des gosses, Daniel.

Jo plaça une main sur le torse de Max afin de le calmer.

— Ce que Max essaie de te dire, c'est que tu n'es pas obligé de toujours t'occuper de nous. On peut te renvoyer l'ascenseur de temps en temps.

Danny renâcla pour camoufler l'angoisse qui menaçait d'érailler sa voix.

— Me renvoyer l'ascenseur, laisse-moi rire ! Ce n'est franchement pas la spécialité de la famille.

— Elle est très bien, notre famille, murmura Max, perplexe.

Cette remarque frappa Danny comme un coup de poêle à frire entre les yeux : ni Max ni Jo n'avaient aucune idée du boulot que c'était de colmater seul et à mains nues les brèches d'une famille si fragile qu'elle risquait de s'effondrer au moindre impair, au moindre mot de travers.

— Qu'est-ce que tu en sais ? rugit Danny d'une voix rauque et méconnaissable. Tu n'étais pas là ! Tu as disparu de la circulation pendant cinq ans ! Pendant que tu ouvrais tes chakras en Asie, tu n'as aucune idée de ce qu'on a traversé en ton absence !

De ce qu'il avait traversé, lui, dans cette maison triste, ses parents presque en deuil de leur aîné, à se demander jour après jour où il était, à prier pour qu'il leur revienne. Parce que lui, Danny, ne leur suffisait pas.

Et voilà, Max grimaçait, assailli par la culpabilité. C'était trop facile. Danny s'en voulait presque.

— Pardon, Danny, dit Max avec un haussement d'épaules impuissant. Qu'est-ce que tu veux que je te dise ?

Max s'était déjà excusé et Danny le savait sincère. Il regrettait, il n'avait jamais voulu blesser personne, etc. Mais le mal était fait. Et, comme toujours, c'était Danny qui avait dû recoller les morceaux. Furieux mais accoutumé à son rôle de pacificateur, Danny hésitait : fallait-il arrondir les angles, ou dire à son frère où il pouvait se les carrer, ses excuses ?

Il n'hésita pas longtemps : son téléphone se mit à vibrer. Il sursauta.

C'était Eva.

Le cœur tonnant dans sa poitrine, il décrocha, non sans s'être détourné du jeune couple.

— Il faut qu'on se voie, déclara-t-elle.

Sans ambages et d'un ton impossible à décrypter. L'estomac de Danny se contracta.

Savait-elle s'ils avaient réussi l'épreuve ? Ou bien avait-elle une mauvaise nouvelle à lui annoncer ? Instinctivement, Danny baissa la voix et adopta un ton neutre afin de ne pas alarmer Max et Jo.

— D'accord. Où et quand ?

— Tu peux venir dans ma suite ? J'y serai dans cinq minutes.

Danny accepta et raccrocha tandis que défilaient dans son esprit survolté des dizaines de possibilités. Dont l'une, sa préférée : Eva se consumait de désir pour lui et le convoquait dans sa suite en pleine journée pour l'accueillir vêtue en tout et pour tout d'un chaleureux sourire.

Hélas, c'était peu vraisemblable, et Danny chassa ce fantasme. Pour le moment du moins ; il y reviendrait peut-être plus tard. De préférence à un moment où son frère et sa meilleure amie ne le dévisageraient pas avec autant de curiosité.

— Qu'est-ce qui se passe ?

Danny devait les protéger de la nouvelle qu'Eva avait à lui annoncer. Aussi répondit-il :

— Rien, Beck a besoin que je lui file un coup de main avec quelque chose. Je vais le rejoindre à la réception. Appelez-moi quand vous aurez les résultats.

— OK, dit Jo en promenant son regard inquiet entre les deux frères. On te tiendra au courant si Winslow a du nouveau.

— Hé ! lui lança encore Max au moment où Danny poussait les portes de la cuisine. T'es pas fâché ?

Danny lutta un instant pour ravaler toutes les choses qu'il avait encore sur le cœur et toutes les émotions qu'il s'efforçait de refouler, et répondit :

— Non, t'inquiète. Tout va bien.

Les tensions familiales n'avaient pas leur pareil pour lui donner la migraine. Sans doute parce que, pour retenir le flot d'injures qu'il mourait d'envie de prononcer, il devait serrer très fort les mâchoires.

Il s'assura que son portable captait toujours et, après une seconde d'hésitation, sélectionna dans son répertoire le numéro de ses parents.

— Allô ? répondit une voix bourrue.

— Salut, papa.

— Danny ! J'attendais votre appel, de toi ou ton frère. Alors, ça se passe comment ?

« De toi ou ton frère… » Comme si Max allait prendre la peine d'appeler ses parents pour leur donner des nouvelles ! Danny réprima un ricanement méprisant.

— La première épreuve est terminée, le jury s'est retiré pour délibérer. Ton cœur, ça va ?

— Oui, oui, fit Gus Lunden, impatient. Je suis en pleine forme.

— Tu n'as pas de douleurs, ni le souffle court ? Et tu obéis sagement quand maman te dit de prendre tes médicaments ?

— Ta mère s'occupe de moi, tu peux me croire ! râla Gus. Je n'ai plus droit qu'aux flocons d'avoine, au pamplemousse et au cœur de romaine ! Elle m'interdit même de mettre des lardons et des œufs pochés dans ma salade ! C'est une conspiration. Mais raconte-moi plutôt ce que je suis en train de rater. Une première équipe va être éliminée, c'est bien cela ?

— Oui. Ce soir, une équipe repartira chez elle.

Et si c'était la sienne ? La panique affluait de nouveau mais Danny l'écrasa.

— Tu n'es pas inquiet, j'espère ? Bon !

Danny voyait d'ici son père en train de se frotter les mains, la mine réjouie.

— Formidable, conclut-il. La concurrence va commencer à se restreindre ! Alors, vous vous en êtes bien tirés ?

Danny resta prudent :

— Difficile à dire. On a présenté de bons plats, mais tout dépendra du niveau des autres candidats.

— Vous êtes les meilleurs, décréta Gus. Je n'en doute pas une seule seconde.

Danny sourit.

— Merci, papa.

— Et tes gaufres ? Elles étaient réussies ?

— Changement de programme : j'ai fait un gâteau de crêpes à la place. On a frôlé la catastrophe mais, au final, Win et moi, on a rattrapé le coup. Il n'était pas tout à fait assez frais, mais il a tenu au moment de la découpe, et il était savoureux.

Danny fronça les sourcils en songeant à tout ce qu'il aurait pu faire mieux ou autrement mais Gus l'arracha à cette triste réflexion.

— Je parie qu'il était parfait. Tu n'as jamais laissé l'équipe en plan, fiston. Tu n'es pas comme ça.

Gus toussa : les émotions, ce n'était pas son truc. Il se renfrogna et ajouta :

— On peut toujours compter sur toi. Tu nous l'as assez prouvé.

— Merci, marmonna Danny en se frottant le sternum.

Il avait l'impression qu'on venait de lui enfoncer dans la cage thoracique un sac de farine de cinq kilos. Du coup, il peinait un peu à respirer. Ensuite, sa mère prit le combiné et il lui fallut tout recommencer depuis le début.

Enfin, il rempocha son portable et monta en ascenseur jusqu'au dernier étage. Il frappa à la porte d'Eva. Elle lui ouvrit – malheureusement tout habillée. Mais Danny se remit de sa déception : il faisait si bon la voir de près et plonger son regard dans ses yeux gris charbonneux !

En dépit de tout, des distances qu'ils étaient obligés de respecter, de la brutalité avec laquelle elle l'avait congédié devant son père ce matin même, Danny fondit. Sa seule vue suffisait à lui redonner le sourire.

Mais elle ouvrit la bouche et sa voix glaciale le figea d'effroi.

— Entrez, monsieur le pâtissier. Mais laisse tes micros à la porte. Tu perdrais ton temps : je n'ai pas l'intention de te dévoiler de nouveaux secrets. Pour que tu manipules encore mon père ? Pas question !

Qu'est-ce qu'elle lui chantait ?!

22

Laissant la porte ouverte, Eva tourna les talons et piqua sur le bar dans le coin du salon. Elle avait envie d'un verre de bourbon, mais ses mains tremblaient déjà, sans doute ferait-elle mieux de s'abstenir. D'un autre côté, l'alcool n'avait-il pas un effet apaisant ? Peut-être qu'un verre l'aiderait à calmer ses nerfs et son esprit. Ne serait-ce qu'un instant.

Juste le temps de reprendre son souffle.

— Eva, qu'est-ce qu'il se passe ?

Au son de la voix tendue de Danny, elle tressaillit et tourna le dos au bar.

Face à lui, les bras noués autour du ventre pour contenir ses soubresauts de fureur, elle lui cracha :

— Je t'ai fait venir parce que tu me dois une explication, dit-elle, et l'effort qu'elle dut fournir pour conserver un ton neutre acheva de l'épuiser. Mais, maintenant que tu es là, je ne supporte même pas de te regarder. Comment as-tu osé, Danny ?

Danny se rembrunit et tendit les mains.

— Minute. Je suis accusé de quoi, au juste ?

— Ton gâteau de crêpes, siffla Eva.

Elle n'avait plus le cœur de prononcer devant lui l'expression « pancakes à la française » ; elle se sentait trop trahie.

— Je t'ai confié un souvenir d'enfance et tu l'as utilisé pour marquer des points auprès du jury !

— Mais pas du tout, jamais de la vie ! protesta Danny en faisant un pas vers elle.

Eva recula et se cogna dans le bar, faisant tinter les bouteilles de verre sur leur étagère. Danny se tint coi. D'une voix plus douce, il reprit :

— Écoute, Eva, je suis désolé que tu l'aies interprété comme ça, mais ce n'était vraiment pas mon intention.

— Ah, non ? Dommage, ça a failli marcher. J'y ai presque cru ! Je n'en revenais pas que tu m'aies écoutée, que tu aies voulu apprendre à me connaître. Que tu aies retenu cette bribe de mon passé, cette anecdote si intime et précieuse que je n'en avais jamais parlé à…

Sa voix se brisa et elle se tut, bouleversée.

Danny refit un pas. Acculée au bar, Eva ne pouvait pas s'échapper.

— Eva. Il faut que tu me croies. Je ne me suis pas servi de toi. Enfin, en un sens, tu m'as inspiré pour ce dessert, c'est vrai. Mais c'est tout. Je n'ai jamais voulu t'embarrasser en dévoilant ton intimité, manipuler les émotions de ton père ou profiter d'une information privilégiée concernant ses goûts alimentaires. J'avais prévu une autre recette mais j'ai dû en changer à la dernière minute et composer avec les ingrédients et le peu de temps qu'il me restait. Cette histoire de crêpes m'est simplement restée dans la tête.

Il ne cessait de se rapprocher, les mains tendues, comme pour dompter un animal effarouché, et le calme auquel Eva aspirait tant se répandit enfin dans son corps tout entier. Quand il se trouva face à elle, ses mains avaient cessé de trembler.

— Alors, susurra-t-il, si proche qu'elle sentit son haleine tiède lui caresser le front, arrête de faire semblant de m'en vouloir et dis-moi ce qui te tracasse pour de vrai.

Les épaules d'Eva se détendirent et elle donna un petit coup de poing dans le large torse de Danny.

— Mais c'est vrai que je t'en veux ! s'écria-t-elle, obstinée. En tout cas, je le croyais. Mince alors, tu es super doué pour réconforter !

— Je parie que je peux faire encore mieux.

Joignant le geste à la parole, il passa un bras musclé derrière sa nuque et la serra contre lui.

Il ne fallait pas qu'Eva cède, elle le savait, il fallait à tout prix se dégager, prendre de la distance, rester pro ! Peine perdue : elle s'abandonna à son étreinte.

Juste une dernière fois, se promit-elle en inspirant son odeur de caramel et de fumée tout en buvant la chaleur de son corps. Elle posa la tête au creux de son épaule.

— Tu sais que je ne suis pas du genre à jouer avec les sentiments, lui parvint, hypnotique, la voix de Danny. Alors, dis-moi. Qu'est-ce qui te met dans cet état ?

Eva agrippa le coton de sa veste blanche.

— Je ne sais pas. Mon père. Le concours. Cooking Channel et ce crétin de producteur. Et…

Elle avala sa salive et écrasa sa bouche contre son épaule pour s'empêcher de le lui dire.

« Tu vas me manquer. »

Elle n'eut pas besoin de prononcer ces mots : Danny les entendit tout de même.

— Je sais, murmura-t-il. Toi aussi.

C'était de la folie. Eva le saisit par les coudes et se libéra. Elle se sentait nue et frigorifiée sans ses bras autour d'elle, mais elle s'y ferait. Il le fallait bien.

— Je suis navrée, dit-elle en secouant la tête. Je n'ai pas toute ma tête. Je n'aurais pas dû t'engueuler ni t'accuser de tricherie. Il faut croire que j'ai fréquenté trop de gens malhonnêtes au cours de ma vie.

— Mais pas ton père, si ?

Appuyé au bar, les bras croisés, Danny haussait un sourcil amusé.

Eva se massa la nuque et pouffa.

— Ma foi, peut-être bien que si ! Il aime tellement obtenir ce qu'il désire que, parfois, la fin justifie les moyens. Tant que ça fonctionne !

Danny grogna, sans approuver ni condamner cette position. La tête légèrement inclinée, il lui dédiait toute son attention et, une fois de plus, Eva en conçut un tel plaisir et une telle soif qu'elle frissonna. Fallait-il vraiment renoncer à cela ? N'y avait-il pas un moyen de tout conserver, le beurre, l'argent du beurre, et le pâtissier ?

Elle se lança.

— Donc, je t'ai fait venir pour de mauvaises raisons. Mais tant que tu es là, je voudrais en profiter pour te dire...

Que, peut-être, une fois le concours terminé, ils pourraient se revoir. Quand tout ceci serait fini...

Danny hocha la tête.

— Je sais. On ne peut pas continuer de se fréquenter, pas si le concours doit être diffusé à la télé. Je comprends, Eva.

Les mots lui collaient encore dans la bouche et Eva dut les ravaler.

— Ouais, fit-elle d'une voix étranglée. Ce genre de relation secrète finit toujours par s'ébruiter. Ça ferait un scandale, toute la crédibilité du concours serait compromise. Je ne peux pas courir ce risque.

Elle eut un petit rire qui ressemblait à un soupir.

— J'ai assez de mal comme ça à prouver à mon père que je suis digne de confiance !

— C'est sûr que ça ferait mauvais genre, l'animatrice qui fricote avec l'un des candidats, acquiesça Danny en se redressant.

— Mon père ne me le pardonnerait jamais.

Elle lui jeta un regard par en dessous, à travers ses longs cils.

— Il m'a dit tout net d'arrêter de te fréquenter.

Les yeux de Danny lancèrent des étincelles bleues et argentées.

— Ah ? fit-il avec dédain.

Eva sentit son cœur se serrer. Elle opina.

— À croire qu'il n'a rien retenu des leçons de mon adolescence. Il devrait se rappeler que je suis irrésistiblement attirée par l'interdit et le danger.

Les traits de Danny perdirent un peu de leur dureté, et sa bouche dessina un sourire triste.

— Et moi, je suis le fruit défendu, c'est ça ?

Elle répondit dans un souffle :

— Le plus défendu d'entre tous.

— Mais je croyais que tu étais du genre à enfreindre les règles ?

— Pas cette fois, dit Eva en nouant de nouveau ses bras autour de sa propre taille. Il y a trop en jeu.

Oui, Danny lui était défendu. Du moins tant que son équipe n'aurait pas été éliminée. Eva se passa la langue sur les lèvres. Elle avait la gorge sèche.

Jamais encore elle ne s'était projetée dans l'avenir sur le plan sentimental. Jamais elle n'avait souhaité passer plus de temps avec un homme. Son cœur lui battait aux tempes et, entre elle et Danny, le silence s'étira. Plein de possibilités. Puis elles se volatilisèrent.

Une ombre passa dans les yeux de Danny et son sourire s'évanouit.

— En ce cas, je ferais mieux d'y aller. Je ne voudrais pas risquer de recroiser ton père.

Elle avait laissé passer sa chance. Il partait. Il le fallait, Eva le savait. Mais en le voyant s'éloigner en direction de la porte, elle craqua.

— Attends !

Danny fit volte-face. Son expression était si délibérément neutre qu'elle sut qu'il contrôlait une émotion intense, explosive.

— Quoi ?

Elle chercha aussi vite que possible un prétexte pour le retenir quelques secondes de plus.

— Tu ne veux pas connaître le verdict des juges ?

Une lueur d'intérêt embrasa son regard, mais il se maîtrisa.

— Ce serait m'accorder un traitement de faveur, dit-il gentiment. En plus, je ne saurais jamais feindre la surprise lorsque tu annonceras officiellement les résultats devant tout le monde. Je suis un piètre comédien.

— Ça, j'en doute ! dit Eva.

Dégainant son sourire le plus séducteur, elle poursuivit :

— Après tout, tu es presque crédible quand tu essaies de me faire croire que tu as l'intention de partir et ne plus jamais poser la main sur moi.

Il se dérida un peu, comme s'il essayait de réprimer un sourire.

— C'est peut-être le cas.

— Je n'y crois pas une seule seconde. Tu sais pourquoi ?

Elle s'avança vers lui, pas à pas, en accentuant un peu son déhanché. Elle n'était peut-être pas très douée pour exprimer ses sentiments, mais elle n'avait pas son pareil pour faire monter le désir.

— Parce que je meurs d'envie que tu me touches, susurra-t-elle. Alors tu ne peux pas me rester indifférent.

Elle le fixa sans ciller. Il parvint à murmurer :

— Eva. Ne fais pas ça.

— Quoi ? souffla-t-elle en tendant la main vers les boutons de sa veste. Tu voudrais m'interdire d'enfreindre mes propres règles ? Je sais que c'est ce qui te plaît chez moi !

— Il nous reste combien de temps avant l'annonce des résultats ?

Prise de court, Eva balbutia :

— Mon assistant et quelques employés sont en train de rassembler tout le monde en cuisine…

Elle consulta sa montre.

— On y est attendus dans vingt-quatre minutes.

— C'est peu, grogna Danny, mais on fera avec.

Il l'attrapa par la taille et l'attira à lui. Ses mains étaient brûlantes à travers sa robe et Eva ne put refréner un cri. Heureusement, Danny l'étouffa en plaquant sur ses lèvres un baiser passionné.

— Une dernière fois, pantela-t-elle.

Ses genoux ployèrent et Danny la retint tandis qu'ils culbutaient ensemble sur la moquette épaisse. Il releva la tête pour la regarder et elle savoura la sensation de son corps ferme contre le sien. Puis il se baissa pour lui caresser le cou et dit :

— On enfreint encore une toute petite règle, et après on sera sages.

— Oui, très sages, promit-elle en se cambrant pour lui offrir sa peau.

Les lèvres de Danny se posèrent sur ce point derrière son oreille qui la transportait toujours de plaisir, et Eva s'arc-bouta, le cœur battant.

Parviendrait-elle à tenir cette promesse ?

Eva Jansen ne vivait-elle pas pour enfreindre les règles ?

23

Il s'avéra qu'Eva s'inquiétait pour rien. Sa volonté, ferme ou défaillante, ne jouerait pas un rôle crucial dans la suite des événements. Car tout était sur le point de changer de manière radicale.

Elle dirigeait toujours le concours. En d'autres termes, il lui incombait à elle de prendre les décisions et de gérer les imprévus relatifs à l'emploi du temps des candidats, la préparation logistique des épreuves, l'approvisionnement, le nettoyage des cuisines, etc.

Il lui appartenait aussi de congédier les perdants. Une tâche pénible. Eva en avait eu un avant-goût pendant les épreuves qualificatives. Elle détestait devoir annihiler les espoirs d'une équipe de cuisiniers qui avait tout donné. En tant qu'organisatrice et animatrice, c'était toujours à elle que revenait cette mission, mais cela n'avait jamais été facile. Pas une fois.

Sous l'œil noir d'une caméra déterminée à amplifier tout drame, toute souffrance, c'était mille fois pire.

Ainsi, cet après-midi-là, suite à vingt minutes de sexe torride, urgent et intensément satisfaisant, Eva avait pris congé de son amant, s'était refait une beauté en catastrophe et précipitée dans la cuisine où l'attendaient juges et candidats.

La tête haute, elle avait tâché d'oublier qu'elle venait de s'ébattre à même le sol avec le pâtissier canon de l'équipe new-yorkaise. Ce qui aurait été nettement plus facile si ledit pâtissier ne l'avait pas dévorée du regard. Eva avait donc reporté le sien sur les autres candidats, notant leurs mines pleines d'espoir, de peur et de cette terrible incertitude. Le malaise l'avait gagnée.

« Je vais devoir briser leur rêve. »

Et l'impitoyable Cheney filmerait leur réaction derrière son maudit objectif afin de capter l'attention des zappeurs tombés par hasard sur Cooking Channel.

Eva cherchait ses mots. Quand donc sa vie était-elle devenue aussi compliquée et ingérable sur le plan émotionnel ? Quel fléau… !

Lors des délibérations, les juges s'étaient montrés unanimes. Kane, Claire et Theo avaient à peine débattu avant de désigner un perdant. Cela se corserait à mesure que le concours progresserait et que la course au titre suprême se resserrerait.

Mais aucune élimination ne pouvait être plus difficile à annoncer que celle-là.

— La décision n'a pas été facile, mentit Eva, les mains dans le dos pour préserver l'illusion de calme qu'elle projetait. Bien sûr, c'est très dur d'être la première équipe à devoir rentrer chez soi mais, hélas, il faut bien un perdant…

Une vague de tension traversa la salle comme une décharge électrique.

— Après de longues délibérations, les juges, éblouis par de nombreux plats, ont décidé que les équipes du Midwest, du Sud, de la Côte Ouest et de la Côte Est méritaient de disputer l'épreuve suivante.

Un silence ébahi accueillit son annonce, puis le tumulte éclata, et la cuisine s'emplit d'exclamations et de cris de joie.

Tandis qu'on se tapait dans le dos et qu'on se félicitait, Paulina Santiago et ses collègues regagnaient silencieusement leur table pour remballer leur attirail. Eva n'avait aucune envie de voir leurs dos voûtés, leurs visages déconfits, leurs tristes accolades… Mais elle se força à les regarder. Ils ne méritaient pas qu'on les oublie instantanément, après cette dernière étape vers un rêve qu'elle venait de contribuer à briser.

Kane et Claire congratulaient les équipes qui restaient en lice, firent leurs adieux aux perdants puis se retirèrent.

Sans doute pour prendre du bon temps ensemble, les veinards. Les juges avaient le droit de s'envoyer en l'air entre eux, tout le monde s'en contrefichait !

Eva, pour sa part, allait au-devant de longues nuits de travail. Convoquant Drew, son assistant, elle se mit sans attendre à organiser le rapatriement de l'équipe éliminée, qui devait regagner le Nouveau-Mexique. Puis elle dressa les plans du réagencement de la cuisine : seules quatre tables restaient nécessaires ; les cuisiniers pourraient bénéficier à l'avenir de plus d'espace. Enfin, il fallait régler la note d'hôtel des candidats sur le départ.

En levant furtivement les yeux, elle vit Cheney qui remballait sa caméra et paniqua.

De l'autre côté de la salle, son père intercepta ce regard et revêtit une expression qu'Eva, ayant passé sa vie entière à tenter de la prévenir, déchiffra immédiatement.

Il fallait qu'elle retienne l'attention de Cheney. Pour le moment, aucun des chefs sollicités pour remplacer Devon Sparks n'avait réussi à se libérer. Que faire pour convaincre Cooking Channel de donner une seconde chance au concours de la Toque d'Or ?

Les candidats victorieux commençaient à se disperser et la rumeur retombait. D'aucuns partaient fêter ça dans un bar en centre-ville, séduits par la perspective de se détendre autour d'un verre ou deux après la pression des derniers jours.

Puis Eva entendit prononcer son nom.

— Je vais proposer à Eva de nous accompagner, disait Ryan Larousse à son voisin.

Eva se figea et se concentra sur la chevelure de jais de Drew, qui, penché au-dessus de son iPad, ne cessait d'allonger sa liste de choses à faire.

— T'es fou, mec, protesta Ike Bryar, le chef de l'équipe du Sud. Et pourquoi pas inviter les flics à une rave ?

— Tu ne piges pas. Pour cette épreuve, il n'y avait pas de gagnant… officiellement. Mais si je la fais picoler un peu, je suis sûr que je pourrai lui tirer des confidences intéressantes. Comme qui les juges ont vraiment préféré, par exemple.

Vu le ton fat du jeune Larousse, il ne faisait pas un pli que l'équipe favorite du jury, c'était la sienne.

— Ah ouais ? Qu'est-ce qui te fait croire une chose pareille ?

La voix provenait de derrière Eva, qui ne pouvait se retourner sans révéler qu'elle épiait la conversation, mais elle n'en avait pas besoin, elle la reconnaissait.

C'était celle de Danny.

Danny, qu'elle avait envie de gifler. Si c'était comme ça qu'il s'y prenait pour cacher leur petite liaison, il avait raison : il était piètre comédien ! D'un autre côté, l'indécrottable princesse en détresse qui sommeillait en elle s'attendrit de le voir prendre sa défense.

D'autant plus que Ryan ricana et murmura sous cape :

— Regarde-la, mec ! Avec une nana comme ça, c'est facile de prendre du bon temps.

Ce genre de réflexion, Eva en avait entendu des centaines. Les cuisiniers formaient des groupes à haute teneur en testostérone et tendances paillardes. Mais Eva avait les nerfs à fleur de peau. Le mot de Ryan toucha une corde sensible et elle frémit. Même Drew s'en aperçut. Il leva les yeux, hébété.

Sans doute les choses en seraient-elles restées là si Danny n'avait pas été aussi au diapason de ses émotions – comme elle aux siennes, d'ailleurs.

— Retire ça tout de suite, Larousse, gronda-t-il, la voix vibrante de fureur.

Toute la cuisine retint son souffle. Eva ne pouvait pas continuer de faire celle qui n'avait rien entendu.

Elle jeta un bref coup d'œil à Danny, qui incarnait en cet instant le sauveur indigné : jambes écartées, poings serrés (ce qui devait lui écorcher les paumes de façon insoutenable). Puis elle regarda Cheney.

Il avait ressorti sa caméra.

Il s'était remis à filmer.

En une fraction de seconde, avant que les collègues de Danny le retiennent de casser la gueule à Ryan, avant que Ryan ne pousse un ricanement méprisant et ne tourne fièrement les talons, Eva comprit ce qu'elle avait à faire.

Cheney voulait de l'action. Des cuistots sexy et de la baston, et pourquoi pas une amourette ou deux afin d'accrocher les téléspectatrices. Pour donner au concours de la Toque d'Or un maximum de visibilité, pour l'ouvrir à tous les chefs américains de talent, elle n'avait pas le choix.

— Drew, dit-elle sans cesser d'observer Danny, qui échangeait à mi-voix avec Beck des propos enragés tout en moulinant des bras au risque de dégommer toute son équipe. J'ai une nouvelle mission à te confier et je veux que tu en fasses ta priorité.

— OK, dit Drew en se préparant à taper un nouveau point au sommet de sa liste.

Eva hésita, l'indécision lui vrillait l'estomac. La Toque d'Or était l'héritage de sa mère. En son temps, Emmaline Jansen rêvait de fonder un concours pour promouvoir le talent des meilleurs cuisiniers des États-Unis, dans la classe et la dignité. Et, quand Eva avait accepté d'en reprendre les rênes, c'était en partie dans l'idée de renouer avec l'esprit original du concours, tel que sa mère l'avait conçu.

Eva voulait montrer et encourager les efforts de tous les cuisiniers et pas seulement des chefs de restaurants étoilés, dont le succès était déjà garanti. Or, pour y parvenir, il n'existait pas trente-six solutions : elle devait accroître la visibilité du concours, décrocher des sponsors plus prestigieux et plus généreux afin de rendre cette opportunité accessible à davantage de candidats.

Mais était-elle prête à aller si loin pour atteindre son but ?

Oui. C'était la seule solution. Si la visibilité du concours augmentait, via sa diffusion sur Cooking Channel, tout le monde y gagnerait. Elle agissait pour le bien commun et non uniquement dans son propre intérêt.

Il y avait plus en jeu que sa carrière... ou que sa conscience.

— Dis-moi, tu es proche de ce Winslow, le marmiton new-yorkais, je me trompe ?

Derrière ses lunettes, Drew ouvrit des yeux ronds, mais il hocha la tête, et Eva sentit sa décision s'affirmer.

Cheney voulait de l'action : il n'allait pas être déçu.

24

La semaine qui suivit la première élimination fut l'une des plus pénibles de la vie de Danny. Tout le monde regrettait l'équipe du Sud-Ouest. Paulina Santiago et ses hommes étaient sympathiques et avaient su se faire respecter en tant que cuisiniers. Chacun savait qu'il s'agissait d'une compétition mais ce fut seulement après leur départ que les candidats restants en prirent vraiment conscience. Les enjeux étaient bien réels et toute erreur se payait cher.

Les cuisiniers eurent droit à quelques jours de repos pour se remettre de la première épreuve, mais la plupart d'entre eux les passèrent en cuisine, à bavarder et à préparer les prochaines étapes, dopés à l'excitation.

Danny n'était pas à l'aise dans ce genre d'entre-deux. Il ne gérait pas bien l'attente. Aussi mit-il ce temps libre à profit pour parfaire sa technique de soufflé, faire quelques expériences dans le domaine du caramel, et observer.

Il observa Max et Jo lorsqu'ils émergèrent enfin de leur bulle rose pour se concentrer sur le concours.

Il observa Beck qui évitait ostentatoirement de regarder Skye Gladwell traverser la cuisine dans un froufrou de jupons fleuris et un tintement de bracelets, tout auréolée de sa crinière blond vénitien.

Il observa Winslow, qui se rapprochait de Drew Gallagher, l'assistant d'Eva.

Et, bien sûr, il observa Eva.

Eva, qui volait d'une tâche à l'autre comme si elle était montée sur des rollers et non sur des talons. Eva, qui n'avait pas pris le temps de souffler depuis que l'équipe de la télé avait débarqué la veille au grand complet. Il l'avait croisée dans le hall bondé après être sorti acheter des croissants pour son équipe, ce matin-là, et, depuis, elle n'arrêtait pas. Distraitement, elle avait fini par leur souhaiter à tous une bonne nuit avant de repartir travailler.

D'ailleurs, elle commençait à accuser le coup. Elle semblait aussi fragile qu'une pâte à tarte trop fine, translucide par endroits et menaçant de se rompre.

Elle avait beaucoup à faire, à commencer par installer et briefer l'équipe de télé pour l'épreuve du lendemain. Or coordonner tout ce monde n'était pas une mince affaire. D'après ce que Danny observa, la préparation nécessitait d'innombrables autorisations, coups de fil et négociations musclées.

Ainsi, pendant que les candidats découvraient les attractions touristiques de la ville de Chicago (et surtout ses bars), Eva, elle, travaillait d'arrache-pied. Et s'abîmait la santé.

Danny n'aimait pas ça, mais qu'y pouvait-il ? Il garda ses distances, de crainte de fournir de nouvelles armes à ce fumier de Ryan Larousse. Depuis sa réflexion sur les mœurs soi-disant légères d'Eva, il préférait faire profil bas.

Peut-être que sa réflexion était méritée, ou peut-être l'avait-elle été par le passé, mais en l'occurrence, tout dans le comportement d'Eva la démentait. D'ailleurs, ce soir-là, c'était la toute première fois qu'un des cuisiniers avait réussi à la persuader de se joindre à la bande pour prendre un verre au *Blind Tiger*, un ancien bar clandestin du quartier jeune et bohème de Wicker Park dont les candidats avaient fait leur repaire.

Danny en appréciait le cadre et l'ambiance sans prétentions, les excellents cocktails réalisés à partir de spiritueux de qualité et les consommateurs éclectiques : pompiers encore tout enfumés et couverts de suie, vieux couples à chopes de bière, bobos en foulard et jean slim écumant les bars de la ville… L'endroit lui rappelait le *Chapel*, son bar préféré à New York. C'était donc ainsi lorsqu'on voyageait ? Où qu'on aille, on retrouvait le souvenir de son chez-soi…

Bien sûr, au *Chapel*, Eva ne se serait pas fait siffler et huer en commandant un Manhattan. Ici, bien qu'il y ait une bouteille de vermouth et une de whisky bien en évidence derrière le comptoir de chêne rayé, le barman eut un haussement d'épaules bourru et lui dit de choisir autre chose. Danny ne se doutait pas de la rivalité qui opposait encore New York et Chicago !

Sans se démonter, Eva déclara :

— Un double shot de whisky, un shot de vermouth et un verre de glaçons. Oh, et une cerise au marasquin. Merci.

Puis elle se retourna vers Cheney, le cameraman, qu'elle avait invité (sans sa caméra, Dieu merci !), et lui demanda :

— Qu'est-ce que vous buvez ? C'est pour moi.

Quelle femme ! Pas étonnant que Danny soit à ses pieds.

Eva prit les verres qu'on lui tendait et se mixa son propre Manhattan sous le nez du barman, puis elle entraîna Cheney vers deux tabourets dans un coin de la salle. Là, nonchalamment, elle se pencha par-dessus le comptoir lustré par des générations et des générations de coudes et chipa une poignée de cerises dans un bocal derrière le bar.

Danny se força à détourner le regard. Il porta sa bouteille à ses lèvres (le barman lui avait recommandé une bière locale) et fit un tour d'horizon pour s'assurer que ses coéquipiers se portaient bien.

Winslow et Drew, retranchés dans un coin avec leurs tequilas, gloussaient comme des gamins. Ils paraissaient à peine en âge de boire.

Max jouait au billard avec Beck.

Jo se tenait aux côtés de Danny et le fixait d'un air de dire « on ne me la fait pas, à moi ». Il est vrai qu'ils se connaissaient depuis une éternité. Et qu'on ne pouvait rien lui cacher, quand elle émergeait de son univers de colombes roses et de Cupidons.

— Elle te plaît, dit Jo en pointant sa bouteille vers Eva. J'ai pas raison ?

Danny posa les coudes sur le bar derrière lui pour se donner une contenance.

— C'est sans importance, grogna-t-il.

— Ah, ne commence pas ! s'irrita Jo en secouant la tête si violemment que sa longue queue de cheval lui fouetta l'épaule. Ton bonheur importe autant que celui de n'importe qui.

Danny leva les yeux au ciel et s'affaissa sur son tabouret.

— Épargne-moi ta psychologie de comptoir. Ce n'est pas parce que tu baignes jusqu'au cou dans ta love story que tout le monde meurt d'envie de t'imiter.

— Je n'ai jamais dit ça, protesta Jo. Je n'ai pas dit que tu étais fou d'elle ni que tu rêvais de l'épouser et de lui faire quatre enfants. De toute façon, ça ne marche pas comme ça. Et, que tu le veuilles ou non, elle te plaît, et pas qu'un peu, sinon tu ne serais pas en train de me chercher des poux à son sujet.

— OK, admit Danny. Elle me plaît.

Cela le soulageait un peu de le reconnaître, d'en parler à sa plus vieille amie. Mais, au final, cela ne changeait rien à la donne.

— Mais après ? ajouta-t-il. C'est impossible. Alors à quoi bon me torturer à y penser ?

— Tu ne peux pas t'en empêcher.

— Bien sûr que si.

Ce fut au tour de Jo de lever les yeux au ciel.

— Danny. Depuis qu'elle est entrée, tu ne la quittes pas des yeux.

De fait, Danny était de nouveau en train d'épier Eva, qui tenait au cameraman un discours passionné, appuyé de hochements de tête vigoureux et de grandes gesticulations. Elle paraissait plus dynamique et animée que depuis plusieurs jours. Danny pivota, prit une grosse gorgée de bière pour cacher son trouble et… s'étrangla. Jo dut lui taper dans le dos pour faire passer la quinte.

Or, du fait de son métier, elle était sacrément musclée pour une fille.

— Aïe, arrête, tu vas me décoller la plèvre ! râla-t-il après qu'un coup particulièrement vif faillit le faire tomber de son siège.

En fait, Jo était sacrément musclée tout court.

— Alors, ça va aller ? lui demanda-t-elle.

— J'ai trois côtes cassées, mais à part ça, tout baigne, grommela-t-il en toussotant.

Jo lui adressa sa fameuse moue qui signifiait « les mecs sont irrécupérables », et précisa :

— Je ne parlais pas de ça, mais d'elle.

Danny avait soudain la gorge sèche, mais il se persuada qu'il s'agissait d'un effet secondaire de cette gorgée de bière avalée de travers.

— Ah. Il faudra bien ! Elle dit que c'est trop risqué pour nous de nous fréquenter pendant le concours.

— Mais après ?

Danny était si contracté que, lorsqu'il haussa les épaules, il manqua se briser trois vertèbres.

— Est-ce que je sais ? On ne fréquente pas exactement les mêmes milieux.

— Je vois. Vous provenez de mondes si différents, cela ne marcherait jamais.

Jo ponctua son propos d'un soupir romanesque exagéré qui ne lui ressemblait pas du tout.

— Ma parole, c'est *Roméo et Juliette*, ton truc. Les amants maudits… Enfin, ce n'est pas comme si tu avais couché avec elle. Si ?… Danny !

— Quoi ? dit-il en enfonçant la tête entre ses épaules dans le vain espoir de dissimuler son rougissement. N'en fais pas tout un plat, on a arrêté depuis un moment déjà.

— Et dire que je n'avais rien remarqué ! gémit Jo. Enfin, ne te méprends pas, je ne veux pas dire par là que j'avais envie d'assister en direct à vos ébats.

— Berk ! Jo !

Danny frémit.

— Oh, ça va ! Mais, bon sang, Danny, tu as vécu des trucs énormes et tu n'en as rien dit à personne ! Tu caches bien ton jeu.

— C'est toi qui étais trop occupée avec Max dans la suite nuptiale à faire des trucs dont, pitié, je ne veux jamais, jamais entendre parler. Je te préviens, si tu me racontes, je te ferai payer ma lobotomie !

Jo eut un grognement contrit.

— Je suis désolée, Danny, je sais bien qu'on a été un peu distraits, un peu légers, ces derniers temps…

— Ce n'est rien, dit-il machinalement, puis il cligna des yeux. Vraiment, ce n'est pas grave. Bien sûr, ça nous a un peu compliqué la vie mais je comprends. Vous avez dû vous battre, Max et toi, pour bâtir votre relation, et vous méritez d'en profiter. Au lieu de quoi, on vous a fourré dans un avion et intimé d'enfiler vos tabliers et de vous surpasser. Si vous vous êtes débrouillés pour néanmoins passer des moments agréables et complices, tous les deux, j'en suis heureux.

Il l'était sincèrement. Il s'en rendit compte quand Jo le prit dans ses bras pour le remercier et que son odeur familière de sel et de cannelle lui picota le nez. Il avait mis du temps pour les comprendre, Max et elle, mais depuis qu'il devait lutter à chaque seconde contre l'irrépressible envie de contempler Eva, de tourner la tête dans sa direction rien que pour la voir bouger ou exposer un argument, Danny comprenait.

— Je suis si heureuse, dit Jo avec un reniflement alarmant. J'aimerais tant que tu partages mon bonheur !

— Ah, pas de ça ! la gronda Danny en lui tapotant l'épaule.

Il ne supportait pas de voir les gens pleurer.

— Du calme, Jo. Je suis heureux. Toi et Max nagez dans le bonheur, Winslow s'est peut-être bien trouvé un copain, et Beck n'a tabassé personne depuis plusieurs jours. Mes parents sont en bonne santé et, au cas où tu n'aurais pas remarqué, on participe au concours de la Toque d'Or et on ne se défend pas trop mal. Qu'est-ce qui manque à mon bonheur ?

Surtout, ne pas regarder Eva. Ne pas regarder Eva. Ne pas…

— L'amour, cingla Jo.

Elle se redressa et se frotta les yeux, agacée : elle détestait pleurer.

— Il faut bien que l'un d'entre nous garde la tête froide, la taquina Danny. Entre vos crises chroniques de batifolage, à Max et à toi, Winslow qui passe son temps à flirter avec le petit Drew, et Beck qui se livre pour Skye à une version très personnelle et un peu flippante de la parade nuptiale, il me semble qu'on est sursaturés d'intrigues à l'eau de rose.

— Ce n'est pas faux, dit Jo avec un petit rire. OK, je te fiche la paix. Mais n'oublie pas, Danny, ce concours ne durera qu'un temps. Et, après, tu seras libre de fréquenter qui tu voudras. On est au vingt et unième siècle, et on n'est pas défini par ses origines sociales. Elle pas plus que toi ! Alors, ne perds pas espoir.

Danny lui sourit complaisamment, elle lui serra l'épaule avec affection puis sauta au bas de son tabouret pour aller voir où en était la partie de billard de ses amis. Mais Danny restait sceptique.

S'ils étaient éliminés, reverrait-il jamais Eva ? Jo plaisantait mais, de fait, Eva et Danny ne fréquentaient pas les mêmes cercles. Le monde de la restauration était petit, mais pas à ce point. Et Danny ne courait pas les cérémonies d'ouverture, soirées de gala et autres événements prestigieux pleins de beau monde. Il les aurait sans doute fuis comme la peste même s'il y avait été invité.

Et s'ils gagnaient, cela vaudrait-il mieux ?

Il la côtoierait un peu plus longtemps, certes, le temps de donner quelques interviews, notamment. Mais se lanceraient-ils alors dans une relation au risque de faire naître chez le public des soupçons de favoritisme ?

Il tripotait sa bouteille et ressassait ses idées noires quand ses yeux se posèrent à nouveau sur Eva. L'air mystérieux, elle disait au revoir à Cheney, qui lui tendit une grosse liasse de documents et s'en alla. Ainsi, Eva avait convaincu le représentant de Cooking Channel. Mais pourquoi, alors, cette expression mitigée ?

Danny n'eut pas le temps de se rappeler à la raison : il jaillit de son tabouret et s'achemina jusqu'à elle.

— Je te paie une tournée d'ingrédients de Manhattan ? lui proposa-t-il.

Elle se redressa vivement, gênée d'avoir été prise en flagrant délit de posture avachie digne d'un poivrot au bout du rouleau.

Ou d'une organisatrice de concours culinaire recrue de fatigue, songea Danny. Eva était épuisée. Elle ne garda le dos droit que quelques secondes avant de se recroqueviller à nouveau telle une feuille de laitue flétrie.

Laitue qu'évoquait également la robe portefeuille verte décolletée qui l'enveloppait de ses froufrous. Danny fixa le ruban noué autour de sa taille. Suffisait-il vraiment de tirer dessus pour que le vêtement entier se défasse et qu'Eva se retrouve nue ?

— Non, merci, dit Eva.

Renonçant à son fantasme, Danny remarqua de nouveau les traits tirés de la jeune femme, qui précisa :

— Si je bois encore une goutte d'alcool, je vais m'écrouler. Et je n'ai pas le temps d'aller faire la queue aux urgences pour soigner une cheville cassée.

— Et si je promets de te rattraper ?

Danny ferma les yeux de toutes ses forces et se reprit comme il put :

— Désolé. Je n'ai rien dit. Je voulais juste m'assurer que tu allais bien. Tu as l'air fatigué.

Eva lui fit une moue adorable et aussi peu fair-play que la boutade que Danny venait de lui lancer. Un point pour Mlle Jansen !

— Un gentleman ne dit jamais à une femme qu'elle a l'air fatigué, le rabroua-t-elle. On a décrypté votre code secret depuis des années : ça veut dire qu'on a l'air vieilles !

— Absolument pas, soutint Danny en se perchant sur un tabouret proche du sien, tout en se gardant soigneusement de l'effleurer.

Il ignorait ce qui se produirait s'ils se frôlaient, mais il avait l'intuition que cela se finirait par un procès pour attentat à la pudeur.

— Je me fais du souci pour toi, dit-il. Depuis que l'équipe de la télé est arrivée, tu n'arrêtes pas.

— Il y a beaucoup de choses à régler.

Ses yeux se perdaient dans le vague comme si elle fixait au loin une interminable liste de corvées. Elle soupira :

— D'ailleurs, je ferais bien de m'y remettre, maintenant que j'ai réussi à convaincre Cheney.

— À le convaincre ? Comment ça ? s'empressa de demander Danny, ne serait-ce que pour la retenir quelques instants de plus.

Parce qu'elle avait besoin de souffler. Pas du tout pour continuer de savourer ce courant grisant qui le traversait lorsqu'il se trouvait en sa compagnie.

Une note de satisfaction affleurait dans la voix d'Eva quand elle lui répondit :

— Il dit qu'il ne regrette pas d'avoir étoffé l'équipe de filmage. Enfin ! On va faire de ce concours la nouvelle émission culte de Cooking Channel.

Elle brandit ses documents comme un drapeau.

— Oui, dit Danny, j'ai remarqué l'arrivée des renforts. Comment as-tu réussi cet exploit ? Je croyais que Cheney rechignait à filmer le concours.

Il ne cherchait qu'à lui faire la conversation pour gommer de sa mémoire le souvenir de leurs étreintes au parfum envoûtant. Mais Eva se fit soudain évasive, voire nerveuse ; détournant le regard, elle se mit à tapoter rapidement sur le comptoir du bout de sa liasse.

— Oh, j'ai fini par comprendre ce qu'il voulait et trouvé le moyen de le lui apporter. Tout le monde y gagne.

Danny ne put réprimer une grimace.

— Si tu le dis.

Elle lui décocha une œillade.

— Quoi ? Tu n'aimes pas l'idée de passer à la télé ? À ta place, la plupart des cuisiniers se frotteraient les mains.

Danny haussa les épaules et vida sa bière au goût amer et houblonné.

— Pour moi, ça n'a jamais constitué une priorité. Si tu veux mon avis, les chefs qu'on voit à la télé ont vendu leur âme au système. Ils se sont compromis et ils ont oublié ce qui fait un vrai, grand cuisinier.

— Mais…

Cette idée semblait beaucoup perturber Eva.

— Mais tu participes au concours pour faire de la pub à ton restau, non ? Quel meilleur moyen d'y arriver qu'en passant à la télé ? J'aurais pensé que tu t'en réjouirais.

— Qui, moi ? Certes, toute publicité est bonne à prendre. Ce sera l'occasion de rappeler aux gens le genre d'établissement qu'est *Au plaisir des sens*, de renouveler notre base de clientèle et de rappeler aux habitués qu'on

est encore là et qu'on soigne toujours autant nos plats...
N'empêche. S'il ne s'agissait que de moi, je refuserais
d'être filmé.

— Heureusement pour moi, tu as signé un contrat
m'autorisant à filmer ce que je veux dans le cadre du
concours, tant que j'en serai l'organisatrice.

Eva se leva et empoigna sa serviette. Ses gestes étaient
raides et heurtés.

Danny ne comprenait pas bien ce qui venait de se passer mais il n'avait aucune envie qu'elle s'en aille fâchée.

— Eva, attends. Je ne sais pas ce que j'ai dit pour te
blesser, mais je suis désolé.

Elle avait le souffle si court que son buste se soulevait
par à-coups, tendant les minces rubans qui fermaient sa
robe. Elle fit un effort visible pour se calmer.

— Mais je t'en prie. Tu as le droit d'avoir ton avis.

Elle eut un petit rire forcé et enfila la bandoulière de
son sac à main.

— En l'occurrence, tu n'es pas le premier à penser
comme ça. J'ai entendu ça mille fois. La télé, c'est le diable incarné, ça pervertit la gastronomie, etc.

C'était au tour de Danny de se fâcher.

— C'est pour ça que tu m'en veux ? Parce que je ne me
prosterne pas devant la sacro-sainte chaîne Cooking
Channel ?

— Je ne t'en veux pas, dit-elle en contrôlant sa
respiration.

Mais tout son corps criait le contraire.

On distinguait à peine ses yeux ; au *Blind Tiger*, l'éclairage était tamisé, un héritage de l'époque de la prohibition. Elle tourna les talons. D'instinct, Danny voulut la
suivre afin de terminer cette conversation mais elle lui
coupa l'herbe sous le pied en lui jetant par-dessus son
épaule :

— Je ne t'en veux pas, mais j'avoue être un peu déçue.
Je ne m'attends pas à ce que tout le monde soutienne
mon point de vue. Mais j'espérais que tu me laisserais le

bénéfice du doute. Que tu saurais que je n'ai à cœur que l'intérêt du concours, et que je fais de mon mieux.

— Eva...

Elle s'arrêta une seconde dans l'embrasure de la porte, de trois quarts, de sorte qu'il vit seulement la découpe pâle de sa mâchoire.

— Ce n'est pas ta faute, ajouta-t-elle. C'est la mienne. Je n'aurais jamais dû attendre quelque chose de toi. J'ai enfreint mes propres règles, et c'est le prix à payer.

25

Non mais, pour qui se prenait-il ?

Eva enrageait. Sa fureur la réchauffa le temps qu'elle gagne à pied le carrefour où Claire l'attendait.

Elle avait fourré le nouveau contrat en vrac dans sa serviette, les mains tremblantes, distraite par cet ingrat de Danny, ce moralisateur aux idéaux dépassés.

En fait, elle tâchait d'étouffer la petite voix qui lui soufflait que Danny n'avait fait que formuler ses propres réticences. Elle s'y appliquait tant que, quand une main se posa sur son épaule, elle poussa un cri de frayeur et faillit asperger de spray au poivre son pauvre assistant.

— Ce n'est que moi, dit Drew en battant en retraite, les mains en l'air comme si elle braquait sur lui un pistolet. Tu retournes à l'hôtel ? Tu me ramènes ?

Le spectre de l'agression s'éloigna, emportant avec lui toute l'énergie qu'avait donnée à Eva son différend avec Danny. La jeune femme se rappela soudain qu'elle n'avait pas dormi plus de quatre heures d'affilée depuis une semaine : elle était fourbue jusqu'aux os.

— Bien sûr, monte, dit-elle en hélant la voiture noire qui stationnait le long du trottoir. Tant que la présence de Claire ne te dérange pas...

Drew avait depuis toujours une peur panique de Claire Durand ; elle lui faisait perdre tous ses moyens, aussi Eva préférait-elle le prévenir qu'elle serait du voyage.

— En plus, ajouta-t-elle, tu vas devoir lui faire la conversation, parce que moi, je vais m'endormir dès que je me serais adossée contre l'appuie-tête.

Drew, déjà d'un naturel pâlot, blêmit. Sous le réverbère, il ressemblait à un fantôme.

— Ah, euh, dans ce cas, je peux te parler cinq minutes ?

Ravalant un profond soupir, Eva serra contre sa gorge les pans de son manteau en cachemire et en ferma le premier bouton.

— Je t'écoute.

— C'est à propos de ma mission. Tu sais, auprès des cuistots. Je... ça me met mal à l'aise.

Eva ressentit un élancement derrière sa paupière droite. Il ne manquait plus qu'une migraine !

— Ah ?

Drew secoua la tête, agitant ses pics de cheveux noirs.

— Winslow Jones et moi, on... Enfin, c'est mon ami. Peut-être même davantage. Et ça m'ennuie de me servir de lui pour déterrer des infos confidentielles.

— Il ne s'agit que de ragots, lui fit observer Eva. Il te les confierait sans doute de lui-même. Et toi, tu me les rapportes, comme d'habitude. Nous avons toujours opéré ainsi. Tu tends l'oreille, ça fait partie de tes responsabilités.

Drew fit la grimace.

— Je sais... Mais, d'habitude, je te raconte qui vient de démissionner, qui cherche un nouveau second, ou qui s'est fâché avec son commanditaire... Là, c'est différent. C'est plus perso. J'ai l'impression de trahir la confiance de Win, et je n'aime pas ça.

Les scrupules de Drew n'auraient pas pu tomber plus mal.

— C'est bientôt fini, dit Eva en contenant la note de supplique qui menaçait de poindre dans sa voix. J'ai parlé à Cheney ce soir et je lui ai promis de l'action. On s'apprête à lancer le tournage pour de bon ; je n'ai plus que quelques sujets à pitcher à Cheney, quelques partis pris de réalisation à déterminer avec lui. Ensuite, tout ça ne relèvera plus de notre responsabilité. Les caméras filmeront ce qu'il y aura à filmer.

— Je sais, mais…

Drew tripotait la frange de son écharpe mauve, l'air incertain. Il était temps de lui serrer la vis.

— Je ne te demande pas d'inventer quoi que ce soit. Seulement de me fournir quelques pistes, des conflits potentiels à guetter. Pour Cheney. Après, je fais pleine confiance aux chefs pour créer tout seuls l'intrigue et le drame.

— Bon, d'accord, dit Drew, les joues rougies par le vent, le froid et l'embarras. Alors, raconte ça à Cheney : l'équipe de New York a tanné Beck pour qu'il crache le morceau à propos de Skye Gladwell. Apparemment, ils se sont connus il y a longtemps. Dix ans, au moins. À San Francisco. D'après Win, ils étaient en couple, mais ça s'est fini parce que…

Il marqua une pause lourde de suspens.

— Quoi ? Quoi ? s'impatienta Eva.

— Je ne sais pas. Win n'en est pas sûr à cent pour cent…

— Drew !

— OK ! Il croit que Beck a fait de la prison. Ce serait pour ça que Skye l'aurait quitté. Voilà, tu sais tout. Je suis une pourriture.

Eva eut la chair de poule et frissonna. Elle se doutait qu'il s'agissait d'une histoire dans ce goût-là.

— Tu n'es pas une pourriture. Ce n'est pas une sombre révélation à base d'inceste ou de bébé caché. Si Beck a un casier, l'info est publique.

Drew s'égaya un peu :

— C'est vrai ? Ça aurait pu être découvert par d'autres biais ? Et pas forcément parce que j'ai mouchardé ?

— Tout à fait. Alors ne t'arrête pas en si bon chemin. Plus on aura de détails, mieux ça vaudra.

Dans la voiture, on toqua à la vitre. Eva se tourna vers les vitres teintées. On distinguait à peine la main blanche qui y frappait. Eva fit mine d'ouvrir la poignée.

— Bien joué, Drew. C'est exactement ce que Cheney cherchait. Je te dois une fière chandelle, je ne l'oublierai pas. Maintenant, rentre à l'hôtel te reposer. Tu es sûr que tu ne veux pas qu'on te dépose ?

Drew jeta un regard vers les vitres et recula de quelques pas en soufflant dans ses mains gantées.

— Non, merci. J'ai dit ce que j'avais sur le cœur et ça va mieux maintenant. Je vais retourner au bar voir si Win et les autres sont encore là.

Eva lui souhaita une bonne nuit et s'engouffra dans le taxi bien chaud. Claire se décala sur la banquette pour lui faire de la place.

— Que voulait-il ? s'enquit-elle, agacée.

— Pardon de t'avoir fait attendre. Mon employé a subi une violente crise de conscience. Mais pas de panique, je l'ai terrassée.

« Et je ne dois pas culpabiliser. »

Claire arbora cette mimique lourde de sens qui acculait toujours Eva à avouer les transgressions dont elle se rendait coupable, adolescente, pour attirer l'attention de son père.

— Je vois, dit-elle. Ça m'a l'air sérieux.

— Pas autant que mon envie de rentrer à l'hôtel dans les plus brefs délais, renchérit Eva.

Elle se pencha et tapota contre la vitre du chauffeur.

— Vous connaissez des raccourcis pour se rendre à l'hôtel *Gold Coast Arms* ? Cinquante dollars si on y est dans moins d'une demi-heure.

Il lui fallait encore traiter une soixantaine d'e-mails qui exigeaient des réponses trop étoffées pour qu'elle les tape depuis son iPhone et s'assurer que tout était en place pour l'épreuve du lendemain. Les véhicules devaient se tenir prêts devant l'hôtel à six heures, sous peine d'accumuler du retard tout au long de la journée ; le planning était serré.

La voiture démarra sur les chapeaux de roue, au point qu'Eva se retrouva propulsée contre Claire.

— Attache-toi, lui ordonna-t-elle sèchement.

— Oui, maman, ânonna Eva en cherchant à tâtons la boucle de sa ceinture de sécurité.

À ses côtés, Claire, d'ordinaire si gracieuse, sursauta violemment.

— Quoi ? s'étonna Eva. Qu'est-ce que j'ai dit ?

— « Maman », murmura Claire. C'est la première fois que… Tu ne m'avais encore jamais appelée comme ça.

— Je plaisantais. Ne fais pas attention. C'est la fatigue qui parle.

Claire lui décocha un regard indéchiffrable.

— Je sais. Je t'ai proposé de passer te chercher afin que nous puissions discuter, mais cela attendra.

Intriguée, Eva déboutonna son manteau et se renseigna :

— Discuter ? De quoi ?

— Tu as passé beaucoup de temps avec ton père depuis son arrivée ?

Claire entrait-elle dans le vif du sujet ou bottait-elle en touche ? Dans le doute, Eva répondit avec prudence :

— Pas vraiment. J'ai été trop occupée à organiser le concours. Pourquoi ? Il se plaint que je ne l'ai pas contacté ? Dis-lui que le téléphone, ça marche dans les deux sens !

— Ce n'est pas de cela que… Bigre, ce n'est pas évident. J'ignore par quel bout commencer.

Elle se tourna face à Eva et enfouit ses doigts dans sa crinière auburn, dégageant son visage aux lignes pures et aux traits fins.

— Eva. On se connaît depuis longtemps, toi et moi. Je t'ai vue grandir.

La jeune femme s'émut de nouveau. Ce devait être la fatigue qui lui mettait les nerfs à fleur de peau. Un nœud dans la gorge, elle répondit :

— Tu as fait plus que ça. Sans toi, je n'y serais pas arrivée.

Claire s'attendrit et les marques de tension quittèrent son visage.

— Ça me fait très plaisir. Tu as toujours beaucoup compté pour moi et tu tiens une place importante dans ma vie. Bien plus que je ne l'aurais cru la première fois que je t'ai rencontrée !

— J'étais vraiment une sale peste !

— Tu étais orpheline de mère, rectifia Claire. Et presque de père, en un sens. Tu avais cruellement besoin de discipline et d'attention.

— Comme quoi, en quinze ans, rien n'a changé, dit gaiement Eva. Et bien que j'aie élaboré de nouvelles façons d'attirer l'attention...

Claire renâcla, mais Eva ne s'en formalisa pas. Elle appréhendait trop ce que son amie se préparait à lui dire. Chacun de ses mots semblait chuter dans l'habitacle comme une pierre au fond d'un puits. Et si elle lui annonçait qu'elle avait un cancer, ou autre chose du même tonneau ?

— J'ai toujours autant besoin de toi, finit Eva. Tu n'as pas l'intention de... partir, rassure-moi ?

Claire affichait une moue perplexe qui apaisa aussitôt les craintes d'Eva.

— Partir ? Moi ? Pour aller où ? Non, écoute-moi, Eva. Il s'agit de ton père.

Son accent français se renforçait, comme toujours quand elle était soucieuse, et Eva se remit à redouter le pire.

— Il m'a demandé une seconde chance. Il souhaite refaire un essai.

Eva cligna des yeux.

— Hein ? Quoi ?

— Ton père me fait des avances, explicita Claire, irritée. De nature romanesques. Et j'aimerais sonder ton opinion à ce sujet.

Médusée, Eva avait la tête qui tournait.

— Euh, vous avez ma bénédiction… Attends, non. On parle de mon père. Je l'adore, mais je ne suis pas aveugle : il t'a fait beaucoup souffrir. Même à l'époque, j'étais petite mais j'ai compris pourquoi tu l'avais quitté. Je ne t'en ai jamais voulu. Même si j'aurais tout donné pour que tu restes auprès de nous.

Claire tendit la main et prit celle d'Eva dans la sienne, entrelaçant leurs doigts. Eva la lui serra si fort que leurs jointures s'entrechoquèrent, mais elle n'avait pas envie de la lâcher.

— Tu désapprouves, conclut Claire avec délicatesse.

— Non ! Je suis stupéfaite. Et je ne comprends pas bien pourquoi tu tenais à me consulter. Qu'est-ce que tu as répondu à papa ? Mais surtout, que devient Kane dans tout ça ? Je croyais que ça s'arrangeait, entre vous.

Claire retira sa main, sur la défensive.

— Je lui ai répondu que j'avais besoin de temps pour réfléchir, et que je voulais t'en parler. Parce que, aujourd'hui, ton amitié vaut plus à mes yeux que tous mes souvenirs ou toute éventuelle perspective d'avenir avec Theo. Il l'a bien pris. Quant à Kane…

Elle secoua la tête. Par le pare-brise teinté de la voiture qui filait dans la nuit, les lumières de Chicago se brouillaient.

— Il est si jeune. Ce qu'il prend actuellement pour des sentiments… Ça ne durera pas. C'est impossible.

— Kane a le même âge que moi, observa Eva. Si je tombais amoureuse demain, tu me dirais de laisser tomber parce que je suis trop jeune pour savoir ce que je ressens ?

La gorge un peu nouée, elle attendit le verdict de Claire. Il était risible d'attacher tant de valeur à son jugement : elle n'avait pas de relation amoureuse à défendre. Elle ne pouvait pas se le permettre en ce moment. En plus, quand Danny s'apercevrait de ce qu'elle avait fait, quand il découvrirait qu'elle avait trahi la cause pour acheter l'attention de Cheney…

Assez ! Il ne servait à rien de se ronger les sangs. Elle faisait ce qu'elle avait à faire, point barre.

Néanmoins, elle retint son souffle jusqu'à ce que Claire lui déclare :

— Cela dépendrait. Ce grand amour que tu évoques, est-il complètement déplacé, diamétralement opposé à ta personnalité et potentiellement néfaste pour ta carrière ?

Eva eut un ricanement nerveux.

— Les trois, mon général !

— Alors, je te donne le même conseil que je m'efforce moi-même de suivre. Réfléchis avec ta tête et non avec ton cœur… ou avec aucun autre de tes organes, railla-t-elle, le sourcil arqué. L'amour, c'est bel et bien beau, mais j'ai travaillé trop dur pour arriver où je suis aujourd'hui ; ce n'est pas le moment de tout mettre en péril pour un simple caprice de mes hormones. Toi aussi, tu t'es démenée pour ta carrière, ainsi que pour gagner le respect et la confiance de ton père. Et tu touches au but.

— Je sais, murmura Eva tandis que la torpeur l'enveloppait de nouveau.

Elle se décala sur la banquette et s'appuya contre le corps mince et anguleux mais néanmoins réconfortant de Claire et posa sa tête contre son épaule.

— Je n'ai peut-être pas grandi tant que ça, depuis qu'on s'est rencontrées, marmonna-t-elle d'une voix ensommeillée.

Ses paupières papillonnaient et elle bâilla à s'en décrocher la mâchoire.

— Que veux-tu dire ? fit Claire en passant un bras autour de ses épaules.

— Eh bien… Je sais que tu as raison. Il faut faire des sacrifices, prendre des décisions ardues et bien gérer ses priorités. Mais, même à mon âge, je veux toujours tout avoir.

Claire tressaillit. Eva allait se retourner pour étudier son expression quand elle sentit ses muscles se détendre à nouveau.

— C'est ce que je te souhaite, ma chérie. C'est ce que je nous souhaite à toutes les deux, ajouta-t-elle.

La dernière chose à laquelle songea Eva avant de sombrer dans un profond sommeil sans rêves, ce fut la mâchoire forte de Danny Lunden, l'étonnante sensualité de ses lèvres et la flamme bleu-gris qui embrasait ses yeux lorsqu'il la regardait.

Mais elle était Eva Jansen ! Si quelqu'un pouvait tout avoir, c'était bien elle.

La sonnerie de son portable arracha Kane aux deux heures de guitare auxquelles il s'était astreint. Depuis quelques jours, il séchait, mais, ce soir, il avait perçu le frémissement d'une mélodie dans son esprit, quelques notes et une petite phrase rythmée qu'il brûlait de jouer. Aussi avait-il décliné toute invitation à sortir pour se terrer dans sa suite. La pancarte NE PAS DÉRANGER dûment suspendue à la poignée, il avait réglé son téléphone de façon à renvoyer tous les appels entrants sur messagerie.

Tous, sauf ceux de sa mère et de Claire Durand.

Kane posa délicatement Betsy, sa guitare, sur son lit et tâtonna sur la table de nuit, empoigna l'appareil, consulta l'écran avant de décrocher. Et se fendit d'un large sourire.

— Je te manquais trop ?

Il dut tendre l'oreille pour entendre la réponse de Claire.

— Kane. Il faut qu'on parle.

Son cœur se serra.

— Voilà qui ne présage rien de bon. Parler, ce n'est pas ce qu'on fait de mieux. Et pourquoi tu chuchotes ?

— Je ne veux pas réveiller Eva, dit Claire. Elle a enfin réussi à s'octroyer quelques minutes de sommeil. Dieu sait qu'elle en a besoin ! Mais on arrive à l'hôtel. Et je te parie qu'elle va se remettre au travail.

— C'est une pile électrique, cette nana, acquiesça Kane.

Il savait que Claire s'inquiétait d'Eva. Lui-même hésitait à lui recommander de lever le pied avant de faire un burn-out.

— Je monte te rendre visite ?

— Non, déclina Claire un peu trop rapidement.

Kane se rembrunit. Elle s'expliqua :

— Si Eva travaille ce soir, je me dois d'en faire autant. Mais je n'ai plus son âge ni son énergie. Il va me falloir des quantités de café colossales. Peux-tu me rejoindre au *Blue Smoke* ?

L'heure de leurs désormais rituelles retrouvailles au café avait donc sonné. Quand il pensait que Claire et lui avaient déjà des rituels, il était saisi d'un mélange parfaitement contradictoire d'attendrissement et de terreur.

Le prévisible, ce n'était vraiment pas son rayon.

26

Sauf que Claire était tout sauf prévisible.

En arrivant au café, Kane s'apprêtait à devoir défendre une fois de plus leur pseudo-relation devant les flics en civil et les étudiants avinés qui, le mardi soir, constituaient les seuls consommateurs du *Blue Smoke*.

Claire était déjà là, à la même table que la dernière fois. Elle se réchauffait les mains sur sa boisson. Un café au lait plein de mousse, comme la dernière fois.

Cela ne faisait-il réellement que deux semaines ? Kane perdait la notion du temps. Normal, après de telles nuits de sexe échevelé.

Il se glissa en face d'elle sur la banquette et nota son regard alarmant. Kane marqua un temps d'arrêt et ouvrit grands les yeux comme pour fixer la scène dans sa mémoire afin de pouvoir y puiser plus tard quand il serait en quête d'inspiration. Les cheveux de Claire tombaient en cascades souples et sensuelles sur ses épaules. Il avait envie d'y faire courir ses doigts, d'en palper la texture soyeuse, d'en humer le parfum de menthe et de romarin. Son pull, chaud et douillet, lui plaisait également ; sa teinte chocolat donnait un coup d'éclat à ses yeux et à sa peau. Bref ! Elle était radieuse. Comme toujours.

Mais quelque chose clochait.

— Tu voulais me voir ? se lança Kane sans prendre la peine de masquer le désir qui palpitait dans ses veines et perçait dans sa voix.

Elle méritait de connaître l'effet qu'elle lui faisait.

— Je voulais te parler, le corrigea-t-elle et, au rose qui envahit ses joues, il sut que Claire avait perçu son excitation.

Il sourit : sa combativité se réveillait.

— Parle, je t'écoute. Qu'est-ce qui ne va pas, cette fois ? Je suis trop jeune ? Tu es trop sage et blasée ? Le vieux Jansen te fait les yeux doux ? Quoi, qu'est-ce qu'il y a ?

Elle venait de renverser son café.

— Flûte ! Oh, quel bazar…

Plombé par le poids de ce qu'il devinait déjà, Kane n'eut pas la présence d'esprit de s'armer de serviettes en papier pour l'aider à éponger.

— C'est ça ? Theo Jansen te drague ?

— Il m'a fait part de sa volonté de renouer nos liens, oui.

La tête baissée, elle fixait la pile de serviettes où s'élargissaient à vue d'œil des taches brunes. Mais Kane n'avait pas besoin de voir son visage pour deviner son expression.

Par réflexe de défense, Kane enfonça la tête entre ses épaules, mais trop tard : il s'était exposé, Claire n'en ferait plus qu'une bouchée.

— Je vois, dit-il. Je n'ai plus qu'à te féliciter : tu as enfin trouvé une excuse en béton pour me larguer.

Elle se redressa brusquement, un éclair dans les yeux, trop fugace pour qu'il pût l'analyser. De toute façon, le dépit l'aveuglait. Et lui comprimait la poitrine, et l'empêchait de respirer.

« Sois fort, Slater, se dit-il. Ça n'est pas pire que la fois où tu t'es pris une canette de bière en pleine tronche à ce festival de plein air, où tu es tombé dans les pommes et tu as dû finir de jouer malgré une commotion. »

Même si, en fait, la sensation était assez similaire, ainsi que Kane le constata quand il prit appui sur la table pour se relever : comme à ce fameux concert, ses jambes flageolaient et il avait la nausée.

Jusqu'à ce que les doigts fins de Claire se referment autour de son poignet.

Il les fixa longuement avant de la regarder dans les yeux.

Elle avait de nouveau cette expression dans le regard, cette mine qu'il ne parvenait pas à décoder. Il se retint à grand-peine de gémir.

— Quoi ? Tu veux qu'on s'envoie quelques verres histoire de marquer le coup ? Ou me répéter une dernière fois que je suis trop jeune pour savoir ce que je ressens, et que je m'en remettrai, et que c'est mieux ainsi ?

— Non, dit-elle. Parce que je ne souhaite pas que tu t'en remettes. Je veux croire que tu sais ce que tu ressens. Et que le mieux pour nous deux est d'arrêter de résister à la tentation… d'être ensemble. Advienne que pourra.

Soudain, il comprit le sens de sa mystérieuse expression. Il voyait la même chaque matin dans son miroir depuis qu'il l'avait rencontrée à New York trois mois auparavant.

C'était une lueur d'espoir.

Et de crainte. Et d'impatience.

Mais essentiellement d'espoir.

Kane éprouva une bouffée de chaleur suivie de palpitations comme s'il venait d'avaler deux doubles expressos d'affilée. Il se rassit. Claire lui tenait toujours le poignet.

— Tu parles sérieusement ?

En prononçant cette phrase, Kane eut envie de se donner des claques. Ce qu'il pouvait être niais !

Mais Claire lui répondit tendrement :

— Oui. Une amie qui m'est chère m'a rappelé une promesse que je m'étais faite un jour à moi-même. Je ne me braderai jamais. Dans la vie, je me battrai pour obtenir ce que je veux, tout ce que je veux. Parce que je le mérite.

À moitié transi d'émotion, Danny eut un rire forcé.

— Tu as dû être très vilaine dans une vie antérieure pour écoper de moi dans celle-ci.

Claire rejeta la tête en arrière et rit à gorge déployée. Kane adorait se savoir la cause de ce rire. Même si, en l'occurrence, Claire manifestait surtout son soulagement. Elle relâchait la tension et l'anxiété des derniers instants.

Il lui sourit, éperdu de bonheur. Il brûlait de lui dire qu'elle n'avait pas à avoir peur. Qu'il lui appartenait corps et âme depuis déjà longtemps, peut-être même avant de l'avoir rencontrée. Mais il ne voulait pas mettre en péril l'équilibre précaire auquel ils étaient parvenus, alors il tint sa langue, se mit à composer dans sa tête et, autour de lui, tout ne fut plus que musique.

Danny n'arrivait pas à dormir.

Il était pourtant harassé : loin de sa routine, il baignait dans un état perpétuel d'excitation, de nervosité et d'attente qui, à la longue, l'épuisait. Depuis son arrivée à Chicago, il semblait nécessiter davantage de sommeil qu'un ado.

Et à présent aussi le sommeil le guettait, empesait ses membres tandis qu'il se tournait et se retournait sous la couverture. Mais son esprit, lui, regimbait.

Enfouissant son visage sous son oreiller, Danny grogna de frustration. Le sommier de son lit d'appoint grinçait au moindre de ses mouvements, mais ce fut son grognement qui parut troubler le sommeil de Winslow.

Danny scruta l'obscurité. Dans son lit, de l'autre côté de la chambre d'hôtel, Winslow renifla, soupira, se retourna sur le ventre et se rendormit.

Le petit veinard.

Danny, lui, était condamné à veiller, allongé sur son petit matelas bosselé par les ressorts du sommier, à ressasser ses pensées au sujet d'Eva Jansen.

Il ne comprenait toujours pas exactement en quoi il l'avait blessée, mais il n'avait pas du tout aimé sa façon de le comparer à la tripotée d'hommes qui l'avaient déçue par le passé.

C'était injuste. Elle le rembarrait sous prétexte que son point de vue lui déplaisait puis décampait sans lui opposer ses propres arguments ! D'ailleurs, Danny campait sur ses positions. Quand on transformait la gastronomie en divertissement télévisé, il se produisait la même chose que lorsqu'on diffusait des matchs de foot : on tailladait des créneaux publicitaires, on magouillait avec des sponsors, et toute l'âme de la discipline en pâtissait. Quand la télévision s'en mêlait, les chefs s'intéressaient soudain davantage à leur audimat qu'à la qualité de leurs plats. Quelle honte !

Les mots frémissaient sur sa langue et Danny mourait d'envie de les cracher au visage d'Eva, pour lui prouver qu'elle se trompait. Si seulement il avait eu l'occasion de lui dire tout cela, de la voir s'escrimer à trouver quelque chose de pertinent à répliquer…

Danny fixa les chiffres phosphorescents de son réveil sur la table de nuit, entre les lits de Win et de Beck. Il était trois heures du matin. Tous les candidats devaient dormir à poings fermés. Et Danny aurait dû en faire autant, au lieu de se repasser en boucle indéfiniment les mêmes pensées.

Un quart d'heure plus tard, il déboulait dans le hall désert du *Gold Coast Arms*, en jogging et marcel élimé à l'effigie du cuistot du *Muppet Show*.

— Il y a quelqu'un ?

Danny hésita une seconde puis appuya sur la sonnette d'argent qui ornait le guichet de la réception.

Une jeune femme en uniforme chaussée de lunettes d'écaille passa la tête par une porte derrière le guichet.

— Je suis à vous tout de suite, monsieur ! Je faisais un peu de classement. Que puis-je faire pour vous ?

Elle bâilla au beau milieu de sa phrase et Danny réprima un sourire. Visiblement, dans l'équipe de nuit, « faire du classement » signifiait « piquer un roupillon ».

— Pas de problème, la rassura-t-il. Je cherche un client.

La fille afficha un air las.

— Si vous connaissez son numéro de chambre, je peux l'appeler pour vous.

— Merci, j'ai déjà essayé. Ça ne répond pas.

— Peut-être que la personne dort ?

Danny s'accouda au guichet et fit mine de n'avoir pas saisi cette allusion grosse comme une maison.

— J'en doute. Voyez-vous, elle dirige le concours de la Toque d'Or, et je suis prêt à parier qu'elle est dans les parages en train de travailler d'arrache-pied.

La réceptionniste avisa le marmiton imprimé sur le marcel de Danny.

— Oh, vous êtes l'un des cuisiniers ! C'est Mlle Jansen que vous cherchez ? Elle m'a donné pour consigne de toujours lui signaler si l'un des candidats avait besoin de quoi que ce soit.

Danny s'illumina :

— Formidable ! En ce cas, pourriez-vous me dire où la trouver ?

La jeune femme, qui d'après son badge se prénommait Cindy, hésita.

— Je ne suis pas censée m'absenter… Vous savez où se trouve la cuisine, n'est-ce pas ?

La cuisine. Mais bien sûr.

Gratifiant Cindy d'un nouveau sourire rassurant, Danny lui dit :

— Ne vous dérangez pas, je connais le chemin. Je vais juste voir si elle a besoin d'un coup de main.

Elle lui adressa un signe de main reconnaissant et il se dirigea vers l'ascenseur. Cindy était une brave fille. En revanche, était-ce une politique répandue dans les hôtels que de confier les gardes de nuit à des femmes à peine majeures ? Cela paraissait dangereux. Danny résolut d'en parler à quelqu'un dès le lendemain. Peut-être qu'Eva saurait le mettre en contact avec le responsable, elle qui connaissait tout le monde.

Tout à sa réflexion, il s'aperçut à peine que l'ascenseur était arrivé au niveau des cuisines. La pièce était éclairée comme une scène de film. De fait, quatre ou cinq caméras se dressaient déjà à l'avant de la salle, l'objectif momentanément recouvert, comme de noirs serpents assoupis.

Danny s'ébroua. L'indignation justifiée qui l'avait empêché de dormir affluait de nouveau. Il plaça ses mains sur ses hanches et inspecta les lieux.

La pièce était déserte.

On avait installé devant les plans de travail une table recouverte d'une nappe blanche. Sans doute avait-elle un rapport avec la prochaine épreuve, et Danny eut toutes les peines du monde à résister à l'envie de fouiner.

Détournant délibérément le regard, il s'aventura plus avant dans la salle et passa une tête dans la chambre froide. Elle était équipée de verrous à sûreté intégrée pour qu'on ne risque pas d'y rester enfermé, mais on ne savait jamais.

— Eva ? appela-t-il. Tu es là ?

Peut-être avait-elle fini par monter se coucher. Peut-être était-elle endormie au fond de son lit comme tout le monde. Peut-être même s'y trouvait-elle déjà quand il y était passé mais que, l'apercevant par le judas, elle avait refusé de lui ouvrir. À moins que…

Un bruissement attira Danny vers la réserve. Il en poussa la porte du tranchant de la main et jeta un regard à l'intérieur. Et son cœur se fit tendre comme une brioche tout juste sortie du four.

Il avait trouvé Eva. Elle dormait. Son adorable postérieur posé sur un container en plastique renversé, son dos calé contre les étagères murales de métal chargées de sucre, de sel et de farines en tous genres. Sur ses genoux, un bloc-notes. À ses pieds, un stylo.

Elle paraissait plus pâle que le sucre qui s'amoncelait derrière elle et ses cernes violacés ne s'en détachaient que plus nettement.

Fallait-il la laisser dormir ? Si Danny la réveillait, elle se remettrait aussi sec au boulot, or elle manquait clairement de sommeil.

Mais elle devait être affreusement mal installée. Elle n'allait pas tarder à se réveiller. Ne serait-ce qu'à cause du torticolis qui lui pendait au nez.

Sa décision prise, Danny pénétra dans la réserve et s'accroupit à côté d'elle.

27

— Eva ? chuchota-t-il afin de ne pas l'effaroucher.

Raté : elle sursauta comme s'il l'avait pincée.

— Quoi ?

Elle cligna plusieurs fois des yeux et plissa les paupières, incommodée par la lumière. Puis elle s'humecta les lèvres. Elle semblait si perdue et innocente que Danny se surprit à l'imaginer enfant.

— Tu t'es endormie dans la réserve, lui dit-il en indiquant le bloc-notes qu'elle serrerait toujours dans sa main. Tu faisais l'inventaire ? Bon sang, Eva, tu n'as pas du personnel pour faire ça pour toi ?

À quoi bon être riche et puissante si l'on ne pouvait pas se décharger sur des employés ?

Secouant la tête afin de s'éclaircir les idées, Eva répondit :

— Si. Mais j'ai apporté une modification de dernière minute à l'épreuve de demain et tout le monde était déjà monté se coucher. J'avais juste quelques points à vérifier…

Elle porta sur elle-même un regard critique et lissa de la paume sa robe chiffonnée.

— Je n'en reviens pas de m'être assoupie. Je ne me suis assise que quelques secondes !

Danny fit appel à toute sa bonne éducation pour réprimer un éclat de rire, du genre qui lui aurait valu une claque sur l'arrière du crâne de la part de sa maman.

— Eva, sois raisonnable. Tu n'as pas arrêté depuis trois jours. Il faut dormir.

Eva se rebiffa :

— Il faut que je termine ! L'épreuve commence dans…

Elle consulta sa montre et geignit.

— …quatre heures ! Zut.

— Et tout est fin prêt. La grande table, tes plans, le matériel de filmage… Alors tu vas me faire le plaisir de lâcher cette liste.

— Et s'il n'y a pas assez de sel de Guérande pour tout le monde, demain, je dirai quoi ? « Dommage pour toi, j'avais besoin de faire une sieste » ? Pas question.

— Un cuisinier incapable de se passer de sel de Guérande ne mérite pas mieux, affirma Danny. Pour gagner, il faut aussi savoir improviser, tu te souviens ?

— C'est vrai, admit Eva d'un ton traînant. Je suis un peu fatiguée et il se fait assez tard. D'ailleurs, qu'est-ce que tu fiches ici ? Tu devrais être au lit, en train de prendre des forces pour demain ! L'épreuve est éliminatoire, tu sais. Elle désignera les trois équipes qui s'affronteront en finale à San Francisco.

— Pour tout t'avouer, j'étais descendu poursuivre notre dispute, dit Danny en riant.

Toute sa rage résiduelle, toute trace de ressentiment s'étaient évaporées à l'instant où il l'avait vue.

— Ou, plus exactement, notre débat.

— Sur la télé ? Encore ? Tu as bien vu les caméras.

Elle avait l'air penaud, tout à coup, et le regard fuyant.

— Oui, dit-il. Prêtes à capturer le plus infime signe d'émotion sur le visage des cuisiniers pendant qu'ils se démèneront aux fourneaux.

Danny n'avait pas l'impression de se montrer trop agressif. Il avait préparé une tirade autrement plus véhémente, tandis qu'il se tournait et se retournait sur cette table de torture communément appelée lit d'appoint. Pourtant, Eva se renfrogna aussitôt.

— Il ne s'agit pas du tout de ça. Et si tu n'étais pas aussi vieux jeu, ignare et rétrograde, tu t'en rendrais compte. Ce n'est pas comme si les caméras allaient te voler ton âme, Danny !

Il se leva et lui tendit la main pour l'aider à se remettre sur pied.

— Mais si, justement ! C'est précisément ce que je redoute. Quand on travaille sous l'œil des caméras, l'ambiance change. Les individus prennent le pas sur les plats.

— Tant mieux, c'est le but ! se récria Eva en déclinant son aide.

Chancelante, elle se leva toute seule.

— C'est le but du concours : promouvoir de jeunes chefs prometteurs et leur talent. Leur apporter la reconnaissance qu'ils méritent et renforcer l'image de marque de la gastronomie auprès du grand public. Pour y arriver, il faut bien que le grand public en question connaisse l'existence du concours ! Il n'a aucun intérêt s'il reste un secret d'initiés !

Elle marquait un point, mais Danny persista :

— Sauf que Cooking Channel, c'est une chaîne d'initiés ! Les spectateurs de cette chaîne suivent déjà la carrière des jeunes chefs du pays, non ?

— Certains, peut-être, concéda Eva en ramassant son stylo. Mais parmi les abonnés de la chaîne il y a aussi pas mal d'amateurs.

— Des fans, lâcha Danny avec dédain. La gastronomie n'est pas un sport de spectateur !

— Et pourquoi pas ?

Eva s'échauffait et ses joues, d'une pâleur alarmante quelques minutes plus tôt, se coloraient.

— Il n'est pas donné à tout le monde d'être un cuisinier de génie, Danny. Mais tout le monde apprécie la bonne gastronomie.

— Premièrement : foutaises ! Quiconque sait lire une recette sait cuisiner. Deuxièmement : arrête de prendre le contre-pied de tout ce que je dis !

— Je croyais que tu étais venu poursuivre notre dispute ! Tu n'es pas satisfait ?

Il la dévisagea, écarlate et pantelante, ses yeux gris illuminés par la ferveur de ses convictions.

— À vrai dire, non, pas tout à fait.

Sa voix était plus grave que d'habitude, mais il n'y pouvait rien.

Elle vacilla. En partie parce qu'elle tombait de fatigue, mais aussi en partie parce qu'elle brûlait de lui tomber dans les bras. C'était un vrai supplice. Ils avaient baissé leur garde, tous les deux. Il était tard et ils avaient derrière eux de nombreuses nuits blanches et autant de jours de désir refoulé, frustré… S'ils craquaient, là, tout de suite, maintenant, est-ce que cela compterait ?

Hélas, oui.

Maudissant ses parents, qui lui avaient inculqué un code moral si inflexible, et sa propre incapacité à résister aux appas d'Eva, Danny pivota et quitta la réserve sans autre forme de procès. En la laissant là, toute seule.

Il n'avait jamais rien fait d'aussi pénible de toute sa vie.

Quand elle le rejoignit dans la salle principale quelques secondes plus tard, le charme avait été rompu, provisoirement du moins, et Danny parvenait à nouveau à respirer sans flairer à chaque bouffée à la recherche de son odeur.

— Tu veux donc diffuser le concours auprès de tous les fans de bonne bouffe du pays. OK. Je ne comprends pas bien, mais je vois.

— Tu ne vois rien du tout, trancha Eva d'une voix étonnamment lasse. Il n'y a pas qu'eux qui regardent Cooking Channel. Il y a aussi de gros sponsors, qui sont très attentifs aux goûts du public. De grosses boîtes d'électroménager, d'ustensiles de cuisine, et même des entreprises liées à l'industrie du voyage, comme des compagnies aériennes ou des chaînes hôtelières, qui disposent de sommes faramineuses à investir pour associer leur marque à l'événement *in* du moment.

— Tout se résume au fric, c'est ça ? cracha Danny. N'en dis pas plus, tu m'as convaincu !

— C'est facile, pour toi, de cracher sur l'argent : tu bosses dans un commerce familial à la clientèle établie depuis des générations ! rétorqua Eva, les joues en feu. Mais pense aux restaurants qui produisent des menus innovants, des plats de qualité, qui inventent des techniques et qui n'ont que de petits locaux, parce qu'ils débutent : ceux-là n'ont pas les moyens de fermer le temps du concours. Tu te rends compte de la quantité de chefs talentueux qui se retrouvent exclus de la compétition, pour une simple question de « fric », comme tu dis ?

— Je n'avais pas envisagé les choses sous cet angle…

— Normal, ce n'est pas ton boulot de penser à ça. C'est le mien ! Plus l'événement sera important, plus on comptera de sponsors prestigieux, et plus le concours pourra aider de cuisiniers. La Toque d'Or ne devrait pas se jouer entre les quinze pour cent de restaurants qui cartonnent aux États-Unis, elle devrait être ouverte à tous !

Danny respira calmement tandis que sa vision du monde se réorganisait. Il voyait tout d'un œil neuf. Même les caméras, la table et sa nappe. Et Eva, qui se dressait fièrement devant lui. Bien que vacillante et épuisée, elle l'époustouflait.

Pas uniquement à cause de ses yeux en amande, de ses lèvres roses et retroussées, des courbes diaboliques de son corps souple et élancé. Mais encore plus à cause de sa générosité insoupçonnée. Danny était complètement pris de court. Une émotion qu'il n'aurait su nommer le laissait sans voix.

Eva piétinait d'un pied sur l'autre. Ses chaussures la mettaient à la torture.

— Quoi ? demanda-t-elle.

Il restait là, sans voix, à la dévisager.

— Rien. Tu es quelqu'un de bien, dit-il, comme s'il s'agissait de la révélation du siècle.

Énervée, Eva coinça ses cheveux derrière ses oreilles et entreprit de rassembler ses affaires, qu'elle avait éparpillées en rentrant du *Blind Tiger*.

— Ne t'emballe pas, lui siffla-t-elle. Si on inclut un max de chefs talentueux, c'est aussi parce que c'est bon pour le business.

Il arbora un air fat.

— Tu m'étonnes. Et te tuer à la tâche en faisant le boulot de six personnes au lieu de laisser tes employés t'aider, c'est bon pour le business, ça ?

Eva serra les dents pour se retenir de lui riposter qu'elle se débrouillait très bien toute seule.

« C'est moi qui fais ! C'est moi qui fais ! » pépiait-elle déjà du haut de ses deux ans quand quelqu'un menaçait de nouer ses lacets à sa place. C'était du moins ce que son père affirmait.

Mais elle avait un peu grandi, depuis.

— J'ai plein d'employés qui m'aident, dit-elle avec prudence. Mais ce concours est un événement d'envergure et on a sans arrêt des imprévus à gérer.

— Délègue plus de tâches à ton assistant.

— Drew est suffisamment occupé comme ça.

« Notamment à espionner l'un de tes coéquipiers », se retint-elle de justesse d'ajouter.

— Eva…

Danny soupira et frotta sa barbe naissante. Puis il se massa la base de la nuque. Eva s'efforça de ne pas se remémorer la sensation de ces poils courts et drus sous ses propres doigts, de ne pas envier sa main de se trouver là, à caresser ses cheveux et à masser son cou noué.

— Je n'en reviens pas que tu sois venu me chercher, dit-elle. Tout bouillonnant de rage et prêt à me déclamer ton manifeste enflammé contre les méfaits de la télé. Et quand j'arrive enfin à te faire voir mon point de vue sur

la question, tu m'engueules parce que je travaille trop !
C'est quoi, ton problème ? On ne peut pas être ensemble
alors tu as décidé de me rendre la vie impossible pour te
défouler ?

— Ce n'était pas du tout mon intention ! s'indigna
Danny. Et tu as peut-être raison pour ce qui est de la télé,
mais j'ai raison en ce qui concerne ton rythme de travail.
Aie l'honnêteté de le reconnaître.

Eva réprima un sourire. Elle s'amusait comme une
folle à le provoquer. Elle tendit la main à plat, paume
vers le bas, et l'inclina de gauche à droite.

— Mouais, dit-elle. Pas sûre ! Plus sérieusement,
Danny : je n'ai pas le choix.

— Il y a forcément quelqu'un pour te donner un coup
de main...

Eva enfila son sac en bandoulière et répondit, tenaillée
par la jalousie :

— Je sais que dans ton équipe tout le monde se serre
les coudes. Tes copains peuvent compter sur toi, et vice
versa. Mais la vie n'est pas aussi simple pour moi,
Danny. Je suis toute seule.

— Ça craint, affirma-t-il sans détour.

— Peut-être, mais c'est la vie que je me suis choisie. Le
travail ne me fait pas peur et j'ai de l'ambition.

Elle haussa les épaules, geste qui incendia tous ses
muscles fourbus. À en juger par le son qu'il venait
d'émettre, Danny avait surpris sa grimace. Mais elle
n'avait pas la force d'affronter ses reproches, et elle
ferma les paupières.

— Que le travail ne t'effraie pas, c'est une chose. Mais
tu ne dois pas le laisser te tuer à petit feu, lui glissa-t-il à
l'oreille, ému.

Il posa les mains sur ses épaules et se mit à en masser
les nœuds, non sans exprimer sa désapprobation.

Eva gémit. Elle titubait presque sous la pression de ses
mains vigoureuses qui pétrissaient sa chair comme de la
pâte à pain.

— Il n'y en a plus que pour quelques semaines. Je vais tenir le coup, murmura-t-elle.

— Pas sans quelqu'un pour te seconder, dit Danny, et son haleine balaya ses cheveux comme une douce brise.

Ses paumes étaient brûlantes à travers le mince tissu de sa robe et cette chaleur la relaxa mieux que ne l'auraient fait un bain et un grand verre de vin. Elle gémissait presque de bien-être et inclina un instant la tête contre son torse, les yeux clos.

— Pas besoin de second, balbutia-t-elle en repensant confusément à sa conversation avec Claire. Que des choix. Et du mérite. Je vais tout faire seule pour avoir le beurre et l'argent du beurre.

— Euh, d'accord. Tu n'es pas très cohérente, Eva. Il est temps d'aller te coucher.

Elle se pelotonna contre lui et noua un bras autour de sa taille musclée.

— Mmm, oui, allons au lit.

Danny eut un petit rire douloureux qui fit vibrer sa cage thoracique sous la joue de la belle endormie.

— J'essaie d'être sage, mais tu ne me facilites pas la tâche.

— Mais tu seras sage quand même, marmonna-t-elle, mi-soulagée, mi-dépitée.

Elle trouvait un certain réconfort à le connaître si bien. Elle lui faisait confiance : il n'abuserait pas de sa faiblesse.

— Eh oui, fit-il, je serai sage. Allez, ma puce, on remonte.

Danny la prit par l'épaule et la porta à moitié jusqu'à sa suite. Pendant tout le trajet, Eva garda le visage fourré dans son cou, plus détendue qu'elle ne l'avait été depuis des jours.

Tout s'arrangeait. Elle était à deux doigts de décrocher tout ce dont elle avait toujours rêvé. Mais, en sentant autour d'elle le bras de Danny, elle s'interrogea.

S'il disparaissait de sa vie, cela aurait-il encore un sens ?

Avant qu'elle ait le temps d'y méditer, avant que ses nerfs reprennent le dessus et la bâillonnent, elle bredouilla :

— Dis, quand le concours sera fini, tu ne voudrais pas qu'on… ?

Il fit halte et la contempla, les yeux écarquillés. Visiblement, il s'attendait à tout sauf à ça.

Prenant son courage à deux mains, Eva avança le menton.

— J'aimerais voir où cette histoire peut nous mener.

Lentement, un sourire s'étala sur le visage de Danny et un véritable feu d'artifice crépita dans ses yeux.

— Ça tombe bien. Moi aussi.

Ce fut aussi simple que ça. Il la serra dans ses bras, veillant sur elle jusqu'à ce qu'il l'eût ramenée à bon port. Eva avait l'impression de flotter.

Bien sûr, cela ne les engageait pas à grand-chose. Leur « promesse » restait vague et indéterminée, et il pouvait se passer beaucoup de choses d'ici à la fin du concours. N'empêche qu'Eva ne s'était encore jamais impliquée à ce point dans une relation avec qui que ce soit. Et Danny semblait partager sa joie.

C'était mieux que la cerise sur le gâteau. C'était la cerise, le glaçage, le gâteau, et le pâtissier.

C'était tout ce qu'elle désirait.

28

Le lendemain matin, Danny se réveilla avec toute l'énergie d'un homme qui a dormi du sommeil du juste pendant deux bonnes heures et demie.

Il aurait pu grappiller quelques minutes de sommeil supplémentaires s'il n'avait souffert en se couchant d'une monstrueuse érection : il sentait encore Eva s'abandonnant dans ses bras, lascive et assoupie, tandis qu'il la raccompagnait d'autorité jusqu'à sa chambre et la bordait.

Car, incroyable mais vrai, il avait trouvé la force de retirer à Eva sa tenue de femme d'affaires sexy, de la coucher et... de ne pas lui sauter dessus. Dès qu'il serait rentré à New York, il foncerait à l'église demander à ce qu'on le canonise. Saint Danny, patron des cuisiniers frustrés.

Cependant, quand le réveil sonna et que Winslow tituba en grognant jusqu'à la douche, Danny se sentait étonnamment en forme. Reposé, détendu, et prêt à tout donner.

Il rejeta la couverture et alla se poster devant la porte de la salle de bains. De la vapeur d'eau s'en échappait déjà.

— Magne-toi, Winslow, j'ai quelque chose à faire avant l'épreuve !

Rien que la morale réprouvât : il voulait simplement s'assurer qu'Eva allait bien après sa nuit mouvementée. Il n'arrêtait pas de penser à ce qu'elle lui avait dit : « Je suis toute seule. » Elle pensait n'avoir personne vers qui se tourner en cas de coup dur… Danny ne partageait pas son avis.

Elle pouvait se tourner vers lui.

Se rappelait-elle seulement la dernière partie de leur conversation, celle où elle lui avait fait part de son envie de le revoir après le concours ? Elle dormait à moitié à ce moment-là, aussi Danny essayait-il de ne pas se faire d'illusions. Mais elle l'avait dit ! Elle en avait eu envie, ne serait-ce que sur le moment. Alors, forcément, il était encore plus impatient que d'habitude de la revoir.

Le robinet se ferma dans un grincement.

— Je fais aussi vite que possible. Mais c'est du boulot d'être aussi canon, qu'est-ce que tu crois !

Danny soupira.

— OK, mais je passe directement après toi.

La porte s'ouvrit sur Winslow, une serviette en turban autour de la tête, une autre nouée en pagne autour de ses hanches.

— Mais dis-moi, qu'est-ce que tu as à faire de si bon matin ? La même chose qu'au milieu de la nuit, je présume ?

Zut. Grillé !

— Désolé de t'avoir réveillé, marmonna Danny en le bousculant pour s'engouffrer dans la salle de bains embuée.

— Y a pas de lézard, dit Winslow en l'y suivant.

Danny hésitait à retirer son bas de jogging. Win leva les yeux au ciel et se détourna avec ostentation.

— Tu fais ton timide ? Tu sais, j'en ai vu d'autres, des fesses ! Et de bien plus près que ça. Mais promis, je ne regarde pas.

Penaud, Danny se déshabilla et pénétra dans la cabine de douche, lentement, pour ne pas vexer son coéquipier.

— Désolé, marmonna-il une fois masqué par la vitre en verre dépoli.

— Vous, les hétéros, vous êtes vraiment trop coincés. Pourtant, tu n'as rien à cacher. Au contraire !

Winslow le taquinait, et Danny ne s'en formalisa pas. Il ouvrit l'eau chaude et entreprit de se masser les épaules avec le jet. Il évitait toujours de se mouiller les mains ; ses paumes avaient presque cicatrisé mais elles restaient sensibles à la chaleur.

— C'est que ce n'est pas donné à tout le monde d'être aussi « canon » que toi, répondit-il sur le même ton badin.

— Pas faux. Mais la flatterie, ça ne prend pas sur moi. Réponds plutôt à ma question ! Qu'est-ce que tu mijotes, Daniel ? Tu t'es trouvé une copine et tu ne veux pas nous en parler ?

Danny s'écorcha le coude sur le porte-savon et jura tandis qu'une douleur aiguë irradiait de son avant-bras.

— Je prends ça pour un oui ! dit Winslow d'une voix déformée – il était en train de se raser. Très bien, fais des cachotteries ! Joue-la perso ! Même si moi, quand j'ai des scoops, je partage. Tiens, par exemple… Attends deux secondes.

Danny profita de cette pause pour se shampouiner. Il entendit la porte de la salle de bains s'ouvrir et se refermer, puis l'aération se mit en marche au-dessus de Danny, aspirant la vapeur d'eau et emplissant la cabine de son vrombissement.

— J'en ai appris de belles, chuchota Winslow d'un ton théâtral, à propos de notre mystérieux Henry Beck.

Danny grogna et se passa la tête sous l'eau pour se rincer.

— Pitié, pas encore une de tes théories qui fait de lui un assassin à la solde du Mossad, ou que sais-je.

— Non, cette fois, c'est du solide.

Winslow semblait surexcité. Danny fronça les sourcils.

— Et tu le sors d'où, ton scoop ? D'ailleurs, ce n'est pas cool de fouiner dans le passé de ses coéquipiers. S'il voulait que tu saches d'où il vient et qui il est, il te le dirait.

— J'ai pas fouiné, promis, juré ! Mais écoute-moi ça, Danny. Pour le Mossad, je n'étais pas tombé loin. Beck a fait l'armée ! Ou peut-être la marine, mais pas dans les forces spéciales, et ce n'était certainement pas un assassin.

Danny chassa l'eau qu'il avait dans les yeux en réexaminant à la lueur de cette révélation certaines remarques que Beck avait laissé échapper au cours des derniers mois, sa culture personnelle, sa façon de cuisiner... Cela tenait debout.

— Et ce n'est qu'un début ! gazouilla Win.

— Je ne sais pas si je tiens à en entendre davantage...

Danny ferma le robinet et ouvrit la porte pour chercher une serviette.

Qui lui tomba d'elle-même entre les mains. Danny grommela un mot de remerciement, se sécha le visage et ouvrit les yeux. Winslow, habillé, sautillait sur place tant il était excité.

— Fais-moi confiance : c'est du lourd ! Et ça explique tout. Tout ce qui s'est passé depuis qu'on est arrivés à Chicago. On se doutait que Beck connaissait la hippie de la Côte Ouest, ça sautait aux yeux. Personne ne cogne un mec pour une nana à moins d'avoir un lien fort avec elle. Et Beck n'y est pas allé de main morte !

— Accordé, dit Danny en se frictionnant.

Il se fit un kilt de sa serviette et sortit de la cabine de douche.

— Donc je me disais qu'ils avaient couché ensemble, à une époque, poursuivit Win. Elle est plutôt mimi, dans son genre. Bien sûr, il faut aimer le côté peace and love et mère nature. Et les nichons.

— C'est bon, on a compris, l'avertit Danny en s'efforçant de ne pas pouffer. Et si Beck t'entendait parler de lui comme ça, derrière son dos ?

— Il ne peut pas m'entendre, sinon, je serais muet comme une tombe. Il me fout les jetons, mec ! Dès qu'il s'agit de Skye Gladwell, il débloque totalement. Et tu sais pourquoi ?

— Ils sont sortis ensemble ? hasarda Danny en saisissant sa brosse à dents.

Le reflet de Winslow apparut dans le miroir, derrière lui. Ses yeux verts étincelaient. Il jubilait.

— Mieux. Ils se sont mariés.

Danny faillit s'étouffer ; de la mousse au goût de menthe lui boucha soudain l'œsophage. Il prit une gorgée d'eau et dévisagea Winslow dans la glace.

— Je ne te crois pas. Et pas de blagues salaces sur le fait que j'avale !

— T'es pas marrant. Mais pour le coup du mariage, c'est vrai.

Il opinait vigoureusement, et ajouta :

— Et tu veux savoir le meilleur ?

— Ai-je vraiment le choix ?

Danny cracha dans le lavabo. À ce stade, sa question était purement rhétorique. Il devait connaître toute l'histoire afin de protéger son équipe, le cas échéant.

Winslow se pencha vers Danny et, pour une fois, la pile électrique qui lui servait de corps resta tranquille.

— Ils se sont séparés, mais ils n'ont jamais divorcé.

Danny fit face à son coéquipier, le cœur battant.

— Tu veux dire que… ?

— Ouaip. Beck et Skye Gladwell sont toujours mariés. Ça, alors !

Le cerveau de Danny refusait de calculer les mille et une façons dont ce coup de théâtre risquait de mener son équipe à sa perte.

— Tu en es sûr ? Où as-tu déniché cette information ?

— Sur Internet, dans les archives publiques. Alors maintenant, tu vas cracher le morceau. Je t'ai confié mon secret, à ton tour !

Winslow affichait une mine suggestive.

Éberlué, Danny prit son rasoir et le contempla pendant un instant. Non, trop dangereux. Au train où allaient les choses ce matin-là, il risquait de se trancher la gorge. Il le reposa.

— À mon tour de quoi ?

Win émit un claquement de langue impatient.

— Allez, balance ! Ou confirme au moins ma théorie...

— Tu as une théorie. J'aurais dû m'en douter, grogna Danny. Écoute, Win, je n'ai aucune envie de...

— C'est Eva Jansen, j'en suis sûr !

Winslow brandissait son index vers le ciel comme un détective de bande dessinée en train de clamer « Eurêka ».

Danny tâcha de rester de marbre mais, vu le sourire étincelant qui s'étalait sur la face de son jeune ami, il avait visiblement échoué.

— Bon, j'avoue, on a eu une aventure, elle et moi, avant le début du concours. Mais ce n'était pas sérieux. Et c'est fini, maintenant.

En prononçant ces deux dernières phrases, Danny se sentit un brin menteur.

— J'en étais sûr !

Winslow frappa dans ses mains comme un gamin à son premier goûter d'anniversaire. Sourire machiavélique en plus.

— Bon, mais si vous ne faites plus crac-boum-hue, pourquoi est-ce que tu dois la voir ce matin ?

— Qui a dit que je devais la voir ? esquiva Danny.

Flûte, quelle heure était-il ? Il fallait faire vite.

Dans la chambre, il faisait froid et sec et Danny fonça vers sa valise pour en extirper un jean à peu près propre.

Beck s'était réveillé. Il faisait ses pompes et ses abdos matinaux, expulsant un chiffre entre chaque effort.

Une fois vêtu, Danny fixa un instant le dos musclé et transpirant de Beck. Fallait-il lui parler de ce qu'il venait d'apprendre ? Mais que dire ? Ce serait indiscret. Danny persistait à trouver malvenu de fouiller le passé des gens. Beck se confierait lorsqu'il le choisirait. Au pire, il serait toujours temps de le confronter si la situation devenait problématique.

— Mais ça la concerne, je me trompe ? lui cria Winslow depuis la salle de bains. Allez, Danny, c'est ton tour, aboule les infos !

De crainte que Beck ne leur demande pourquoi c'était le tour de Danny, ce dernier répondit précipitamment :

— Oui, ça la concerne ! Là, tu es content ? Je me fais du souci pour elle. Elle bosse trop, elle s'abîme la santé.

— Et alors ? s'enquit Winslow, en appui contre le chambranle de la porte de la salle de bains, lissant de la main son crâne rasé à blanc. C'est pas tes oignons, si ?

Voilà que Winslow lui donnait des leçons sur ce qui était ou non ses « oignons » ! C'était l'hôpital qui se moquait de la charité, et Danny le lui signifia par un regard amusé. Win eut la bonne grâce de rougir, mais il se reprit crânement :

— Sans rire, mec. Qu'est-ce que tu veux y faire ?

Danny s'assit sur le rebord de son lit et enfila ses chaussettes.

— Je vais juste m'assurer qu'elle a dormi et qu'elle sera debout à temps pour l'épreuve.

— Pourquoi ? demanda Beck, à genoux par terre, le souffle un peu court.

Avec ces deux paires d'yeux rivés sur lui, Danny se sentit soudain un peu bête. Il se pencha pour lacer ses tennis.

— Parce que… Je ne sais pas. Elle est sous l'eau, et il faut que je l'aide.

— Tu sais, l'avertit Winslow avec un discernement qui ne lui ressemblait guère, tout le monde n'a pas envie d'être aidé.

De sa voix grave et rocailleuse, Beck renchérit.

— Je suis d'accord avec Winslow. Eva Jansen n'a pas l'air du genre de femme qui aime qu'on l'encourage et qu'on lui tienne la main.

— Puisque je vous dis qu'elle a besoin d'aide, s'entêta Danny.

Il se leva et fourragea dans les poches de son pantalon de la veille pour y récupérer son portefeuille et la clé de sa chambre.

— Elle refuse de le reconnaître, mais elle frise le burn-out.

Winslow ne paraissait pas convaincu :

— Peut-être, mais…

— Les gars, lâchez-moi la grappe, dit Danny avec plus d'assurance qu'il n'en ressentait en réalité. Je n'essaie pas de la faire virer, je veux juste vérifier qu'elle tient le choc, qu'elle dort un peu et qu'elle se nourrit correctement. Rien de plus ! On se voit dans trois quarts d'heure. Ne soyez pas en retard au rendez-vous.

Sur ce, il sortit. Sans se retourner. Il ne tenait pas à ce que les deux autres recommencent à l'abreuver de recommandations idiotes. Comme s'il allait d'un coup renier son trait de caractère le plus marqué et cesser de materner ceux qui lui étaient chers ! Danny descendit directement en cuisine : il était prêt à parier qu'Eva s'y trouvait déjà, en pleine action.

Pourtant, en scrutant la salle par la vitre de la porte, il ne vit pas trace d'elle. Il n'avisa que son père, Theo, en grande conversation avec un homme. Danny entrouvrit la porte pour observer la scène de plus près.

L'homme n'était autre que Kane Slater. Que pouvaient-ils bien avoir à se raconter, ces deux-là ? Pour autant que Danny put en juger d'après leurs échanges des semaines passées, ils se vouaient une haine mutuelle à peine enrobée de courtoisie forcée.

« Ce ne sont pas tes oignons, Danny ! » s'admonesta-t-il en secouant la tête, atterré – la curiosité de Win semblait contagieuse.

Malgré sa bonne volonté, au moment où il s'apprêtait à refermer la porte, Theo prononça une phrase qui le glaça et résonna dans son cerveau comme un coup de gong.

— C'est ce qu'il y a de mieux à faire, roucoulait sa belle voix lisse et persuasive. Pour tout le monde, y compris Eva. Je sais que vous êtes proches. Si vous ne le faites pas pour nous, faites-le pour elle.

Qu'est-ce qui se tramait ?

Coinçant la porte du bout du pied, Danny se retourna pour inspecter le couloir : vide. Personne pour le surprendre en flagrant délit de cet acte d'espionnage stupide et potentiellement autodestructeur.

Et c'était tant mieux, parce qu'il aurait été bien incapable de s'arracher à la scène, désormais.

Kane coulait des jours heureux. En fait, il n'avait jamais été aussi comblé. Entouré de fous de gastronomie, comme lui, ainsi que de cuistots de génie, il passait ses journées avec l'une de ses meilleures amies et ses nuits avec la femme la plus cool, sexy, brillante et drôle qu'il n'avait jamais rencontrée. Et Kane avait rencontré Madonna, c'était dire !

Il aurait dû se douter que cela ne pouvait pas durer.

La vie lui avait enseigné au moins une chose : il faut toujours profiter à fond des bonnes occasions et en extraire la joie jusqu'à la moelle, parce que rien ne dure jamais. D'ailleurs, il s'inscrivait exactement dans cette démarche avec Claire Durand. Avec un succès mitigé. Il n'en finissait pas de découvrir ses multiples facettes et toutes les possibilités qui s'offraient à eux mais restaient toutefois juste hors de sa portée, tel le dernier fruit juteux sur la plus haute branche du pêcher.

Quand Theo Jansen avait demandé à lui parler, ce matin-là, avant l'épreuve, Kane pensait qu'il souhaitait s'entretenir avec lui de la compétition. Il était descendu en cuisine insouciant, guilleret, le corps encore délicieusement meurtri par ses activités nocturnes (quand

Claire parlait de lions affamés, elle ne plaisantait pas !
Elle l'avait pratiquement taillé en pièces ! Et il avait
adoré ça).

Il avait trouvé la pièce presque déserte. Bizarre. Les
cameramen devaient pourtant avoir du matériel à installer. Mais non, seul se tenait là Theo, digne et immaculé
au centre de la pièce. Il fixait les caméras d'un air
suffisant.

— Vous vouliez me parler ? dit Kane, honteux de son
T-shirt blanc, de son jean délavé et de ses bottes de
motard.

— En effet.

Theo se tourna face à la porte. Il arborait l'air solennel
propre aux conversations qu'on mène d'homme à
homme. Kane réprima sa panique instinctive.

« Relax, se raisonna-t-il. Tu n'es plus un enfant et ce
type n'est pas ton père. »

— Merci d'avoir accepté de me voir si tôt, fiston, dit
l'autre comme par esprit de contradiction.

Brrr.

— Je vous en prie.

Kane s'avança, mains dans les poches, en s'efforçant
de ne pas culpabiliser parce qu'il n'avait pas donné du
« monsieur » à son aîné. Une vieille habitude dont il peinait à se débarrasser. Mais avec un peu de discipline, il y
parviendrait !

— Je nourris quelques inquiétudes au sujet de… Ma
foi, à votre sujet.

Kane tombait des nues. Qu'est-ce que Theo pouvait
bien avoir à lui reprocher ? Avait-il mal fait son travail de
juge ?

— Pourquoi ?

— À cause de votre relation avec Claire Durand, dit
poliment Theo. J'espère que vous ne tenez pas trop à elle.
C'est une femme étonnante et difficile à oublier. J'en sais
quelque chose.

Il eut un petit rire humble, presque contrit, qui faillit le rendre sympathique à Kane, mais, dans le même temps, son cœur se glaçait dans sa poitrine.

— Je tiens énormément à Claire, dit-il.

Theo comptait-il lui servir le numéro de l'ex-protecteur ?

— Ne vous inquiétez pas, Claire et moi en avons longuement parlé : je suis jeune, du moins plus qu'elle, mais je sais ce que je veux.

Theo pencha la tête sur le côté et ses yeux gris se parèrent d'une expression pensive.

— Cependant, avez-vous songé aux conséquences de votre volonté sur cette femme à laquelle vous prétendez tenir ?

Les muscles de Kane se contractèrent comme ceux d'un coureur dans les starting-blocks ou d'un boxeur sur le ring, et il dut fournir un effort conscient pour déplier ses poings.

— Dites donc, je ne voudrais pas vous paraître grossier, mais cela ne vous regarde pas. Peut-être que vous connaissez Claire depuis longtemps, mais elle est avec moi maintenant. Vous avez eu votre chance et vous l'avez laissée filer.

— C'est vrai, admit Theo en joignant les mains comme en prière. Claire m'a fait comprendre qu'elle vous avait choisi.

Le cœur de Kane se décongela et se remit à palpiter gaiement comme un poisson retrouvant son bocal.

— Alors, restons-en là.

— Pas si vite, fiston.

Kane grinça des dents :

— Je ne suis pas votre fiston.

La mine austère de Theo se radoucit quelque peu :

— En effet, je vous prie de me pardonner. C'est que, voyez-vous, vous avez l'âge de ma fille. J'ai commis de nombreuses erreurs envers elle, des erreurs que, je l'espère, je suis en passe de corriger.

Kane tira machinalement un fil de l'ourlet de son T-shirt et se mit à le triturer.

— Je ne vois pas le rapport avec moi.

— Il n'y en a aucun, admit Theo. Mais il y a un rapport direct avec Claire. Je veux la reconquérir. Pour qu'elle fasse à nouveau partie de nos vies, à moi, et à Eva. Je peux offrir à Claire l'avenir qu'elle mérite. Ne lui souhaitez-vous donc pas le meilleur ?

29

Le poisson qui frétillait dans le cœur de Kane retomba mollement, écaillé et vidé. Le jeune homme dut se remémorer ses cours de placement de voix avant de parvenir à émettre un son.

— Qu'est-ce qui vous permet de penser…

Sa voix se cassa, et il reprit :

— Qu'est-ce qui vous permet de penser que vous pouvez lui offrir un avenir meilleur que celui qu'elle s'est elle-même choisi ?

Le respect éclaira les traits de Theo l'espace d'une seconde et comme à contrecœur.

— Claire est brillante, elle l'a toujours été. Et quelle ambition ! Quand je l'ai rencontrée, il y a quinze ans, elle était pigiste. Elle rédigeait des critiques gastronomiques pour des journaux régionaux et faisait quelques travaux de relecture pour arrondir les fins de mois. Elle a bâti sa carrière à la force du poignet et la voilà rédactrice en chef du magazine de cuisine le plus lu au monde ! Et vous savez comment elle y est arrivée ?

« En étant géniale ? » supposait Kane, mais il se doutait que cette réponse laisserait Theo de marbre, aussi se contenta-t-il de secouer la tête et d'attendre que l'autre dévoile son jeu.

— Claire n'a jamais rien laissé se placer en travers de son chemin. D'autres qu'elles se laissent détourner de leur carrière par le mariage ou la maternité…

Il haussa les épaules.

— …et libre à elles, je ne les juge pas ! Seulement, Claire n'est pas de ces femmes-là. Elle a toujours su ce qu'elle voulait et elle a tout sacrifié pour atteindre son but. Ainsi, elle s'est fait respecter, ce qui n'est pas chose aisée pour une femme dans ce qui reste à ce jour une industrie à prédominance masculine.

— Claire est une femme remarquable, vous ne m'apprenez rien, maugréa Kane en croisant les bras. Où voulez-vous en venir ?

Theo noua ses mains dans son dos.

— J'y viens, jeune homme. Claire a travaillé dur pour arriver là où elle se trouve aujourd'hui. Cela lui a demandé de la détermination, mais également des sacrifices. Elle est isolée. C'est la rançon de la gloire ! Nous en savons quelque chose, vous et moi, n'est-ce pas ?

— Je doute que nous ayons beaucoup en commun, monsieur Jansen.

— Ah, c'est là que vous faites erreur ! Nous tenons tous deux à Claire, ainsi qu'à Eva. Et nous savons tous deux que le succès se paie de solitude, et que toute réussite est précaire. C'est une chose de parvenir au sommet, encore faut-il y rester. Les concurrents sont partout, chacun s'efforce de vous détrôner… Si Claire devait perdre le respect de la communauté de la gastronomie – celui des restaurateurs, des chefs et des publicitaires qui constituent la force vive de *Délices* –, elle ne s'en relèverait pas. Je pense sincèrement que ça la tuerait.

— Monsieur Jansen, dit Kane en secouant la tête d'un air de dédain. Je suis peut-être musicien, mais je ne suis pas sensible au mélodrame et aux envolées lyriques.

Et pourtant. Si Jansen disait vrai ? Kane risquait-il malgré lui de salir le nom de Claire ?

— Moi, poursuivit Theo sans lui prêter aucune attention, je peux apporter à Claire un soutien inestimable du point de vue professionnel. Et sa relation avec moi ne ternira pas son image.

Sous-entendu : sa relation avec Kane, si. Il se remémora les objections que Claire soulevait, au début, à leur amour. Objections qu'elle avait fini par surmonter d'elle-même. Mais pensait-elle alors à ce genre de risque ?

La gorge nouée, Kane craignit d'être pris d'une quinte de toux.

— Si Claire sort avec moi, elle fera parler d'elle, dit-il en suffoquant à moitié.

Étant lui-même depuis des années la cible des magazines people et de leurs racontars, il connaissait les paparazzi et leur façon de procéder. On qualifierait Claire de « cougar », on spéculerait au sujet de son âge, de son poids, de la nature exacte de leurs ébats, et l'on monterait en épingle le moindre relent de scandale dans le but de booster les ventes.

— En tant que représentante haut placée d'une communauté professionnelle raffinée, elle a tout à y perdre, rebondit Theo Jansen.

— Bien sûr, marmonna Kane.

— Sans oublier l'aspect personnel de la situation, s'obstina Theo avec douceur mais sans pitié, comme s'il étouffait Kane avec un oreiller. D'ailleurs, Kane peinait de plus en plus à respirer.

— Claire et Eva ont toujours été très proches. Plus que tout au monde, je veux offrir à Eva ce dont mon incapacité à faire le deuil de sa mère l'a injustement privée : une famille stable et unie.

La rage se mit à bouillir dans les veines de Kane ; il l'accueillit avec gratitude.

— Vous pensez qu'en jouant au papa et à la maman avec Claire vous allez compenser aux yeux d'Eva vos années de négligence ? Ouvrez les yeux, Jansen : votre petite fille a grandi.

Theo grimaça : Kane avait mis dans le mille. Si seulement il avait pu en retirer plus de satisfaction.

— Je sais bien que ma fille n'est plus une enfant. Mais elle reste ma fille, ainsi que votre amie. Et c'est l'une des personnes qui compte le plus aux yeux de Claire. J'aimerais les rapprocher. Mais, pour ça, j'ai besoin que vous vous comportiez en gentleman.

— C'est-à-dire ?

— Quittez la partie. Rendez à Claire sa liberté. C'est ce qu'il y a de mieux à faire.

Il se tut un instant, et son visage digne et buriné se creusa. Il paraissait accablé de regret. Puis il reprit :

— Pour tout le monde, y compris Eva. Je sais que vous êtes proches. Si vous ne le faites pas pour nous, faites-le pour elle.

L'insupportable ton de Theo, si chaleureux et sincèrement navré, sonnait creux aux oreilles de Kane, comme une fausse note dans un accord. Cette discordance l'arracha à son impuissance passagère, et la colère l'aveugla ; il distinguait à peine la silhouette de Theo à travers la brume de son indignation.

Ce salaud était en train de le manipuler ! Il exploitait avec brio son sentiment de culpabilité, sa compassion, toutes les faiblesses qu'il avait pu trouver chez lui, son rival !

Mais il avait été trop loin. Theo venait d'éveiller la combativité de Kane. Celle qui l'avait motivé à s'entraîner des heures durant pour maîtriser des mélodies sur toutes sortes d'instruments, sans jamais se reposer sur ses facilités, incité à quitter la maison à dix-huit ans pour conquérir les scènes d'Austin, et poussé à enchaîner les enregistrements, les concerts, les tournées, jusqu'à ce qu'il accède à la gloire.

Kane Slater ne se laissait pas manipuler.

— Si vous voulez que je quitte la partie, il faudra me battre à la loyale.

Theo cligna des yeux.

— Je vous demande pardon ?

— Je me suis exprimé clairement.

Renonçant à sa posture défensive, Kane décroisa les bras et cala ses pouces dans les passants de son jean. Il était rompu aux arts du spectacle et connaissait le pouvoir du langage corporel.

— Monsieur Slater, dit Theo en soupirant ostensiblement, ne vous obstinez pas. Vous ne faites que repousser l'inévitable.

Kane éclata de rire. La rage de vaincre brûlait dans sa poitrine.

— Je ne crois pas en l'inévitable. La partie ne fait que commencer. Et, monsieur Jansen, j'ai l'intention de la gagner. Claire est à moi, et elle le restera.

Enfin, Theo tomba le masque du mentor compatissant. Un spasme d'irritation pure dérangea ses beaux traits mûrs.

— Imbécile. Elle s'amuse avec vous. Un peu de dignité, que diable ! J'essaie de vous épargner le ridicule.

— Vous m'emmerdez, et votre prétendue sollicitude, vous pouvez vous la mettre où je pense, dit Kane.

Les joues lui cuisaient. De rage, et de peur, peut-être : Theo venait de formuler à voix haute ses plus profondes craintes.

— Très bien, dit Theo.

Ses épaules tressaillaient comme s'il devait se faire violence pour ne pas ponctuer chacun de ses mots de quelque geste mélodramatique.

— Vous l'aurez voulu, ajouta-t-il. Mais quand Claire reprendra ses esprits et s'apercevra qu'il n'y a pas de place dans sa vie pour un type dans votre genre, je serai là, et elle me tombera dans les bras.

Kane, qui, pour sa part, ne reculait pas devant un brin de mise en scène, haussa un sourcil et se pencha à l'oreille d'un Theo furibard :

— Que le meilleur gagne.

Danny cligna des yeux et recula d'un pas.

Il avait l'impression qu'on venait de l'ensevelir sous une avalanche d'informations et son cerveau moulinait pour les digérer.

Sur la pointe des pieds (il préférait ne pas imaginer les conséquences si Theo et Kane s'apercevaient qu'on les avait épiés), il recula de nouveau… et faillit pousser un cri : il venait de marcher sur quelque chose de mou.

Il se retourna et fit un bond : il se trouvait nez à nez avec Claire Durand.

Comme un idiot, il baissa les yeux pour voir sur quoi il venait de marcher. Zut. C'était son pied.

Le pied de Claire Durand, principal juge du concours de la Toque d'Or. Et objet de la conversation très privée dont il venait d'être le témoin clandestin.

Danny releva les yeux, affolé, et se rendit compte à son grand soulagement qu'il aurait pu rouler sur le pied de Claire en bus à impériale sans qu'elle remarque sa présence.

Elle avait les traits figés en un air absent des plus déconcertants. Toute son attention se concentrait sur les deux hommes qui se toisaient derrière la porte entrebâillée.

Un instant plus tard, Kane Slater déboulait comme une fusée, les joues rouges sous son bronzage de rock star. Un vrai câble électrique à haute tension.

Danny grimaça. Il aurait donné cher pour éviter d'assister à la scène qui ne pouvait manquer de s'ensuivre, mais il ne tenait pas à se faire remarquer. De toute façon, le temps que ses jambes réagissent, Kane avait déjà pilé devant Claire, stupéfié.

— Claire ! Il y a longtemps que tu es là ?

— Assez pour savoir que vous parlez de moi comme deux gosses qui se disputent un jouet.

Ses lèvres blêmes remuaient à peine. Kane se décomposa mais il restait trop survolté pour obéir à l'injonction muette que Danny lui adressait.

« Excuse-toi ! Demande-lui pardon ! Rampe à ses pieds ! »

Mais non. Kane secoua la tête.

— Ouais, c'était moche. Désolé que tu aies entendu ça.

Aïe ! Danny ferma les yeux et tenta de se soustraire par la pensée à cette débâcle. Mais il ne put s'empêcher d'ouvrir un œil pour scruter la réaction de Claire.

Comme prévu, elle le prenait mal. Glaciale, elle répondit d'une voix si basse qu'il dut tendre l'oreille.

— Je me doute que tu ne souhaitais pas être surpris en train de me traiter comme une marchandise, de déballer notre intimité et de te pavaner comme un coq.

Elle s'interrompit : la détresse déchirait son masque de reine des neiges. Enfin, Kane comprit que l'heure était grave.

— Non, Claire, ce n'est pas ce que je...

Trop tard. Claire brandit une main pour le faire taire et reprit le contrôle d'elle-même, rigide, comme si tous ses os venaient de se calcifier.

— Assez.

Cela devait arriver : Claire posa les yeux sur Danny, leur témoin muet.

— Mais laisse-moi t'expliquer..., tenta Kane.

— Il me semble que tu as fait part de notre vie privée à suffisamment de tiers.

La voix de Claire n'était qu'un murmure, mais si caustique qu'il venait à bout de tous les faux-fuyants de Kane.

Renonçant à jouer les hommes invisibles, Danny se peignit un sourire et lança :

— Euh, ne faites pas attention à moi. Je cherchais Eva, mais elle n'est pas là, alors je vais y aller. Vous laisser. Discuter.

Kane lui lança une œillade pleine de gratitude mais Claire rétorqua :

— Ce n'est pas nécessaire. Les autres cuisiniers ne vont plus tarder. Quant à vous, monsieur Slater, suivez-moi, nous avons des points de barème à régler entre juges.

Elle gagna la porte à grandes enjambées et l'ouvrit, attendant que Kane lui emboîte le pas.

Un silence électrique s'installa. La tête haute, livide, Kane ne bronchait pas. Il se contentait de la regarder. Danny, lui, retenait son souffle.

Enfin, le jeune rockeur se remit en mouvement. Mais, quand il fut face à Claire, il se pencha vers elle et lui dit :

— Comme tu voudras. Mais sache que ce n'est pas fini. Tu m'as entendu dire à Theo que je me battrais pour toi, et je le pensais. Même si c'est contre toi qu'il faut que je me batte.

Une lueur passa dans les yeux sombres de Claire, et Danny respira. Elle n'eut pas le temps de réagir, cependant : un carillon leur signalait l'arrivée de l'ascenseur.

Kane entra dans la cuisine sans se retourner et Claire l'imita, non sans adresser à Danny un bref signe de tête. Danny hocha la tête pour la rassurer : il avait compris son message, elle pouvait compter sur sa discrétion. Elle se détendit un peu et la porte de la cuisine se referma sur elle pile au moment où Ike Bryar sortait de la cabine d'ascenseur, son équipe sur les talons.

Danny oscilla sur place, fit craquer les articulations de ses doigts et médita à ce qui venait de se passer.

Bryar, un mastodonte au crâne rasé ceint ce matin-là d'un bandana noué façon karatéka, pointa Claire du doigt.

— Qu'est-ce qu'elle a, la juge en chef ?

Danny haussa les épaules :

— Le jury se réunit avant l'épreuve ; Jansen et Kane sont déjà là. Il n'est pas encore sept heures, je propose qu'on patiente cinq minutes.

Ike émit un son irrévérencieux avec sa bouche et s'adossa contre la porte. Sous sa masse considérable, elle s'entrebâilla.

— Tiens, c'est ouvert ! À ma montre, il est sept heures. On ne va pas poireauter ici comme des glands !

— Allez-y, moi, j'attends mon équipe, dit Danny, amusé. À tout de suite !

Il secoua la tête tandis que l'équipe du Sud défilait en se lançant des interjections braillardes.

Le carillon retentit de nouveau et l'ascenseur dégorgea une nouvelle fournée de cuisiniers. Dans le couloir, le volume sonore augmenta sensiblement, passant d'un silence feutré à une ambiance de match de foot. Danny fut emporté par la marée et se retrouva en cuisine.

Chacun gagna rapidement son plan de travail, déplia son range-couteaux en nylon et disposa ses ustensiles à portée de main afin de pouvoir s'en emparer automatiquement, sans y penser, le moment venu.

Eva ne tarda pas à faire son entrée. Elle portait une robe qui avait dû jusqu'à récemment lui faire une seconde peau. Mais le tissu violet moiré flottait désormais autour de ses épaules décharnées. Quand elle posa le bras sur celui de Drew et se pencha pour lui glisser quelque instruction, le vêtement plissa au niveau de son buste.

Drew manifesta son assentiment et fonça détourner la course de Theo, qui mettait le cap sur sa fille. Drew l'entraîna à l'écart pour permettre à Eva de s'entretenir en privé avec les cameramen.

— Elle ne te foudroie pas du regard, nota Winslow. C'est plutôt bon signe.

Agacé, Danny avoua :

— En fait, je n'ai pas eu le temps de lui parler.

— Tant mieux ! Regarde-la. Elle est au top !

Cheney, le type lourdingue avec qui elle négociait au *Blind Tiger*, formulait une requête et accueillait avec mécontentement ses dénégations désolées.

Danny se rembrunit.

— Elle était « au top » la semaine dernière. Là, elle n'a plus que la peau sur les os !

— Je te dirais bien de ne pas te biler, mais on te l'a déjà dit cent fois et rien n'y fait, maugréa Winslow, alors je ne vois pas pourquoi je me fatiguerais. Allez, un petit sourire ! Au moins, aujourd'hui, elle va faire un vrai repas : elle participe à la dégustation, rappelle-toi.

Eva acheva sa conversation avec Cheney, qui rassembla ses hommes pour les briefer tandis qu'Eva se composait un grand sourire.

— Bonjour, tout le monde !

Les cuisiniers lui rendirent son salut avec plus ou moins d'entrain. L'équipe de la Côte Ouest paraissait épuisée, comme si elle souffrait encore du décalage horaire. Les acolytes de Larousse semblaient, comme toujours, prêts à dégainer non pas des couteaux de cuisine mais des pistolets chargés dont ils n'hésiteraient pas à se servir.

Après les événements de la matinée, Danny dut faire un effort pour se replonger dans le bain de la compétition. C'était le moment qu'ils attendaient tous : la dernière épreuve avant la finale. Rien n'importait plus désormais que de faire partie le soir venu des trois équipes qui poursuivraient l'aventure.

Il était presque arrivé à se motiver quand Eva se mit à décrire ce qui les attendait.

— Comme vous avez dû le remarquer, nous avons multiplié les caméras pour l'épreuve du jour. Maintenant que Cooking Channel nous a rejoints, ajouta-t-elle, ravie, nous allons procéder à quelques petits ajustements, notamment en ce qui concerne le jury. J'y viendrai dans un instant. En attendant, je vous demande d'ignorer les caméras. Oubliez leur existence et concentrez-vous sur vos plats. C'est l'épreuve décisive ! Bonne chance à tous.

Par-dessus son épaule, elle héla Cheney :

— C'est bon, tout est en place ?

— Ça tourne ! répliqua-t-il en braquant son engin sur elle.

Eva décocha aux chefs un terrifiant sourire tout en fossettes et en dents blanches, puis s'achemina jusqu'à la longue table centrale qu'elle avait dressée la veille, celle que recouvrait une nappe blanche.

— Vous vous rappelez ce que je vous ai dit au début de la compétition, à propos de l'importance du travail d'équipe ? Eh bien, aujourd'hui, vous allez être regroupés en deux équipes.

La tension fendit l'air comme une balle de revolver. Danny dévisagea Eva, atterré. Une épreuve en équipe ? Pitié ! La compétition était assez stressante et stratégique sans avoir à coopérer avec l'ennemi !

Sourde aux murmures de protestation des chefs, Eva poursuivit :

— L'équipe du Midwest, vous travaillerez avec l'équipe du Sud.

Au moins, ils ne se coltineraient pas cette bombe à retardement qu'était Ryan Larousse, songea Danny dans un soupir. Mais Eva enchaîna :

— L'équipe de la Côte Est formera donc un binôme avec celle de la Côte Ouest.

À sa gauche, Winslow se pétrifia et Danny comprit les implications de la situation.

Beck allait devoir faire équipe avec Skye Gladwell, l'épouse dont il était séparé.

Le cœur de Danny se mit à cogner et son souffle s'accéléra. Il avait le droit de « se biler », à présent ?

— Aujourd'hui, vous aurez à relever un défi que rencontrent de nombreux chefs au cours de leur carrière.

Avec un geste théâtral, Eva ôta la nappe qui recouvrait la table. Dessous se trouvait une cuve pleine de homards vivants, un plateau de saumon, des steaks et une pile de poulets entiers non plumés.

Et pire que ça, encore. Quand Danny avisa ce qui trônait au milieu de la table, son sang ne fit qu'un tour : il s'agissait d'une énorme pièce montée ornée de roses blanches et coiffée d'un couple de figurines en smoking et robe ivoire.

— Vous allez préparer un menu de mariage à proposer à de jeunes fiancés.

Winslow s'étrangla.

— Win, ça va ? s'alarma Danny en lui posant la main sur le bras.

— Ça ne peut pas être un hasard, murmura-t-il, les yeux tellement arrondis par l'effroi qu'on en voyait le blanc. Oh, punaise. J'ai fait une grosse bêtise.

Eva poursuivait son speech, expliquait les modalités de l'épreuve et plaisantait sur les chausse-trappes à éviter, comme l'inévitable poulet caoutchouteux et le steak façon semelle. Danny ne l'écoutait que d'une oreille, sachant déjà ce qu'il allait devoir confectionner. Une pièce montée. Le cauchemar de tout pâtissier. Il se concentra donc sur son voisin.

Winslow paniquait complètement. Le jeune cuistot n'était pas de ceux qui souffrent en silence. Quand la tension montait, il craquait fréquemment. Mais Danny ne l'avait encore jamais vu dans un tel état de nerfs. Il semblait à deux doigts de se mettre à convulser sur sa planche à découper.

— Une bêtise ? Qu'est-ce que tu racontes ?

Winslow s'agrippa au rebord du comptoir d'acier inoxydable avec tant de poigne que ses articulations blanchirent presque instantanément.

— Je me suis fait avoir comme un bleu.

Danny suivit son regard. Il fixait le jeune Drew qui discutait avec Theo Jansen dans un coin de la pièce.

— Je lui ai parlé de Beck et de Skye Gladwell, gémit Winslow. C'est à cause de moi qu'il a creusé le sujet. On s'amusait, on jouait les détectives... Mais c'est lui qui a déterré le scoop que je t'ai confié ce matin, à propos de leur mariage. Il m'a juré qu'il garderait ça pour lui, mais il a dû en parler à sa chef : cette épreuve ne peut pas être le fruit d'une coïncidence.

Se sentant observé, Drew leur jeta un coup d'œil. Quand il croisa le regard accusateur de Winslow, il pâlit et se décomposa comme un vieux parchemin tombant en poussière. Il grommela un mot à Jansen et quitta la pièce en toute hâte, achevant de convaincre Danny que Winslow avait vu juste.

On les avait piégés.

Eva s'était servie de la relation de Winslow avec son assistant pour concevoir froidement une épreuve qui ferait des étincelles et séduirait l'exigence de Cooking Channel.

Danny se tourna vers Beck. Il restait de marbre, les yeux parfaitement fixes. Mais n'en exprimait pas moins une souffrance muette. Danny fulminait.

Eva n'allait pas s'en tirer comme ça.

30

— C'est injuste !

Les cheveux d'Eva se dressèrent sur sa tête. Elle fit volte-face et vit Danny, livide, les bras croisés, les muscles bandés, les yeux agrandis par la colère.

Le cœur d'Eva cessa de battre. Il avait tout deviné.

Grâce à la réactivité qu'elle tenait de son père, elle enclencha d'instinct la fonction « gestion de crise » et son cœur se remit à battre douloureusement contre ses côtes.

— Je suis navrée que l'épreuve du jour vous déplaise, monsieur Lunden, dit Eva d'une voix posée, mais votre équipe est aussi là pour prouver qu'elle sait travailler sous pression et produire des plats de qualité en dépit des distractions.

— Tant qu'il s'agit de distractions d'ordre culinaire et de pression professionnelle, aucun problème. Mais là, il s'agit d'autre chose !

— Eva, de quoi parle ce jeune homme ? gronda Theo Jansen en fronçant ses sourcils d'argent.

— De rien, affirma Eva machinalement, hypnotisée par la fureur du cuisinier.

— Ce dont je parle ? Je parle d'une organisatrice sans déontologie, qui exploite des données personnelles et s'en sert contre les candidats !

La bouche de Danny se tordit de douleur, et il conclut :

— C'est inadmissible, Eva.

Un frisson remonta le long de la colonne vertébrale d'Eva et la panique lui serra la gorge ; mille pensées bourdonnaient dans sa tête comme un essaim de guêpes. Enfin, elle se détourna et siffla à Cheney de couper.

Cheney ne cacha pas son déplaisir ; la scène était vendeuse. Et Theo, à côté d'Eva, leva une main impérieuse et lui fit signe de continuer à filmer.

Danny commenta, railleur :

— Filmez, filmez ! N'en ratez pas une miette ! Les femmes au foyer vont se régaler !

Il eut une moue de dégoût.

— Mais, à la fin, qu'est-ce qu'on fout ici ? Il n'est clairement plus question de gastronomie.

— Danny, chut…

C'était Winslow. Il le tirait par la manche en le suppliant de ses yeux verts déconfits. Mais Danny serra les poings de toutes ses forces.

— Non ! C'est mal ce qu'elle essaie de faire !

— Je ne peux qu'abonder en votre sens, déclara une voix solennelle, et tous les regards se rivèrent sur Claire.

Eva aussi la dévisageait, déboussolée d'avoir à ce point perdu pied en si peu de temps.

— Claire ! aboya Theo, mais son amie le fit taire d'une œillade assassine.

— Si cet homme dit vrai, si tu as effectivement utilisé des informations personnelles au sujet des candidats afin de dynamiser l'émission, je ne peux qu'abonder en son sens : c'est inadmissible.

Eva se sentait exposée face à cette armée de caméras qui ne la lâchaient pas, qui enregistraient chaque seconde de cet horrible moment.

Les deux personnes dont l'opinion comptait les plus à ses yeux venaient de la condamner en public. Eva fut contrainte de regarder la réalité en face : elle avait mal agi. Du remords se profilait mais, sachant qu'elle ne s'en débarrasserait pas de sitôt, Eva le refoula. Il fallait parer au plus urgent : limiter la casse et aller de l'avant. Elle réparerait les dégâts plus tard.

Respirant profondément, chassant consciencieusement de son visage toute émotion, elle se calma. Il fallait qu'elle se maîtrise. Qu'elle désamorce la crise. Sachant qu'en regardant Danny elle perdrait tous ses moyens, elle se tourna vers sa plus vieille amie. Elle entendait encore son père lui défendant de céder ou de révéler la moindre faille.

— Je vous remercie pour cette intervention, Claire, mais conformément au règlement, les épreuves sont laissées à l'entière discrétion de l'organisateur de l'événement, soit, en l'occurrence, moi. Et si l'épreuve du jour paraît injuste à M. Lunden, je l'invite à considérer qu'il serait doublement injuste de revoir notre programme sur la seule base de ses récriminations.

C'était un argument vaseux, elle le savait alors même qu'elle le prononçait. Ravalant la boule qui montait dans sa gorge, Eva jeta malgré elle un regard à Danny. Devant la flamme indignée qui brûlait dans ses yeux, elle perdit le fil de son propre discours. Le silence s'installa dans la pièce.

Une seconde s'écoula. Puis deux. Puis trois.

— Bien ! dit-elle en rompant le silence comme un plongeur fend un lac d'eau glacé. Et si nous formions les équipes par tirage au sort ? Cela vous conviendrait-il mieux ?

Sans attendre de réponse, elle s'avança à grands pas vers la table centrale et y prit un bloc de couteaux en bois ainsi que quatre couteaux aux manches identiques. Elle plongea dans le bloc deux couteaux de vingt centimètres et deux de vingt-cinq, et étudia le résultat : impossible de les distinguer.

Eva trimballa le lourd bloc de bois jusqu'au centre de la cuisine et le posa sans ménagement devant Danny.

Et lui adressa ce message par télépathie : « C'est le mieux que je puisse faire. »

Puis, à voix haute, elle dit :

— Que chaque équipe m'envoie un représentant pour tirer un couteau.

Danny tendit la main et en empoigna un. Le métal siffla contre le bois lorsqu'il le dégaina. C'était un couteau long.

Skye Gladwell approcha dans un tintement de bracelets et de chaînes de cheville. Elle tira l'un des couteaux courts et le regarda un moment sans trahir aucune émotion. Dans la mine de Beck, cependant, Eva lut le soulagement, et le remords l'assaillit de plus belle. Mais ce n'était pas le moment de ruminer ! Elle fit approcher les deux derniers cuisiniers.

Ike Bryar tomba sur le deuxième couteau long : ses gars feraient équipe avec les New-Yorkais. Du coup, Skye Gladwell devrait collaborer avec Ryan Larousse.

Du coin de l'œil, Eva vit Beck se raidir de nouveau. Cela se comprenait, elle aussi flairait le danger. Mais au moins, cela ferait plaisir à Cheney.

D'un autre côté, en cet instant précis, c'était le cadet de ses soucis.

— Les équipes sont formées, déclara Eva en regagnant l'avant de la salle. À vos fourneaux ! Je repasserai vous voir dans quelques heures.

Les candidats se mirent au travail comme des chevaux de course au signal du départ, et Eva s'éclipsa. Seul Danny resta immobile pendant quelques secondes à la dévisager. Le compromis d'Eva n'avait nullement atténué sa rage. Il la condamnait toujours de ses beaux yeux bleu-gris. Et… il était blessé. Eva sentit son torse se contracter et lui couper le souffle. Quand, enfin, il lui tourna le dos, elle tituba aveuglément jusqu'à la porte.

Elle l'avait perdu.

Cette certitude se logea dans sa gorge comme une pierre, rugueuse et inflexible. Envolé, leur échange de la nuit passée ! S'il avait ressenti quelque chose pour elle alors, c'était clairement du passé. Il ne voulait plus rien avoir à faire avec elle désormais.

Dans le couloir, il faisait plus frais mais Eva ne parvenait toujours pas à respirer. Il lui fallait une minute, juste une minute pour analyser ce qui venait de se passer, pour comprendre comment elle avait tout gâché et anéanti ses propres rêves, des rêves dont elle prenait conscience trop tard. Il fallait qu'elle respire.

Au lieu de quoi, elle tomba sur son assistant, effondré sur un fauteuil près des ascenseurs, blême et malheureux comme les pierres.

— Drew, lui dit-elle d'une voix blanche. Ça va ? Tu pleures ? Qu'est-ce qui t'arrive ? Raconte-moi.

Baissant la tête pour cacher ses yeux bouffis, Drew renifla.

— Il ne me le pardonnera jamais.

— Qui ça ?

— Win ! Winslow Jones.

Son cri de détresse retentit dans l'espace confiné.

— Il sait que je t'ai balancé des infos et maintenant il doit croire que je ne suis sorti avec lui que pour lui tirer les vers du nez, mais c'est faux ! Il me plaisait vraiment.

Les yeux d'Eva la brûlaient comme s'ils contemplaient le fond d'un four allumé. Le jeune homme paraissait bouleversé, et cela lui fendait le cœur. Elle avait justifié ses actes en faisant primer l'avenir de milliers de chefs inconnus sur la vie privée d'une poignée de cuisiniers, et elle se croyait capable d'assumer. Capable de jouer le jeu de Cooking Channel pour obtenir ce qu'elle voulait.

Mais elle n'avait jamais voulu en arriver là.

— Oh, Drew, je te demande pardon. Je ne voulais pas te faire de mal…

— Je sais, dit-il sans la regarder. Je m'en remettrai. De toute façon, je ne lui plaisais pas tant que ça. Pas autant que lui me plaisait…

Sa voix se brisa et Eva le prit dans ses bras pour qu'il ne formule pas cette vérité : qu'il ait plu ou non à Winslow, dorénavant, il n'aurait plus l'occasion de le découvrir.

Drew se crispa d'abord avant de soupirer et de laisser aller sa tête ornée de pics contre l'épaule d'Eva. Tout en serrant contre elle son corps décharné, Eva fixait le mur blanc du couloir. Drew n'était pas le seul à avoir perdu à jamais l'occasion de savoir comment les choses auraient pu tourner avec l'objet de son affection. Qu'avait-elle fait ?

Pour le dire poliment, Winslow déraillait. Depuis le tollé de la matinée, il n'arrivait plus à se concentrer. Sa mémoire comptait autant de trous qu'une râpe à fromage et il avait les nerfs à fleur de peau, comme si on venait de l'écorcher vif avec la râpe en question.

Danny l'épaulait du mieux qu'il pouvait mais, au sein du cadre collectif de l'équipe, chacun réalisait ses propres créations.

Les deux équipes du binôme gagnant partiraient en finale. L'autre binôme serait dissous et l'on départagerait les équipes qui le constituaient. Et l'une d'elle serait éliminée.

Cette épreuve serait plus brève que la précédente. Pour gagner du temps, on avait finalement renoncé à l'excursion chez *Fresh Foods* ; comme il s'agissait de tester les facultés d'improvisation des chefs, ils devraient composer avec des ingrédients présélectionnés. Certains leur étaient imposés : le homard, le saumon, et autres incontournables des mariages. Le défi consistait à faire de ces classiques quelque chose d'inédit et de renversant.

Les cuisiniers avaient eu jusqu'au déjeuner pour concevoir leurs plats : il leur restait l'après-midi pour les exécuter. Il allait falloir sprinter pour être prêts à dix-sept heures ! Alors sonnerait l'heure de la dégustation et les équipes s'affronteraient. En pas moins de dix manches. En effet, chaque équipe devait présenter deux fois cinq plats : deux propositions de soupes, deux salades, deux entrées, deux plats et deux desserts, dont une pièce montée. Un gâteau que Danny n'avait réalisé qu'en formation, jamais en vrai. Et, comme si l'épreuve n'était pas assez ardue comme ça, son équipe menaçait d'imploser d'une minute à l'autre.

Étonnamment, le plus calme de tous, c'était Beck. Lorsque Winslow laissa échapper son couteau pour la vingtième fois et qu'il se coupa le pouce, ce fut Beck qui abandonna temporairement ses homards et l'entraîna jusqu'à l'évier pour le lui rincer.

Max la jouait perso. Tout au bout de la table, il se livrait à des expériences bizarres sur de la peau de poulet. Non loin, Jo se penchait sur l'endive qui servirait d'accompagnement à son tournedos, non sans surveiller du coin de l'œil Beck et Winslow.

Elle croisa le regard de Danny et ils échangèrent une grimace d'inquiétude résignée : il fallait prendre son mal en patience et donner le meilleur de soi-même.

Et encore, elle n'était pas au courant de tout. Lorsque Skye Gladwell croisa Beck et en lâcha son fouet, Jo ignorait la raison de son trouble. Lorsque Beck le lui ramassa et le lui tendit, le manche en premier pour lui éviter de se tartiner les mains de pâte à gâteau, Jo ne pouvait pas deviner ce qui se cachait derrière ce geste anodin.

Mais rien n'échappait à Danny. Il vit la façon dont le regard de Beck s'attardait sur l'annulaire nu de la jeune femme. Il vit l'expression de repli de Skye, elle d'ordinaire si gaie.

Il vit tout cela et son torse se bomba sous l'effet de la rage.

Comment Eva avait-elle pu placer Beck et Skye dans la même équipe ? Et pour prévoir un repas de mariage, qui plus est ! Elle avait eu beau se raviser à la dernière seconde, Danny ne décolérait pas.

Quand Eva repassa après le déjeuner, il la battit froid. Elle leur exposa en détail la façon dont le jury départagerait les candidats, mais Danny ne l'écoutait pas. Il fit également abstraction des œillades inquiètes qu'elle lançait au sale mouchard qui lui servait d'assistant, à la main maternelle qu'elle posait sur son épaule ainsi qu'à la douceur avec laquelle elle s'adressait à lui. Sans doute lui demandait-elle d'autres renseignements de nature privée à exploiter !

Danny enclencha furieusement la plus haute vitesse de son mixeur. Les lames se mirent à vrombir en crachotant un mélange de guimauve et de sucre glace.

Danny lança un dernier coup d'œil à Eva. Il nota son teint hâve, ses gestes saccadés et l'inquiétude fondit sur lui.

Eva prit le mouchard par l'épaule et le mena vers la sortie, puis elle se retourna pour inspecter la salle une dernière fois. Ses yeux cernés trouvèrent ceux de Danny et, pendant un long moment, le temps s'arrêta et il ne pensa plus à rien. Sa beauté le faisait complètement chavirer, malgré sa moue d'enfant punie.

Mais Danny reprit ses esprits. Il afficha un rictus méprisant, plus irrité par sa propre faiblesse que par Eva elle-même, secoua la tête et se replongea dans la confection de son crétin de fondant caractériel.

S'il se plantait sur la température, il n'obtiendrait jamais la bonne consistance. Il avait opté pour un fondant pâtissier, meilleur mais plus difficile à réaliser qu'un glaçage à base de gélatine et de glycérol. Fronçant rageusement les sourcils, Danny se concentra sur ses délicates manipulations et s'efforça de chasser toute pensée intrusive. Il ne s'en sortait pas trop mal jusqu'à ce que Beck se dresse à ses côtés, le front barré d'une ride profonde.

— Je sais que tu es au courant pour Skye et moi, dit-il sans préambule. Win m'a tout raconté.

Danny commençait à se lasser de ces chocs incessants. Provenant d'une famille de cardiaques, il aurait apprécié un peu de ménagement ! Et le concours avait intérêt à lui rembourser les frais d'asile psychiatrique qui lui pendaient au nez.

— Désolé, dit-il, sincère.

Beck conservait un calme déconcertant.

— Ne t'excuse jamais pour ce dont tu n'es pas responsable. Tu n'as pas créé cette situation. Pas plus que Winslow, ni Eva Jansen.

— Comment peux-tu dire une chose pareille ? marmonna Danny, qui se méfiait des micros. Elle a déterré des secrets et s'en est servi pour tous nous manipuler !

Beck secoua pesamment la tête.

— Peu importe. C'est moi qui ai fait des mystères. Je n'aurais pas dû. J'aurais dû renoncer à cette histoire il y a des années. Seulement, c'est compliqué... N'empêche : si j'avais eu deux sous de jugeote, si je m'étais contrôlé quand ce petit merdeux de Larousse m'a provoqué, Eva n'en aurait jamais rien su. C'est ma faute, pas celle d'Eva. Et encore moins la tienne ou celle de Win. Alors arrêtez de culpabiliser, ça n'en vaut pas la peine.

Danny n'aurait pas été plus surpris si Beck l'avait attrapé par les chevilles et suspendu la tête en bas.

— Je ne t'ai jamais entendu prononcer un tel discours !

L'ombre d'un sourire flotta sur les lèvres austères du colosse. Braquant sur Danny sa pince à crustacé en acier, il ajouta :

— Et arrête de fusiller du regard Eva Jansen. Je te rappelle qu'elle va goûter nos plats. Évitons de nous la mettre à dos !

Sur ce, Beck regagna son poste et se remit à casser ses pinces de homard et à en recueillir la chair tendre et parfumée.

Danny le regarda, plein d'une admiration croissante.

Et il résolut de dire à Eva ses quatre vérités.

31

Claire trouva Eva dans la salle de dégustation. Elle était seule, assise devant la table vide, le regard fixe.

— Ma chérie ? Ton cameraman, cet imbuvable Cheney, te fait dire qu'il ne pourra pas filmer la dégustation ici. Il prétend qu'il n'y a pas suffisamment de place. Reviens en cuisine, c'est presque l'heure.

Eva l'entendit à peine.

— Est-ce que tu me détestes ? Comment ai-je pu me fourvoyer à ce point ?

Claire soupira et s'assit à côté d'Eva.

— Je ne te déteste pas et tu ne devrais pas te juger aussi durement.

Papillonnant des cils pour refouler ses larmes, Eva se tourna vers sa meilleure amie. Il fallait absolument qu'elle la comprenne.

— Mais j'étais prête à tout pour décrocher ce contrat avec la télé !

Claire prit l'air pincé et rétorqua :

— Oui, et pourquoi, à ton avis ?

— Ben… pour accroître la visibilité du concours, lever des fonds et permettre à plus de chefs de participer…

Claire secoua la tête et la lumière pailleta d'or son chignon auburn.

— Eva, tu sais que je t'adore, mais cesse de te voiler la face. Si vraiment tes intentions étaient si pures, te sentirais-tu aussi coupable ?

Eva réfléchit. Elle défendait sa version des faits depuis si longtemps qu'elle rechignait désormais à en gratter la surface pour plonger au cœur de ses motivations les moins avouables. Toutefois, le pragmatisme de Claire, direct, sévère et bienveillant à la fois, riva la jeune femme à son siège.

— C'est vrai que j'aimerais ouvrir le concours à plus de cuisiniers, comme ma mère en rêvait, commença Eva.

Mais un doute la taraudait, la forçait à retirer ses œillères.

— Je te crois. Mais tu cherches aussi à épater ton père, lui souffla gentiment Claire.

Une vérité complexe et dure à entendre commençait à se faire jour dans la tête d'Eva, écrasant toutes ses certitudes sur ses choix et son identité.

Elle avait voulu que le concours soit couronné de succès pour prouver à son père qu'elle serait digne, à sa mort, de reprendre la direction du groupe Jansen Hospitality.

— Je suis un monstre, geignit-elle en laissant sa tête s'abattre lourdement sur la table.

— Pas du tout, ma chérie.

Claire posa sa main gracile sur la nuque d'Eva, que cuisait la honte. La jeune fille respira un peu mieux.

— Tu n'es pas un monstre, mais un être humain. Tu as des sentiments et des motivations complexes. Et tu vaux mieux que ce que tu crois. J'ai foi en toi.

Ces simples mots, prononcés sans grandiloquence, firent à Eva l'effet d'une douce pluie sur une terre aride.

Elle n'avait pas tout perdu. Il lui restait au moins une amie. Qui lui faisait confiance, sachant qu'elle agirait pour le mieux. Peut-être le moment était-il venu d'essayer.

Peut-être qu'Eva se surprendrait.

Le chrono se rapprochait dangereusement de zéro et, en cuisine, la frénésie franchit un nouveau palier : on goûtait telle sauce une dernière fois, on ajustait en catastrophe tel assaisonnement avant de mettre la touche finale à la présentation des plats.

Danny regarda l'équipe adverse à la dérobée. Sous la houlette du tonitruant Ryan Larousse, ils avaient choisi de travailler collectivement à leurs différents plats et Ryan répartissait désormais de façon arbitraire les tâches de présentation. Skye Gladwell faisait grise mine ; les bras croisés, elle affichait clairement son mécontentement. Danny compatit : la stratégie de Ryan ne pouvait manquer de favoriser les heureux élus qui serviraient le jury. Sans compter que Ryan s'approprierait certainement le plat le plus réussi.

Plus tôt, alors que Winslow paniquait encore à cause de ce qu'il avait fait, il avait interrogé Danny :

— Tu crois qu'on aurait dû faire comme eux ? C'est une mauvaise idée, à ton avis, de préparer chacun son propre plat ?

— Certainement pas, l'avait-il rassuré. On s'est concertés, on sait que notre repas sera harmonieux au final, mais on reste avant tout des individus. On a chacun son propre style à mettre en vitrine.

Cependant, en comparant ses plats avec ceux de ses rivaux, il ne put s'empêcher de s'inquiéter. Sous le commandement de fer de Larousse, les concurrents avaient fait preuve d'une grande cohésion, tandis que Danny et ses troupes avaient travaillé de leur côté, et Ike Bryar et les siennes du leur.

Question travail d'équipe, on repasserait.

Les juges arrivèrent à la seconde où la sonnerie retentit. Danny ne quittait pas des yeux le plan de travail où trônait sa pièce montée, fière, superbe et délicieuse.

Du moins l'espérait-il. Comment en être sûr ? En pâtisserie, on ne pouvait pas goûter au fur et à mesure. Danny enviait parfois ses coéquipiers, qui salissaient en une

heure cent petites cuillers à force de goûter et de regoû-
ter chaque plat, à chaque stade de sa cuisson. Mais
Danny avait un faible pour le sucré, aussi en prenait-il
son parti.

Les plats de ses coéquipiers, simples et indémodables,
lui semblaient réussis. Mais ils manquaient peut-être un
peu d'audace ou d'originalité. Déstabilisés par la crise de
la matinée, les cuisiniers s'étaient réfugiés en territoire
connu.

La rage qui s'était allumée en Danny comme un brasier lorsqu'il avait compris la trahison d'Eva s'était quelque peu apaisée : répéter méthodiquement des gestes
familiers pour transformer des ingrédients communs en
un mets succulent l'avait calmé.

Mais il en allait de son honneur. Il ne pouvait pas laisser passer un tel outrage sans dire à Eva ses quatre
vérités.

Alors, qu'est-ce qui le retenait de l'accuser sur-le-
champ, avant que le jury se réunisse ?

Danny examina les juges. Ils se tenaient à droite de la
haie de caméras, guettant le signal de Cheney. Eva s'y
trouvait, elle aussi, mais Danny fit mine de ne pas l'avoir
vue : il n'était pas encore prêt à l'affronter. À la place, il
focalisa son attention sur Kane Slater, qui paraissait
s'être calmé, lui aussi. À moins qu'il ne camoufle son agitation sous une épaisse couche de rock et de glamour en
espérant berner son monde.

Claire Durand, en revanche, possédait un sang-froid
redoutable : debout à côté du rockeur, elle paraissait
parfaitement à l'aise, sereine, souriante. Danny devait
être le seul à discerner les flammèches de colère conte-
nue qui dansaient dans ses yeux lorsqu'ils se posaient
sur Kane ou sur Theo.

Ce dernier se pavanait, plus content de lui que jamais.
Ses traits ne reflétaient que la satisfaction et la conviction de diriger de main de maître les opérations.

Restait Eva. Qui fixait ses pieds. Cheney lui soufflait des instructions et lui faisait part de ce que les caméras avaient repéré. Danny ne distinguait pas l'expression de son visage, mais elle lui fit tant de peine qu'il se détourna aussitôt.

Il résolut de tenir sa langue… pour le moment. Se donner en spectacle sous l'œil avide des caméras, ça n'était pas son genre. Et cela ferait le jeu d'Eva. Par contre, une fois que le jury aurait rendu son verdict et se retirerait pour délibérer, il irait la trouver.

Étouffant la petite voix qui l'accusait de procrastination, Dany écarta légèrement les pieds, croisa les bras, et se prépara à assister à la dégustation.

Il faudrait patienter avant d'arriver au dessert. C'était d'autant plus stressant. Danny ne s'habituerait jamais à passer en dernier.

— Mesdames et messieurs, c'est l'heure ! dit Eva en gagnant le centre de la pièce. Posez les couteaux !

Les juges la suivirent et s'installèrent à la table centrale, qu'on avait débarrassée et dressée pour la dégustation.

Le collègue de Skye coiffé de dreadlocks (Danny n'avait pas la mémoire des noms) avait préparé une crème de panais aux chips de betterave avec Chantilly au safran. Son homologue de l'équipe d'Ike s'était contenté d'un classique : une soupe à la courge et au beurre brun parfumée de sauge grillée.

Les juges entreprirent de les comparer.

— La crème de panais est très parfumée, s'étonna Theo. Elle est vraiment végétarienne ?

— Promis, juré ! assura le chevelu.

— Vous avez dû faire griller vos légumes pour qu'ils rendent autant de goût, supposa Claire, et l'autre opina.

Elle sourit, satisfaite.

— La soupe de courge me plaît bien, dit Kane, mais elle est un peu fade.

— En général, on peut compter sur le beurre brun pour relever un plat mais, en l'occurrence, il l'alourdit, approuva Theo.

— En revanche, la sauge grillée apporte au plat une note intéressante, glissa Claire.

Danny s'étonnait de son propre stress – son cœur battait la chamade. Il ne s'était pas préparé à entendre en direct les moindres réactions et critiques des juges.

Retenant son souffle, il attendit que tombe le verdict :

— Le point va au binôme Midwest-Côte Ouest, annonça Eva en rosissant légèrement.

Elle ne s'était toujours pas risquée à regarder Danny, pas une seule fois depuis qu'elle était entrée. Ce dont il se moquait éperdument, bien sûr.

Des cris de joie retentirent à la table des vainqueurs tandis que le chevelu les rejoignait de sa démarche élastique, un sourire triomphal aux lèvres. Le responsable de la soupe de courge regagna lentement sa place, dépité.

— Plat suivant !

L'épreuve se poursuivit ainsi. Chaque duel emplissait Danny de crainte et d'espoir. Il comptait les points dans sa tête. Le deuxième alla également aux concurrents : leur potage de tomate avait l'air à tomber, contrairement au velouté de pois et de laitue de Winslow, qui avait visiblement manqué d'inspiration. De même, la salade de fenouil de l'équipe d'Ike n'arrivait pas à la cheville de celle de l'adversaire, une pure merveille à base de sucrines, d'avocat et de pamplemousse rose arrosée de vinaigrette au xérès.

Vint le tour de Beck de présenter sa salade, et, cette fois, Danny comptait bien voir son équipe remporter le point. Quoi qu'ait concocté l'émissaire de Larousse, cela ne pouvait pas valoir la fameuse salade de homard de Beck.

Elle se composait d'une poêlée de légumes verts et de champignons, servie en salade avec vinaigrette au champagne et bouchées de chair de homard au beurre, le tout agrémenté d'une sauce hollandaise à l'estragon. C'était un tel régal qu'elle ne restait jamais plus d'un quart d'heure à la carte d'*Au plaisir des sens*.

Les juges réagirent comme les clients du restaurant : en gémissant de plaisir sans aucune pudeur. Beck rafla le point et regagna sa table en battant l'air de ses poings, extatique, et Danny se rengorgea.

Winslow s'était laissé déconcentrer, mais la partie n'était pas finie. Quant à Beck, il avait triomphé de l'adversité et fait honneur à son équipe.

Danny retrouva enfin un peu d'optimisme. Il leur restait deux points à rattraper mais rien n'était encore joué.

Peut-être iraient-ils en finale. Il y avait de quoi se réjouir ! Alors pourquoi Danny se sentait-il si las ?

Les points volaient à toute allure. Les deux équipes étaient pratiquement au coude à coude. Les concurrents remportèrent un point pour leur première entrée, mais les créations de Max et de Jo leur en valurent chacun un, et les juges ne tarirent pas d'éloges à leur sujet. Hélas ! Quand vint le tour des plats, Larousse et ses hommes se surpassèrent : l'issue de l'épreuve demeurait incertaine.

Max remporta un point pour sa cuisse de poulet rôtie, sa salade tendre de feuilles de choux de Bruxelles et son croustillant de peau de poulet grillée, un mets admirablement contrasté. Jo se distingua avec son duo de médaillons de bœuf : l'un réduit dans une sauce au porto, l'autre accompagné d'une béarnaise riche en beurre et rehaussée de moutarde.

Ce fut Ike Bryar lui-même qui égalisa les scores avec ses croquettes de saumon aux petits pois, légères, moelleuses et dorées à souhait sur lit de semoule crémeuse et accompagnées de chou frisé sauté.

Quand les juges lui accordèrent le point, l'équipe de Danny laissa exploser sa joie.

Tout allait se jouer sur les desserts. À moins que le vent ne tourne, les concurrents n'avaient aucune chance.

Le tumulte retomba et c'est alors que Danny s'aperçut que Ryan Larousse n'avait encore rien présenté. Sa nervosité augmenta. Le connaissant, il avait dû se réserver le meilleur plat afin de s'attirer une salve de compliments. Donc, son dessert devait tenir la route. La posture détendue de Ryan confirma ce soupçon : il semblait confiant. Félicitant d'une bourrade virile l'un de ses coéquipiers, il décocha à Danny un sourire arrogant.

La panique s'empara du pâtissier. Il serra les poings pour s'ancrer sur place : chaque muscle de son corps lui criait de faire passer l'envie de rire à ce petit coq ou de se jeter aux pieds des juges pour leur présenter son gâteau.

Mais il restait une dernière manche à disputer. L'ordre de passage avait été établi et Danny devait le respecter, sous peine d'insulter ses coéquipiers. Et puis, après tout, les cupcakes au caramel du petit gros de l'équipe d'Ike étaient peut-être délicieux…

Catastrophe. Son homologue de la Côte Ouest tenait entre ses mains les plus jolies profiteroles que Danny avait jamais vues.

Il attendit la réaction du jury en apnée, à deux doigts de l'évanouissement.

— Je ne suis pas convaincue par les cupcakes, dit Claire en se tamponnant délicatement la bouche d'un coin de serviette. Trop sucrés à mon goût.

— Moi, je suis fan ! rétorqua Kane la bouche pleine et d'un air de défi.

Danny résista à l'envie d'embrasser sa joue mal rasée et maculée de glaçage.

— Les profiteroles, en revanche, dit Claire, manifestement concentrée, sont intéressantes. Les deux équipes ont eu l'idée de proposer des desserts individuels, ce que j'apprécie. Mais je préfère les profiteroles.

« Allez, allez… »

La prière silencieuse de Danny ne fut pas entendue. Dès l'instant où les juges cessèrent de délibérer pour se retourner face aux candidats, il devina ce qu'ils allaient leur annoncer.

— Le point va à l'équipe Côte Ouest-Midwest.

Danny eut l'impression qu'on venait de lui verser sur la tête un tonneau d'eau glacée. Enfin, Eva chercha son regard. Il y lut ce qu'il savait déjà.

Tout reposait sur lui.

32

Eva résuma la situation sans quitter Danny des yeux.

— L'équipe Côte Ouest-Midwest mène cinq à quatre. Le point final leur attribuera la victoire ou bien nous conduira à une épreuve supplémentaire. Mesdames et messieurs, êtes-vous prêts à présenter votre dernier plat ?

Danny baissa les yeux. L'émotion qu'il devinait dans ceux d'Eva lui était insoutenable. Il ignorait ce qu'elle ressentait, ce qu'elle attendait de lui…

Ce n'était pas le moment d'y penser. Il devait contrôler le tremblement de ses mains afin de ne pas laisser tomber sa pièce montée. Comme s'il marchait vers la potence, il gagna lentement la table du jury, son œuvre en équilibre entre ses mains, sans se laisser devancer par Ryan Larousse qui en faisait autant de son côté.

Lui aussi portait un gâteau. Un gâteau blanc et scintillant plein de copeaux de noix de coco, taillé comme une sculpture de glace avant-gardiste, étincelant comme un diamant.

Zut.

— Je vois que vous avez choisi de couper vos gâteaux devant nous, observa Theo en regardant Danny.

Malgré son ton indifférent, Danny se sentit obligé de se justifier :

— Je voulais vous faire profiter de la décoration. Une pièce montée doit être au moins aussi belle que bonne.

Et, sans se vanter, la sienne était magnifique. Danny, perfectionniste, s'avouait rarement satisfait mais, en l'occurrence, son dessert avait fière allure. Le fondant enrobait les deux étages de son gâteau comme un voile de soie. C'était peut-être un peu tape-à-l'œil, mais pouvait-on réellement trop en faire dans le cadre du concours de la Toque d'Or ? Danny trouvait que non. Aussi avait-il passé de longues minutes à confectionner de minuscules boutons de rose en sucre et en colorant. Le résultat était plus vrai que nature. Avec un reste de fondant, il avait fabriqué un ruban qui ornait à présent le gâteau d'une cascade de plis et de replis. Le tout brillait de mille feux. C'était une véritable œuvre d'art.

— Oui, oui, votre gâteau est très joli. Pour autant, j'espère que vous n'en avez pas négligé le goût ? Il s'agit avant tout d'un concours culinaire, l'avertit Claire.

Il faillit lui répondre du tac au tac sur un ton de dédain, mais se maîtrisa.

— J'en ai bien conscience.

Jamais il n'avait eu à ce point conscience de quoi que ce soit d'autre de toute son existence ! Chacun de ses battements de cœur ébranlait sa cage thoracique et se répercutait dans tout son être. Il avait le souffle court, comme si l'oxygène lui manquait. Une goutte de sueur ruissela le long de son oreille gauche et les poils de ses bras se hérissèrent. Il frémit.

— Et que dites-vous du gâteau de Ryan ? demanda Eva. Il est pour le moins étonnant !

— Il s'agit d'une composition à base de mangue et de noix de coco, expliqua Larousse d'une voix mielleuse. Dans mon équipe, nous avons travaillé de façon collégiale et mis toutes nos idées en commun, et nous sommes tombés d'accord pour faire quelque chose qui sorte de l'ordinaire, qui change de l'éternelle pièce montée blanche à la vanille.

Il ponctua son insinuation d'un regard appuyé vers l'œuvre de Danny.

— Je vous propose donc une génoise fine, richement fourrée à la mangue. J'espère que ça vous plaira.

« Faites que ça ne leur plaise pas ! Faites que ça ne leur plaise pas ! » psalmodia Danny en son for intérieur tandis que Larousse tranchait délicatement son gâteau et servait les juges.

Hélas, leurs visages s'illuminèrent l'un après l'autre, et Danny se décomposa.

— Exquis, ce gâteau, déclara Claire d'un ton critique en portant à nouveau sa fourchette à la bouche.

— Je suis fou de mangue, dit Kane, aux anges. C'est mon péché mignon. Il y a aussi du citron vert, non ?

— Tout à fait, confirma Larousse, obséquieux. L'acidité de l'agrume fait ressortir la douceur et la saveur du fruit, vous ne trouvez pas ?

Danny se retint de ricaner. Marier la mangue et le citron, quelle originalité !

— Merci pour cette information, le rembarra Eva en repoussant son assiette. Passons au candidat suivant.

Danny n'eut pas le temps de savourer la vexation de Larousse : il était trop occupé à sonder l'expression des juges qui mordaient dans sa création.

Expression proprement indéchiffrable. Pas moyen de deviner ce qu'ils en pensaient.

Danny sentit une pellicule de transpiration se former à la racine de ses cheveux. Il avait envie de racler nerveusement un peu de glaçage séché qui collait à sa veste, mais il se tint tranquille.

— C'est de l'amande qui donne ce goût à la pâte ? s'enquit Kane, surpris.

Danny s'éclaircit la gorge avant de répondre :

— Oui. La crème au beurre est parfumée au gingembre et à la cannelle et le gâteau lui-même est incrusté d'éclats d'amandes caramélisées.

— C'est léger, commenta Claire. Et moelleux.

— Ce qui est rare pour un gâteau supportant d'être monté en étages, ajouta Theo, impressionné.

Eva finit sa part et en ramassa les miettes du dos de sa fourchette.

— Il est très raffiné, dit-elle aux juges. Subtil et élégant.

Danny n'allait pas se laisser enjôler par les compliments d'Eva. Ils arrivaient trop tard ! Le menton en avant, il resta concentré sur les juges, qui seuls tenaient son sort entre leurs mains. C'étaient eux qui feraient pencher la balance, dans un sens ou dans l'autre.

L'équipe de Danny était éreintée. Physiquement, et émotionnellement. À vrai dire, Danny l'était aussi. S'il remportait le point, il lui faudrait encore affronter l'adversaire en une ultime épreuve, et cette seule perspective lui donnait la nausée. Pourtant, c'était leur seul espoir et il devait s'y raccrocher.

Le silence s'étira, insupportable, tandis que les juges se rapprochèrent pour se concerter. Plus le débat se prolongeait, plus Eva se décomposait, mais Danny refusait d'y prêter attention. Il patienta, l'air bravache.

Enfin, les juges reprirent leur place. Eva semblait pâle et souffreteuse. Comme si un imprévu de plus risquait de l'achever.

Elle s'adressa aux candidats.

— La décision n'a pas été facile. La question du style, notamment, a beaucoup joué. La consigne vous invitait à faire preuve d'innovation, d'originalité et d'esprit d'équipe, et, au final, le jury a choisi de récompenser les candidats qui leur ont paru le mieux incarner ces qualités.

L'estomac de Danny se noua. Il savait déjà ce qu'elle allait leur annoncer, même avant qu'elle lui lance un regard furtif et navré.

Eva dut s'y prendre à deux fois avant de parvenir à rendre le jugement :

— Le point va... Le point va à Ryan Larousse. L'équipe Côte Ouest-Midwest remporte l'épreuve.

La terre s'arrêta de tourner.

Danny, en tout cas, s'arrêta de respirer, et d'écouter, et s'il avait pu cesser d'exister, en cet instant précis, il l'aurait fait.

Au lieu de quoi, il fut plongé dans un état d'abrutissement total. Sa tête flottait à un mètre au-dessus de son corps et il ne percevait pas un son à part celui de son propre cœur résonnant vaguement dans le lointain. Cela ne dura que quelques secondes avant qu'il ne revienne, brutalement, à la réalité. Une douleur lancinante lui tenaillait les pieds, comme toujours après une journée passée à courir d'un bout à l'autre d'une cuisine, à piétiner dans la réserve, à se pencher au-dessus des plaques et du four. Après son étrange malaise, elle lui parut plus aiguë que jamais.

Dans son dos, les juges félicitaient les vainqueurs fous de joie, leur serraient la main, multipliaient les compliments sur leurs plats préférés. Danny, lui, resta planté là à tenter d'assimiler ce qui venait de se passer.

Il avait perdu. Il y avait cru jusqu'au bout. Son père l'avait chargé de réaliser son rêve pour son restaurant, et il avait échoué. Peut-être même que son équipe serait définitivement éliminée le jour même, qu'il lui faudrait rentrer à New York la queue basse, tout ça parce que Danny s'était laissé détourner de son but premier : le concours.

C'était sa faute.

Tout en battant sa coulpe, il suivait des yeux Eva qui se faufilait à pas heurtés entre les gagnants, sans aucune trace de sa grâce et de son énergie habituelles.

Oui, c'était la faute de Danny. Mais pas uniquement. On l'avait piégé. Une soif de vengeance monta en lui inexorablement.

Il méditait un plan lorsqu'une main se tendit devant lui entre les vestiges des deux gâteaux abandonnés sur leurs plateaux.

Danny cligna des yeux. C'était Ryan Larousse.

— Vous vous êtes bien battus, lui dit-il d'un ton dépourvu de moquerie.

— Mais c'est vous qui avez gagné.

Malgré lui, Danny s'autorisa à éprouver une pointe de respect pour son concurrent. Et se sentit un peu mieux.

— C'était mérité, ajouta-t-il. Vous avez fait du beau boulot. Nous, on a craqué sous la pression. Bravo.

Larousse grimaça.

— Ouais… Mais ça n'aurait pas dû se passer comme ça. Je sais que j'ai fait le con avec la petite Skye et ton coéquipier…

Il cherchait ses mots, comme s'il rechignait à s'excuser. Danny ne s'étonna pas lorsqu'il reprit son fameux air fat et décida, tout compte fait, de changer de sujet :

— J'espère vous voir en finale, si vous n'êtes pas éliminés avant. Bonne chance !

Danny prit la main de Larousse et la serra brièvement.

— Merci, lui dit-il, touché.

— D'ailleurs, il est temps pour le jury de se retirer afin d'en décider, décréta une voix.

Danny pivota : c'était Eva. Il se crispa de la tête aux pieds et la toisa. Les lèvres entrouvertes, elle garda le silence pendant un moment, comme si elle hésitait à en dire davantage.

Le silence s'étirait comme du caramel. Finalement, Eva courba la nuque et s'éloigna. Danny ne la suivit pas des yeux : lorsqu'il la contemplait, il lui semblait qu'on lui enfonçait une lame à la base du cou.

La tension retomba.

Scrutant la foule, Danny repéra son équipe, assemblée autour de leur table. Max enlaçait Jo. Beck se tenait à l'écart, l'air impénétrable. Il s'était beaucoup ouvert depuis son arrivée au *Plaisir des sens* mais, pour l'heure, il ressemblait à un géant de pierre, impassible, inébranlable. Ce qui tranchait d'autant plus avec la mine catastrophée de Winslow. Il n'avait jamais su masquer ses émotions.

L'assistant d'Eva entreprit de réunir les membres du jury et de les guider vers la sortie. Il croisa Win, mais ce dernier se détourna avant de capter la lueur d'espoir dans son regard. Danny, lui, la surprit. Et remarqua que les yeux de Winslow, d'ordinaire pleins d'éclat et de vie, ses yeux qui faisaient tout son charme s'étaient ternis comme deux chandelles mouchées.

Et la rage refit surface, balayant toute honte, toute culpabilité. Danny ne pensait plus qu'à une chose : débouler dans la salle des délibérations en lançant des accusations, humilier Eva comme elle avait voulu humilier Beck, la blesser comme elle avait blessé Winslow.

Percevant le regard de son frère, Max leva la tête. Il était sombre mais serein et respirait la compassion. Danny fit non de la tête et lui tourna le dos : il n'avait aucune envie de la compagnie de son aîné.

Sans réfléchir, il s'engouffra sur les traces du jury. Dans le couloir, il inspira sa première bouffée d'air frais et dépourvu d'odeurs de cuisson et de transpiration depuis de longues heures.

Il ne se sentait pas d'attaque pour encaisser les platitudes zen de Max sur le sort, le destin et la fatalité. Et il n'était pas encore prêt à faire contre mauvaise fortune bon cœur, pour son équipe.

Il n'avait qu'une chose en tête : la vengeance.

33

C'était l'heure de vérité.

Une expression dont Eva mesurait enfin pleinement la portée.

Elle ruminait sans cesse les propos pleins de sagesse que Claire lui avait tenus quelque temps auparavant. Il fallait qu'elle se regarde en face, sans se mentir à elle-même.

Hélas ! Le résultat ne lui plaisait pas.

D'un point de vue extérieur, rien à redire. Eva se trouvait même plutôt jolie. Sa robe mauve flottait autour de son corps amaigri et en adoucissait les angles. Pour perdre du poids, rien ne valait le stress !

Une veste en coton kaki complétait sa tenue et lui conférait une touche de professionnalisme. Ses chaussures, des richelieus blanc et beige à talons de dix, faisaient un poil too much. Mais elle avait eu besoin d'un coup de fouet, ce matin-là.

De plus, Eva avait sa vanité. Après tout, c'était peut-être la dernière fois qu'elle passerait à la télé avant un long moment.

Car ce qu'elle s'apprêtait à faire allait tout changer. Et lui coûter au passage le respect de son père, mais tant pis. De toute façon, il ne semblait pas disposé à le lui accorder.

Et, en son âme et conscience, Eva restait une femme d'affaires. Or, renoncer à son amour-propre dans l'espoir de plaire à son père, ce n'était pas un contrat, mais une arnaque.

Elle alla s'asseoir à la table des juges, une boule dans la gorge comme de la pâte à pain crue.

Claire ouvrit les hostilités : fallait-il éliminer l'équipe du Sud ou les New-Yorkais ?

C'était maintenant ou jamais.

Les tempes battantes, Eva se leva et fit face aux trois autres, très vite, de peur de changer d'avis ou de se dégonfler.

— Avant de commencer, j'ai quelque chose à vous dire.

Claire ouvrit des yeux ronds et considéra avec douceur l'air anxieux de sa jeune amie.

— Ça ne peut pas attendre ?

Le malaise d'Eva s'intensifia, mais elle le refoula.

— Non. Si j'attends, je vais faire un ulcère ou quelque chose dans ce goût-là.

— Tu préfères qu'on te laisse seule avec ton père ? proposa Claire, qui se dirigeait déjà vers la sortie, à la consternation de Theo.

Eva eut un bref sourire plein de reconnaissance. Enfin, elle parvint à articuler :

— Non, restez. Ce que j'ai à dire vous concerne tous.

Claire inclina vivement la tête, la main sur la poignée, de sorte qu'Eva craignit qu'elle s'en aille quand même et l'abandonne seule à son sort, sans aucun soutien moral.

Mais elle se rassit et croisa les mains sur la table.

— Nous t'écoutons, dit-elle de sa voix douce.

Eva se sentit inondée de gratitude. Sa nausée se dissipa et sa nervosité s'atténua.

— Eh bien, explique-toi ! ordonna Theo en haussant un sourcil broussailleux. Qu'est-ce que c'est encore que cette comédie ?

Eva tenta maladroitement de sourire. Cette fois non plus, son rictus ne dura pas.

— Désolée, papa, dit-elle. Ça ne va pas te plaire.

Alors, Eva crut apercevoir quelqu'un à la porte. Elle n'avait vu qu'un éclair blanc mais son esprit hagard et agité reconnut immédiatement la veste d'un cuisinier. Troublée, elle fixa de nouveau la porte entrebâillée.

Le revoilà. Cet éclair blanc fulgurant. Instinctivement, Eva sut de qui il s'agissait.

— Danny, lança-t-elle. Entre, ça te concerne, toi aussi.

Après une longue pause, la porte s'ouvrit. Elle avait vu juste : c'était bien Danny qui se tenait là, les traits déformés par la rage.

— Monsieur Lunden, murmura Theo en reconnaissant le candidat.

Il ne se doutait pas du choc qu'Eva lui réservait. Elle serra les dents et rassembla tout son courage. La tête haute, elle regarda en face chacun de ses interlocuteurs, tour à tour, en terminant par Danny.

C'était le moment.

Sans cesser d'admirer ses yeux couleur d'acier, elle dégaina sa serviette et en sortit l'épaisse liasse de documents que Cheney lui avait remise. Bizarrement, ses mains ne tremblaient pas.

— Voici les contrats que j'ai négociés avec Cooking Channel. Ils cèdent aux producteurs les droits sur toutes les séquences d'ores et déjà filmées par Cheney ainsi que sur toutes celles que son équipe filmera d'ici à la fin de l'émission.

Les yeux de Danny lancèrent des éclairs… avant de s'écarquiller : Eva venait de déchirer les premières pages de la liasse.

— Mais que fais-tu ? Tu es folle ! rugit son père à pleins poumons.

— Je mets un terme à notre collaboration avec Cooking Channel, dit Eva d'un ton précipité mais sans réplique.

Elle agissait pour le mieux, se rappela-t-elle en voyant s'horrifier son auditoire.

Pour plus d'effet, elle déchira encore quelques pages, puis son père sauta par-dessus la table et fondit sur ce qu'il restait du contrat.

Eva le brandit hors de sa portée en semant de petits morceaux de papier, et Theo renonça. Sans doute s'était-il rendu compte qu'en pourchassant sa fille à travers la pièce il compromettait sa dignité. Il prit une profonde inspiration et passa ses mains dans sa tignasse poivre et sel.

— Peut-on savoir pourquoi tu as choisi de jeter aux orties tout ce pour quoi nous œuvrons depuis que ta mère a conçu ce concours ?

Eva ferma un instant les paupières pour accuser ce coup.

— Papa…

Sa voix avait des inflexions geignardes, mais elle n'y pouvait rien. Il fallait qu'il comprenne.

— Maman aurait détesté cette version du concours.

— Qu'est-ce que tu racontes ? C'est exactement ce dont nous étions convenus. Ce que tu m'as promis ! Et tu me dois des explications.

Près de la porte, Danny remua, attirant l'attention d'Eva. Son visage ne trahissait aucune émotion, il aurait aussi bien pu s'agir d'une statue de bronze. Pourtant, malgré la peine que sa vue lui causait, Eva se réjouit de sa présence : plus que quiconque, il méritait d'entendre la vérité.

— J'ai commis quelques… erreurs de jugement, dit Eva, le menton en avant. J'ai fait des choses dont je ne suis pas fière, dans le seul but de booster l'audimat de l'émission. J'ai compromis mon intégrité, ma déontologie et le concours lui-même.

— Ma chérie…

La voix triste de Claire faillit la faire flancher, mais Eva redressa le buste et poursuivit vaillamment.

— Tout ce dont m'a accusée Danny est vrai. Je ne voulais pas que les choses aillent aussi loin, et je n'ai jamais eu l'intention de truquer la compétition ! Pourtant, c'est ce qui s'est produit. Papa, mon comportement a été méprisable. Or tu sais que maman voulait que ce concours incarne certaines valeurs. Elle voulait mettre en lumière le talent des cuisiniers et non leur vie privée. Je l'ai trahie et j'ai perverti son héritage, et je le regrette amèrement.

La honte et le chagrin lui brûlaient les yeux mais Eva ne baissa pas la tête, non : elle se força à affronter le regard choqué des personnes qui étaient les plus chères à son cœur. De toute sa démarche, ce fut la partie la plus pénible.

— Je vous laisse décider de mon sort. Si vous jugez que je dois renoncer à mes responsabilités, je ne m'y opposerai pas. Je disparaîtrai dès que j'aurai congédié Cheney et que sa troupe sera repartie pour Los Angeles avec tout son barda. Mais avant, j'ai une dernière requête à formuler.

Elle surmonta alors une nouvelle épreuve. Elle soutint le regard de Danny.

— Ne pénalisez pas l'équipe de la Côte Est pour mes erreurs. Et je ne vous dis pas ça uniquement parce que je suis… amoureuse de l'un de ses membres.

Danny cligna des yeux et un spasme agita son menton, comme si sa mâchoire avait manqué de se décrocher. Mais il ne prononça pas un mot. Dans les secondes qui suivirent sa déclaration, Eva sentit son cœur se déchirer comme l'une des feuilles du contrat résilié.

C'était terminé. Elle l'avait bel et bien perdu.

Mais elle avait encore des choses à dire. Elle se déroba au regard de Danny. Son soulagement, toutefois, fut de courte durée : il lui fallait désormais affronter celui de son père.

— Tu hésitais à me confier la direction du concours, mais tu m'as donné une chance, et je t'en remercie infiniment. Ce challenge m'a énormément plu. Je regrette d'avoir échoué. De t'avoir déçu. Mais, surtout, je regrette de m'être déçue moi-même.

Sa voix se brisa et le cou et les joues d'Eva s'empourprè-rent violemment.

Voilà. C'était fait. Son père ne lui remettrait jamais les rênes du groupe Jansen. Elle avait vraiment tout perdu.

— Eva...

Theo fronçait les sourcils, le visage plus buriné que jamais.

— Parfois, le chemin de la réussite est pavé de demi-échecs.

La migraine d'Eva revenait. Le sang lui battait aux tempes et des élancements lui martelaient le crâne.

— Qu'est-ce que tu veux dire ?

Theo soupira.

— Je veux dire... que tu as raison. Ta mère n'aurait pas souhaité qu'on fasse de La Toque d'Or une émission de téléréalité. Et elle m'en aurait voulu à mort de te mettre la pression pour que tu t'orientes en ce sens ! J'avais telle-ment à cœur d'accroître notre visibilité que j'en ai perdu de vue l'essentiel.

Eva hocha la tête et son dos se dénoua comme sous un jet d'eau tiède.

— Le concours, déduisit-elle.

Son père grimaça comme s'il était en proie à une vive douleur.

— Non, Eva. Pas le concours.

Médusée, Eva serra les poings, chiffonnant les feuilles qu'elle tenait toujours entre ses mains moites.

— Quoi, alors ? Je ne comprends pas.

Lentement, Theo alla se placer pile en face d'Eva.

— J'aurais dû te dire ça il y a longtemps. Seulement, jusqu'à récemment, j'ai été trop absorbé par mes propres affaires pour m'apercevoir de ce qui se tramait. Mais à présent, vu la situation... Eva, je tiens à ce que tu saches que je t'admire beaucoup pour ce que tu as fait aujourd'hui. Ce genre d'acte exige beaucoup de courage, et il en faut pour diriger un empire dans l'industrie de la restauration.

Eva tenta de sourire mais son cœur débordait, saturé d'émotions contradictoires.

— Merci, papa.

Theo prit sa fille par les épaules et plongea son regard dans le sien pour donner plus de poids à sa conclusion :

— Eva. Il faut encore que nous discutions de ce qui se passera lorsque je prendrai ma retraite mais, quoi qu'il advienne, tu seras toujours ma fille, et je t'aimerai toujours.

Cette maudite migraine la faisait larmoyer. À moins qu'elle ne soit en état de choc. Quoi qu'il en soit, Eva ne savait que répondre.

— Alors… Tu ne m'en veux pas trop d'avoir déchiré le contrat avec la télé et de démissionner de mon rôle d'organisatrice ?

— Je te l'ai déjà expliqué : tu avais raison en ce qui concerne Cooking Channel, s'irrita Theo. Il faut te le dire en quelle langue ?

La jeune femme retrouvait le père ronchon qu'elle connaissait. Elle se dérida un peu.

— Quant à démissionner, il n'en est pas question, décréta Claire sans demander son avis à personne. Cela se passe de discussion. Je suis le juge en chef et je refuse tout net que tu t'en ailles.

— Vraiment ? Je peux rester ?

Eva n'en croyait pas ses oreilles. Par réflexe, elle consulta son père du regard, s'attendant presque à être punie pour avoir osé s'opposer à lui.

Mais Theo se borna à lui caresser les cheveux et à la prendre par la joue ainsi qu'il le faisait depuis qu'elle était toute petite. Il lui sourit, l'œil un peu humide, lui aussi. Eva, pour sa part, devait lutter pour ne pas éclater en sanglots.

— Et toi, lui dit Theo, tu ne m'en veux pas trop d'avoir été un père lamentable ?

— Oh, papa !

Eva hoqueta et se jeta dans ses bras. Il y avait long-temps que son père ne l'avait plus tenue ainsi contre lui.

— Savoir reconnaître ses erreurs, dit-il, la bouche contre ses cheveux, est l'une des premières choses que doit apprendre tout grand dirigeant. Et, pour les gens comme toi et moi, c'est loin d'être évident.

— Toi, comment y es-tu arrivé ? demanda Eva, le visage enfoui au creux de son épaule.

Elle l'entendit sourire :

— Facile. Ta mère se faisait un devoir de me rappeler que je n'étais pas parfait ! Et que personne n'est infaillible.

La gorge d'Eva se serra.

— Elle me manque, confessa-t-elle en tremblant de la tête aux pieds.

Elle et son père n'évoquaient jamais cette femme dont la mort avait bouleversé leurs vies.

— À moi aussi, Eva. Chaque jour. Mais elle serait si fière de toi ! Et je le suis, moi aussi.

Eva noua ses bras autour du dos large et rassurant de son père et y puisa des forces pour affronter les épreuves qui l'attendaient encore.

Quand l'afflux d'émotions menaça de la submerger, Eva se dégagea de crainte de se mettre à pleurer comme un veau devant tout le monde.

— On se donne en spectacle, murmura-t-elle.

Claire avait les yeux embrumés ; Kane regardait ailleurs, l'air de rien.

Et Danny...

Danny était parti.

Eva n'avait peut-être pas tout perdu, finalement, mais elle avait perdu Danny.

Pour toujours.

Le cœur brisé, Eva rajusta le col de chemise de son père et essuya le mascara qui maculait son veston.

— Je vais parler aux cameramen, dit-elle. Je vous laisse reprendre le cours de vos délibérations.

Theo se rassit et toussota :

— Il est vrai que deux équipes attendent dans l'angoisse notre verdict.

— Ensuite, je filerai à San Francisco préparer les étapes suivantes. Il y a beaucoup à faire ! ajouta Eva avec une gaieté forcée.

Et peu crédible, à son humble avis, mais avec un peu de chance les autres n'y verraient que du feu. Elle se dirigea vers la sortie.

Avec un regard chatoyant, Claire l'intercepta et lui donna une accolade.

— Tu as fait le bon choix, Eva. Je suis fière de toi.

— Mieux vaut tard que jamais, n'est-ce pas ? bredouilla Eva, contrite. Merci de me remettre dans le droit chemin quand je m'égare. On se verra à San Francisco.

Elle adressa un signe à Kane, qui observait un tel silence qu'elle avait presque oublié sa présence, tout occupée qu'elle était à confesser et expier ses péchés, et s'enfuit.

Dans le couloir, elle s'accorda une seconde de répit.

Elle l'avait fait. Elle allait de nouveau pouvoir se regarder dans le miroir. Et son père l'avait bien pris, bien mieux qu'elle n'avait osé l'espérer. Elle avait lavé sa conscience et reconquis l'amour et le respect de son père.

Pourtant, elle était dévastée.

Il ne fallait pas se leurrer. Danny l'avait dévisagée comme une parfaite inconnue. Une inconnue qu'il n'avait aucune envie de rencontrer. Voilà qui en disait long sur ses chances de lui faire comprendre…

… Quoi, au juste ? Il n'y avait rien à comprendre. Aux yeux de Danny, Eva avait commis l'impardonnable.

Elle avait blessé ses coéquipiers. Ses amis.

La lutte était perdue d'avance : Danny privilégierait toujours ses amis à Eva.

Toujours.

34

Dans la tête de Danny, les pensées et les émotions se bousculaient. Ce qu'Eva avait dit, ce qu'elle avait fait, les risques qu'elle avait pris pour réparer ses actes… Il ne parvenait à en tirer aucune conclusion.

De retour en cuisine, il vit Cheney prendre un appel sur son portable et froncer les sourcils puis quitter la salle au pas de course. Danny retint une exclamation.

Eva ne bluffait pas. Elle l'avait vraiment viré !

Quand les juges reparurent, les caméras avaient été éteintes et l'équipe de tournage recouvrait les objectifs et enroulait les câbles. Mais cette agitation ne suffisait pas à faire oublier aux chefs leur préoccupation principale : savoir quelle équipe allait être éliminée.

Le pauvre Winslow, qui supportait mal le suspens, frisait l'hyperventilation. Passant le bras autour de ses épaules, Danny lui redonna des forces et en puisa lui-même dans la présence de ses coéquipiers.

Soudain, le silence se fit. Même les vainqueurs se turent pour savoir qui irait en finale.

Claire Durand s'avança. Son beau visage grave ne conservait pas une trace de la compassion qu'elle venait de témoigner à Eva. Non, lorsqu'elle prit la parole, ce fut avec un détachement tout professionnel.

— Premièrement, comme vous l'avez sans doute remarqué, l'équipe de filmage nous quitte. Nous avons renoncé à diffuser le concours de la Toque d'Or sous forme d'émission télévisée afin de nous recentrer sur l'essentiel : la gastronomie.

Cette révélation déclencha une mini-onde de choc parmi l'assemblée mais Claire haussa une main et le silence revint : les chefs n'y tenaient plus, ils voulaient connaître le verdict.

— Ainsi, après mûre réflexion, les juges ont décidé de départager les candidats de la dernière épreuve sur la base de plats individuels. Les cuisiniers de la Côte Est et ceux du Sud nous ont présenté des plats intéressants et savoureux, qui nous ont beaucoup donné à réfléchir. Cependant, au sein de l'équipe perdante, ce sont les candidats new-yorkais qui ont marqué le plus de points.

Le rythme cardiaque de Danny s'intensifia et Winslow lui agrippa soudain la main.

— C'est pourquoi, reprit Claire, je suis au regret de vous annoncer l'élimination de l'équipe du Sud.

Win ploya sous le bras de Danny, Max poussa un cri de liesse et fit tournoyer Jo dans ses bras, et Beck baissa la tête, les cheveux tombant en voile devant son visage.

Ses hommes sur les talons, Ike Bryar alla serrer la main des juges et les remercier pour cette opportunité. Il était évidemment déçu mais prenait son élimination avec philosophie. Ensuite, il serra la main de chacun des candidats de l'équipe de Danny.

— Il faut bien qu'il y ait un perdant, dit-il.

Winslow avait repris suffisamment de forces pour lui donner une bourrade fraternelle. Bryar sourit :

— C'était un honneur de bosser avec vous. Bonne chance à San Francisco, on croisera les doigts pour vous !

Danny le remercia et le regarda rassembler ses troupes et s'en aller tandis que les autres laissaient bruyamment éclater leur joie.

Étrangement, Danny n'avait pas le cœur à la fête.

Une fois n'est pas coutume, ce fut Max qui s'en aperçut.

— Joins-toi à nous, Danny, c'est la fête ! Larousse a trouvé du champagne, on va trinquer.

Danny tenta de repousser son frère aîné.

— Merci, je ne suis pas d'humeur.

— Comment ça, « pas d'humeur » ?

Max le dévisageait comme si des fleurs en sucre lui jaillissaient des oreilles.

— Danny, permets que je te résume la situation : on part en finale ! On a failli être éliminé, mais non, on va disputer la prochaine étape ! Alors, que tu sois d'humeur ou pas, je m'en balance : tu viens trinquer. C'est une obligation morale.

Danny se frotta le visage et tâcha de s'arracher à sa mélancolie.

— Bon, OK, tu as raison. Montre-moi le chemin.

Max n'en revenait pas :

— Sans rire, tu ne sautes pas de joie ?

— Si, si. Alors, il est où, ce champagne ?

— Qu'est-ce qui t'arrive ?

— Je te dis que ça va ! s'emporta Danny. Tu veux que je me réjouisse et que je festoie, alors qu'on est arrivés derniers ; très bien, festoyons !

Max cacha la bouteille de champagne dans son dos.

— Tu appelles ça te réjouir ?

— Qu'est-ce que tu me veux, à la fin ?

Danny était à bout de patience.

— Je veux que tu me dises ce qui se passe ! Pourquoi est-ce que Winslow a ravalé ses larmes toute la journée ? Pourquoi est-ce que Beck paraît encore plus stoïque que d'habitude ? Et pourquoi tu as la tête de quelqu'un qui vient de marcher dans une bouse de vache ?

— Ça n'a plus d'importance, esquiva Danny. On s'en est tirés. Et tu as raison, ça se fête. L'équipe l'a bien mérité.

Max se fâcha.

— L'équipe, l'équipe... Toi aussi, tu l'as bien mérité !
Tu es pénible, à la fin ! Tu voudrais gérer tout seul les difficultés et tu ne prends jamais ta part des récompenses !
Tu te prends pour un saint, ou quoi ? Tu places la barre
un peu haut !

Danny vit rouge et toute sa colère, toute sa confusion
se concentrèrent en un unique faisceau de rage dirigé
droit vers son frère.

— Moi ? Et si on parlait un peu de toi ? Pendant des
années, j'ai vécu dans ton ombre – une ombre que tu
n'étais même pas là pour projeter ! Essaie un peu de
marcher dans les pas d'un fantôme : il n'y a rien de plus
difficile au monde ! Le fils fantasmé... le fils parfait,
puisqu'il n'existe pas !

La douleur emplit le regard de Max mais sa mâchoire
s'affermit, comme toujours quand on abordait les sujets
graves.

— Je m'en veux de t'avoir fait subir ça. Je m'en veux
que mon départ t'ait fait autant souffrir. Mais, Danny, je
t'ai présenté mes excuses des centaines de fois. Il serait
temps de commencer à me croire.

— Je sais bien que tu es désolé ! Seulement, ça ne
change rien à ce que j'ai dû endurer. Je ne dis pas que tes
excuses ne valent rien à mes yeux mais elles sont insuffi-
santes. Comment je suis censé faire confiance aux gens,
moi, maintenant ? Comment je suis censé croire qu'ils
ne vont pas me quitter sans crier gare du jour au
lendemain ?

Oups, cette dernière remarque était légèrement hors
sujet.

Ce qui n'échappa bien sûr pas à Max. Plissant les yeux,
il pointa sa bouteille vers les juges qui discutaient avec
l'équipe de la Côte Ouest.

— Ça a un rapport avec ta disparition de tout à
l'heure ? Et avec le fait que ce n'est pas Eva Jansen qui a
annoncé les résultats ? Jo dit que tu en pinces pour elle...

Danny eut un ricanement méprisant.

— Ouais, c'est ça. J'en pince pour elle, voilà de quoi il retourne.

Max la jaugea.

— C'est vrai qu'elle est canon. Quoi ? Être au régime n'empêche pas de regarder le menu !

— Oui, elle est canon…

Danny feinta son frère, lui déroba sa bouteille et s'attaqua au morceau de métal qui en retenait le bouchon.

— … Dommage qu'elle soit également menteuse et manipulatrice, ajouta-t-il.

Sauf qu'elle avait fait amende honorable, lui glissa une petite voix. Elle s'était excusée. Platement.

Mais était-ce suffisant ?

— Allez, accouche. Dis-moi ce qui te chiffonne vraiment, dit Max en regardant sa bouteille avec perplexité.

Mais Danny était trop en colère pour accepter son aide. Il fulminait en repensant à la façon dont Eva avait malmené ses coéquipiers, à tel point que ses gestes se firent brutaux et heurtés.

— Tu veux savoir pourquoi Win et Beck étaient dans tous leurs états ? À cause d'elle. C'est elle qui les a blessés.

Il tira brusquement sur le bouchon, qui sauta dans un geyser de champagne et de mousse. Le liquide se répandit sur le plancher.

Hors d'haleine, Danny fixa sa main trempée crispée autour du goulot. Max lui prit doucement la bouteille des mains.

— On dirait plutôt que c'est toi qu'elle a blessé.

— Non ! Ça, ce n'est pas grave. Ce qui compte, c'est…

— Ce qui compte, le coupa Max d'un ton soudain plus ferme, c'est toi. Ce que tu ressens. C'est important, Danny ! Tu ne peux pas passer ta vie à t'effacer pour prendre soin d'autrui.

Les mots de Max ouvrirent une porte que Danny maintenait soigneusement verrouillée depuis des années. Il frémit si fort qu'il lui sembla sentir vibrer ses os. Ses dents se mirent à claquer tandis qu'il s'efforçait de contrôler l'assaut d'émotions qui l'ensevelissait.

Il en voulait effectivement à Eva d'avoir blessé Winslow et Beck. Mais il n'y avait pas que ça. Il se sentait également peiné, trahi, furieux, déçu, et, en proie à ce monstrueux mélange de sentiments, il vacilla.

Max rattrapa la bouteille et emprisonna son frère d'une rude accolade. Danny ne voyait plus rien, et ses dernières défenses mentales tombèrent en poussière.

« Moi. Elle m'a blessé, moi. »

Maintenant qu'il en prenait conscience, il ignorait comment réagir. Aussi se contenta-t-il d'attendre que l'orage passe en respirant péniblement.

— Allez, lui murmura tendrement son grand frère. Laisse-toi aller.

— Abruti, le repoussa Danny. Je ne vais pas me mettre à chialer !

— Ah, non ? Dommage !

— Oh, la ferme.

Mais Danny riait. Gêné, il se passa la main dans les cheveux. Max laissa retomber sur son épaule une bourrade et porta la bouteille à ses lèvres. Ensuite, il s'essuya la bouche et se fendit d'un sourire plein de sollicitude, faisant tomber les dernières pierres du mur que Danny avait érigé en lui pour se protéger de son frère.

— Sérieusement, ça va ? s'enquit Max.

Danny médita sur la question.

Eva l'avait blessé. Mais, dans une certaine mesure, il la comprenait. Il comprenait ce qu'elle avait voulu accomplir, même si elle avait été trop loin. Et cette chose qu'elle avait dite, à la fin, cette chose qui l'avait forcé à tourner les talons et à déguerpir avant de céder à la tentation de la faire chavirer dans ses bras et de plaquer sur sa belle bouche triste un baiser passionné…

« Je suis amoureuse. »

À ce souvenir, quelque chose lui transperça la poitrine. Quelque chose qui ressemblait à s'y méprendre à de l'espoir.

— Je ne sais pas vraiment quoi faire maintenant, dit Danny lentement, mais je pense que ça va aller. Merci, Max.

— De rien. C'est à ça que ça sert, un grand frère : à te signaler quand tu te comportes comme un crétin !

— Tu es un bon frère, lui dit Danny. Tu l'as toujours été, même quand on était gosses.

Une ombre passa sur les traits de Max.

— Pas toujours. Je suis parti.

Danny soupira.

— Tu es humain ! Tu as fait le mauvais choix. Du moins le pensais-je. En fait, peut-être qu'il fallait que tu en passes par là. Pour devenir l'homme dont Jo s'est épris, le frère dont j'ai besoin aujourd'hui... Ne regrette rien.

Il prit une profonde inspiration.

— Moi, je ne le regrette pas.

Max écarquilla les yeux.

— Ben, mon cochon ! Quelle finesse psychologique ! Tu as été long à la détente, mais qu'est-ce que tu apprends vite !

Danny pouffa. Il ne s'était plus senti aussi léger depuis des années. Un lourd fardeau lui glissait doucement du dos.

— Il paraît que ça fait du bien d'exprimer ce qu'on ressent.

— En effet, dit Max. Les moines du temple japonais où j'ai fait ma retraite zen insistaient beaucoup sur l'importance d'affronter ses sentiments. J'avais l'impression de voir Obi-Wan former Luke Skywalker ! Mais je crois que le bouddhisme est antérieur à *La Guerre des étoiles*...

Il haussa les épaules et reprit une gorgée de champagne.

— Bref, quand je suis rentré à New York, j'ai perdu pas mal de temps à me complaire dans mon amertume et ma colère. Quand je me suis enfin ouvert, tout ça s'est envolé comme par magie. Purement et simplement envolé ! Comme un serpent qui perd sa mue.

Danny haussa un sourcil ironique.

— Euh, ton trip mystique, c'est un peu trop pour moi !

— Idiot ! ricana Max. Pour résumer : quand quelqu'un te blesse, il faut le lui dire. Sinon, un jour, tes émotions finissent par te sauter au visage comme un bouchon de champagne.

Il lui agitait la bouteille sous le nez.

— Quel poète, dit Danny, pince-sans-rire. Kane Slater devrait se méfier, la relève est assurée !

— Tu te moques parce que tu m'envies ma profonde sagesse.

— La sagesse est l'apanage du grand âge. D'ailleurs, c'est quand, déjà, tes trente ans ?

— Aïe ! gémit Max, une main sur le cœur. Ça, c'était un coup bas. Allez, assez bavassé, c'est l'heure de faire la fiesta.

Danny rit de bon cœur mais s'écarta, les yeux vers la porte que le jury venait de franchir.

— Je vous rejoins. J'ai un truc à faire avant.

Max ravala ses moqueries le temps d'encourager Danny d'un coup de poing affectueux.

— Tu vas parler à Eva Jansen ? Bonne chance, petit ! La première fois, ça pique un peu. Mais avec le temps, on s'y fait.

Danny en doutait. Il ne savait même pas ce qu'il voulait dire à Eva. Il adressa un petit signe à son équipe qui, surexcitée, bondissait de joie au fond de la cuisine, et fila à l'anglaise. Une chose était sûre : il ne pouvait pas laisser partir Eva sans lui parler.

35

La tête appuyée contre le hublot, Eva s'impatientait. Qu'est-ce que cet avion attendait pour décoller ? Il lui tardait d'incliner son fauteuil. Elle était fourbue jusqu'aux os d'une douleur qui s'aggravait à chaque instant, comme si sa course folle avait seule empêché ses articulations de rouiller.

Le poing pressé contre sa poitrine, Eva fronça les sourcils. Le pire, c'était cette béance derrière ses côtes. Comme si on lui avait découpé le cœur à l'emporte-pièce.

C'était fini. Elle avait tout gâché. Elle avait eu beau tenter de recoller les morceaux, il ne fallait pas se leurrer : Danny Lunden ne lui jetterait plus jamais un regard. Elle ferma les yeux et songea à se réfugier dans le sommeil. Peut-être ferait-elle un rêve agréable.

— Mimosa ?

Rouvrant les yeux, elle se tourna vers l'allée et déclina l'offre du steward.

— Non, merci, je n'ai rien commandé... Oh !

Ce n'était pas un steward qui lui tendait sa flûte.

C'était Danny.

— Qu'est-ce que tu fais là ? bredouilla-t-elle, soudain plombée par l'appréhension. Tu... Vous n'avez pas été éliminés, quand même ? Je peux peut-être arranger ça !

Elle se mit à se démener avec sa ceinture de sécurité mais ses doigts nerveux ne trouvaient pas de prise sur la boucle de métal lisse. Danny s'assit sur le siège voisin et posa sa grande main sur les siennes.

Elle était chaude, sèche, et sa poigne était ferme, et Eva se figea. Seul un léger frisson la traversa.

Déboussolée, elle dévisagea sans comprendre leurs mains jointes.

— Je suis là pour toi, dit Danny.

Eva le regarda, perplexe. Elle comprenait ses mots mais, bizarrement, le sens de son affirmation lui échappait.

— Tu es venu m'engueuler ? s'enquit-elle, épuisée d'avance. Vas-y, lâche-toi. Je sais bien que je le mérite.

Danny resserra sa poigne.

— Non, dit-il d'un ton déterminé et chargé d'émotion. Eva, regarde-moi. Est-ce que j'ai l'air fâché ?

Eva prit son courage à deux mains et détailla l'angle de ses pommettes, la petite fossette de son menton, l'éventail de ses cils interminables et, enfin, ses yeux changeants comme un ciel d'orage.

Il lui sourit et l'arc que décrivit sa bouche sensuelle ramena à la vie le pauvre cœur d'Eva. Il se remit à palpiter doucement dans sa poitrine.

— Si tu n'es pas venu m'engueuler et que ton équipe n'a pas été éliminée... Elle n'a pas été éliminée, rassure-moi ?

Danny secoua la tête sans se départir de son sourire amusé.

Le soulagement inonda Eva. Ouf, au moins, ses égarements ne l'avaient pas pénalisé. Il ne serait pas facile de se regarder en face après ce qu'elle avait fait, et ce qu'elle avait perdu. Si, en plus, elle avait coûté à Danny son rêve le plus cher, elle ne se le serait jamais pardonné.

— J'ai convaincu ton assistant de me céder son fauteuil, lui expliqua Danny. Il avait des choses à régler avec Winslow, alors ça tombait bien. Quant à moi, je ne pouvais pas laisser passer une heure de plus sans te présenter mes excuses.

Eva sursauta si violemment qu'elle se cogna contre le hublot. Danny grimaça pour elle et tendit la main mais elle s'y déroba.

— Pourquoi me devrais-tu des excuses ? C'est moi qui ai fait n'importe quoi.

Le mépris de soi que trahissait sa voix écorcha les nerfs de Danny comme un couteau à découper.

— Tu as commis une erreur, reconnut-il. Mais je comprends pourquoi tu l'as commise. Et je n'aurais pas dû te reprocher l'échec de mon équipe, c'était mesquin de ma part. Nous sommes cuisiniers, nous devons nous montrer à la hauteur quelles que soient les circonstances. Une des premières leçons que m'a enseignée mon père, c'est que, dans ce métier, il faut savoir laisser aux vestiaires sa vie privée.

— Je... C'est très généreux de ta part, articula Eva d'un ton guindé.

Visiblement, elle ne comprenait pas ce que Danny essayait de lui dire. Il tenta de l'éclairer :

— Je te pardonne. Tant qu'en retour tu me pardonnes d'avoir failli te passer le savon du siècle devant ton père ! ajouta-t-il avec une grimace.

— Oh, ce n'est pas... Tu es tout excusé. Mais ce n'est pas pareil. Toi, au final, tu ne l'as pas fait.

— Parce que je n'en ai pas eu l'occasion ! Tu m'as coupé l'herbe sous le pied !

— Euh... Désolée ?

Cette conversation ne se passait pas du tout comme prévu.

— Tu es sûre que tu ne veux pas de ton Mimosa ? insista Danny, une note plaintive dans la voix.

— Non, sans façons.

Eva s'appuya contre son dossier, les traits graves et détendus.

— Si tu n'as rien d'autre à me dire, Danny, je te remercie pour ta compréhension et pour ta magnanimité. Je n'en attendais pas tant. Je n'en méritais pas tant ! Ce que je mérite, c'est la torture de te voir là, si près de moi, de savoir que tu connais mes…

Elle buta sur le mot et le cœur de Danny se noua en voyant le masque de la jeune femme se fendre sous ses yeux. Elle reprit :

— Que tu connais mes sentiments pour toi. Mais je t'en prie. Si vraiment tu m'as pardonnée, accorde-moi cette ultime faveur. Pars. Laisse-moi seule.

Voilà qu'elle le suppliait. Ce retournement de situation ragaillardit Danny.

— Non, je n'en ai pas l'intention, dit-il sur le ton de la conversation en s'installant plus confortablement. Je n'ai jamais mis les pieds à San Francisco. Tu pourrais me montrer le Golden Gate Bridge, qu'est-ce que tu en dis ?

Eva ouvrit des yeux ronds et rosit légèrement.

— Danny ! Tu ne plaisantes pas ? Tu restes ? Tu ne me laisses pas ?

— Drew et moi, on a dû faire des pieds et des mains pour que je puisse récupérer son billet, alors pas question ! Et puis j'ai vraiment envie de visiter Frisco.

— Évite d'appeler la ville comme ça. Les gens vont se moquer de toi.

— Comme tu voudras, dit Danny, complaisant. San Fran', c'est mieux ? Dis, on pourra aller au Ghirardelli Square ? C'est là qu'est implanté mon fournisseur de chocolat pâtissier…

Eva le dévisageait comme s'il tombait de la lune. Un long silence s'étira entre eux. Enfin, elle balbutia :

— Tu te sens bien ? Ton comportement est un peu… déconcertant.

— Ah, tu trouves ? Je pensais pourtant que le message était clair.

— Pas vraiment, alors je te prierais de t'expliquer, répondit-elle, acide.

Acide comme de la tarte au citron. Et sèche comme la meringue qui la surmontait. Et Danny en raffolait.

— Les candidats ont une semaine de liberté avant le début de la finale. Moi, je vais la passer à San Francisco avec toi, pour t'aider à tout préparer. Ou pour jouer les touristes pendant que tu bosses, à toi de décider. Je ne suis pas difficile.

— C'est toi qui le dis…, marmonna-t-elle.

Il fit la sourde oreille.

— Je n'ai qu'une seule condition. Mais elle est non négociable !

Il se pencha tout contre elle.

— Le soir, quand tu auras fini de bosser et que tu me rejoindras à l'hôtel ou au restau, tu me laisseras t'épauler.

Le souffle d'Eva s'accéléra. Danny vit sa poitrine qui se soulevait de plus en plus rapidement. Mais elle se contenta de murmurer :

— Je ne comprends toujours pas ce que tu es en train de me dire…

— Je suis en train de te dire que tu n'es pas seule. Tu n'auras plus jamais à l'être. Tu ne seras pas seule à San Francisco, et tu n'es pas non plus la seule à avoir des sentiments.

Zut, sa déclaration était complètement ratée ! Il aurait dû la préparer.

Eva, cependant, paraissait moins critique : ses yeux pétillaient et tout son visage rayonnait d'un mélange d'espoir, d'appréhension, de soulagement et d'amour ainsi que d'une timide confiance naissante. Elle irradiait de bonheur.

— Danny, souffla-t-elle. Tu parles sérieusement ?

Il s'approcha encore et effleura sa joue du bout de son nez, se régalant au passage de sa peau douce à l'odeur citronnée.

— Tout à fait.

Elle se dégagea et fit la moue.

— Mais… et tes coéquipiers ? Tu vas les laisser se débrouiller tout seuls d'ici là ?

Danny ressentit un petit pincement mais il se maîtrisa.

— Mes coéquipiers sont adultes et responsables. Enfin, presque. Il est temps de couper le cordon. Ils savent qu'ils peuvent toujours compter sur moi, mais ils n'ont pas besoin de m'avoir sur le dos en permanence. Et moi aussi, j'ai besoin de souffler.

Elle eut un petit hoquet ; il sentit son haleine tiède sur sa joue.

— Qu'est-ce qui a changé ?

— Je t'ai rencontrée, Eva. C'est de toi que j'ai envie de prendre soin, désormais.

Elle plissa les yeux mais cela ne suffit pas à masquer l'immense joie qui émanait de tout son être. Pourtant, prudente, elle insista :

— Mais tu me laisseras prendre soin de toi en retour, hein ? Promis ?

Danny fit mine d'y réfléchir :

— J'essaierai de me faire à cette idée.

Et il appuya son front contre celui d'Eva. Qui ferma les paupières.

— J'ai l'impression de rêver. Quand je suis entrée dans la salle des juges, tout à l'heure, je m'apprêtais à tout perdre. Au lieu de quoi mon père m'a dit qu'il m'aimait envers et contre tout, et te voilà, à côté de moi.

— Me voilà, confirma Danny. Et je te dis la même chose que lui.

Elle étouffa un sanglot. Il l'embrassa – ses lèvres étaient salées de larmes. Danny les sentit trembler : elle avait besoin de l'entendre.

— Je t'aime, Eva. Envers et contre tout.

Danny lui chuchota ces mots comme un secret mais il n'avait encore jamais ouvert ainsi son cœur à personne.

— Tu sais, quand papa m'a nommée responsable de La Toque d'Or cette année, j'ai pensé que c'était la chance de ma vie. Celle qui m'apporterait tout ce dont je rêvais. En fait, elle m'a apporté bien plus que ça. Elle m'a fait découvrir en moi des envies insoupçonnées... et elle les a comblées.

Son accent de sincérité, la vérité évidente de ce qu'elle lui confiait firent redoubler d'ardeur le cœur de Dany.

— Je t'aime, lui dit-elle, l'œil humide, et c'est parti pour durer. Tu es tout ce que je désire, Danny Lunden.

— Tu ne vas pas regretter ta cour d'admirateurs et ta vie de diva ? La presse people ne s'en relèvera pas...

— Pfff. Je n'ai pas besoin d'admirateurs. J'ai l'homme de ma vie dans mes bras.

Danny sourit.

— Mais les soirées, les galas, les inconnus se jetant à tes pieds... Ta vie d'aventurière ne va pas te manquer ?

Eva arqua l'un de ses jolis sourcils et afficha cette fameuse expression qui le faisait craquer. Une expression diaboliquement aguicheuse, pleine de mystère et de danger.

Lui aussi s'était découvert des envies insoupçonnées. Et Eva les avait comblées.

— Qui a dit que je devrais renoncer à ma vie d'aventurière ? lui susurra-t-elle en ondoyant pour se coller à lui.

Danny remua sur son siège, soudain à l'étroit dans son jean. Si seulement il avait eu la clairvoyance de demander à l'hôtesse une couverture !

— Eva...

Il sentit son sourire sur sa joue.

— Pas de panique. Dorénavant, je ne jouerai plus les aventurières que pour toi. À propos, tu as déjà fait l'amour dans un avion ?

Gémissant et riant à la fois, Danny la prit dans ses bras et embrassa sa bouche malicieuse. Elle se tortilla, avide, et entrouvrit les lèvres.

— Tu as un goût délicieux, lui dit Danny.

— Un goût de quoi ? souffla-t-elle, hors d'haleine.

Danny s'attendrit : si un seul baiser la mettait dans un tel état, quel effet lui ferait le deuxième ? Il l'embrassa de plus belle. Puis il la contempla d'un regard satisfait : elle avait le regard vitreux et les joues cramoisies.

— Tu as un goût d'espoir et de bonheur, lui chuchota-t-il, de joie et d'excitation. Un goût du vaste monde qu'il me tarde de découvrir avec toi. Un goût d'amour.

Elle se troubla. Passa sa jolie langue sur ses lèvres pulpeuses.

— Ah ? Et l'amour, ça a quel goût ?

Danny l'embrassa une troisième fois.

— C'est acide et doux à la fois. C'est complexe et puissant. Et on ne s'en lasse pas.

Eva leva le menton pour quémander de nouveaux baisers et Danny ne se fit pas prier.

Il l'embrassa pendant que l'avion gagnait la piste de décollage. Il l'embrassa pendant que l'appareil prenait de la vitesse. Il l'embrassa quand ils quittèrent la terre. Il l'embrassa tandis qu'ils s'élevaient toujours plus haut dans les nuages, libres et légers.

Il lui faudrait toute une vie pour achever d'explorer le goût de la bouche d'Eva Jansen. Peut-être davantage.

Danny avait tout son temps.

Recettes

Compotée de prunes au citron

1 kg de prunes rouges bien fermes, dénoyautées et coupées en quartiers (soit environ cinq grosses prunes)
170 g de sucre brun
1/2 cuiller à café/2 ml de zeste de citron
2 cuillers à café/4 ml de jus de citron
2 branches de thym frais

Déposez les prunes, le sucre, le zeste et le jus dans une casserole. Faites cuire le tout à feu doux en remuant régulièrement. Au besoin, ajoutez du sucre. Au bout de trente minutes, ajoutez le thym, et faites cuire encore pendant quinze à vingt minutes.

Une fois les prunes ramollies et la sauce épaissie, retirez la casserole du feu. En refroidissant, le mélange va encore épaissir. Retirez les branches de thym et laissez refroidir complètement. Ce dessert se sert avec de la glace ou du gâteau au yaourt. On peut aussi l'utiliser pour farcir un gâteau de crêpes, comme dans la recette de crème pâtissière façon Danny !

Crème pâtissière façon Danny

1 gousse de vanille
25 cl de lait demi-écrémé
120 g/12 cl de crème épaisse
45 ml/g de Maïzena
5 jaunes d'œufs
120 g de sucre en poudre (90 g et 30 g)
60 g de beurre en dés

Mélangez le lait et la crème dans une casserole à fond épais de taille moyenne. Fendez la gousse de vanille et ajoutez les grains au mélange, puis déposez-y la gousse. Ajoutez les 90 grammes de sucre en poudre et faites chauffer à feu moyen jusqu'à ce que le mélange frémisse. Lorsqu'il est bien chaud, remuez afin de dissoudre tous les grains de sucre.

Pendant que le lait chauffe, battez les jaunes d'œufs dans un saladier de taille moyenne jusqu'à obtenir une texture homogène. Ensuite, ajoutez-y les 30 grammes de sucre et fouettez jusqu'à ce que le mélange mousse et que le sucre commence à se dissoudre (soit pendant environ trente-cinq secondes). Ajoutez progressivement la Maïzena en fouettant encore et toujours jusqu'à ce que le mélange blanchisse et forme un appareil homogène.

Lorsque de petites bulles se forment à la surface du lait, retirez la gousse de vanille. Prélevez à l'aide d'une louche un peu de lait chaud et ajoutez-le à l'appareil à base d'œuf. Fouettez et répétez. Il est important de procéder de manière progressive afin d'éviter que les œufs ne cuisent ! Procédez lentement sans cesser de fouetter jusqu'à ce que vous ayez des crampes dans le bras ou qu'il ne reste plus de lait dans la casserole.

Reversez le mélange dans la casserole et chauffez à feu doux. Fouettez. Je sais, vous avez mal au coude, mais le résultat en vaudra la chandelle, et vous êtes presque au bout de vos peines. Fouettez encore vigoureusement pendant quarante-cinq secondes jusqu'à ce que l'appareil épaississe et devienne lisse et crémeux.

Retirez la casserole du feu et ajoutez un par un les dés de beurre. Ensuite, passez la mixture à la passoire en vous aidant du dos d'une cuiller ou encore d'une spatule et recueillez-la dans un saladier. Cette étape peut sembler fastidieuse mais elle vous garantira une crème onctueuse et sans grumeaux.

Recouvrez le saladier de film étirable sans laisser d'air entre la crème et le film afin d'éviter la formation d'une pellicule. Placer au minimum trois heures au réfrigérateur afin que la crème prenne bien ; vous pouvez aussi l'y laisser toute une nuit.

La crème pâtissière sert à la confection de nombreux desserts. On l'utilise notamment pour garnir les choux, les éclairs, les fonds de tartes aux fruits… ou même les pancakes à la française !

Pancakes à la française d'Eva

25 cl de lait demi-écrémé
2 gros œufs
30 g de sucre en poudre
2 ml de zeste de citron
160 g de farine
Une pincée de sel
Beurre (pour la poêle)
Sucre glace (pour la décoration)

Versez tous les ingrédients dans un mixeur, dans l'ordre indiqué, et mixez pendant environ une minute. Si de la farine adhère aux parois, décollez-la à la spatule et remettez-la dans l'appareil.

L'appareil sera plus maniable si vous laissez reposer la pâte pendant une heure environ ; ainsi les bulles d'air remontent à la surface. Si vous êtes pressé, toutefois, ce n'est pas absolument nécessaire !

Le moment venu, faites chauffer une poêle à feu moyen. Il faudra jouer avec la chaleur des plaques au fur et à mesure afin de déterminer la température idéale. Comme l'explique Danny, si la plaque est trop chaude, vous aurez du mal à recouvrir tout le fond de la poêle pour obtenir des crêpes bien rondes. Mieux vaut, à choisir, une poêle tiède : vous pourrez toujours augmenter le feu.

Faites fondre un morceau de beurre dans la poêle. Lorsqu'il est bien fondu, versez-y un peu d'appareil à crêpes (la quantité à verser dépend de la taille de votre poêle. Si vous en versez trop, la crêpe sera trop épaisse. Si vous n'en versez pas assez, elle sera trop fine et risquera de se déchirer). Il s'agit de verser l'appareil au centre de la poêle puis de le répartir jusqu'aux bords en inclinant rapidement la poêle sur les côtés de façon à former un cercle.

Remettez la poêle sur le feu et laissez cuire jusqu'à ce que les bords se décollent. On peut à ce stade vérifier la cuisson de la crêpe en la soulevant à l'aide d'une cuiller en bois. Ensuite, retournez la crêpe à l'aide d'une cuiller, du bout des doigts, ou, pour les Julia Child en herbe, en la faisant sauter ! Personnellement, je fais cela à la main : cela évite à coup sûr que la crêpe ne se déchire ou ne se replie sur elle-même.

Faites cuire l'autre face pendant vingt ou trente secondes puis déposez-la sur une assiette. Répétez l'opération jusqu'à ce qu'il ne reste plus d'appareil. Cette recette permet de réaliser huit à dix crêpes, selon la taille de la poêle.

Je sais, ça a l'air compliqué comme ça, mais en réalité c'est très simple, il suffit d'un peu d'entraînement ! L'avantage, c'est que les éventuelles imperfections des crêpes disparaissent lorsqu'on les tartine de confiture, qu'on les enroule, qu'on les saupoudre de sucre. On peut aussi les déguster avec du citron ou s'en servir d'aumônière... ou encore réaliser avec un gâteau de crêpes.

Pour ce faire :

Sortez du réfrigérateur la compote et la crème pâtissière afin qu'elles soient à température ambiante lors de la confection. Posez une crêpe sur une assiette et tartinez-la de crème pâtissière. Recouvrez le tout d'une nouvelle crêpe. Tartinez-la de compote. Recouvrez-la à son tour, et renouvelez ces opérations jusqu'à ce que votre gâteau atteigne la hauteur désirée. Pour un plus gros gâteau, doublez les proportions de la recette de crêpes. N'oubliez pas de conserver la plus réussie pour le haut de la pile – et ne la tartinez pas !

Conservez au frais pendant au moins deux heures. Avant de servir, saupoudrez de sucre glace, puis tranchez. Pour cela, utilisez un couteau bien aiguisé et procédez tout en douceur ! Les différentes couches devraient tenir, mais cela reste un gâteau délicat, dans tous les sens du terme ! Il demande un peu de travail mais on peut le préparer à l'avance et ses différents composants sont simples à réaliser. Et il vous permettra à coup sûr d'en mettre plein la vue à votre patron ou à votre belle-mère, à moins que vous ne préfériez le réserver à votre famille, juste pour la remercier d'exister.

*Découvrez les prochaines nouveautés
des différentes collections J'ai lu pour elle*

AVENTURES
&PASSIONS

Le 4 décembre

Inédit **Les chevaliers des Highlands - 4 - La vipère**
cଛ **Monica McCarthy**
1307, Écosse. Lachlan MacRuairi est un mercenaire. Sa seule
fidélité est à celui qui le paye. Mais cette carapace vole en éclats
lorsqu'il est chargé d'escorter Bella MacDuff pour le couronne-
ment du roi d'Écosse. En effet, sans le savoir, la fière et sensuelle
comtesse écossaise le met face au plus grand défi de sa vie : aimer
à nouveau...

Inédit **Les Mackenzie - 6 - Daniel Mackenzie,
Un sacré coquin cଛ Jennifer Ashley**
Daniel Mackenzie est à la hauteur de la réputation de sa
scandaleuse famille : il est riche, beau, talentueux, et les femmes
l'adorent. Lorsqu'il rencontre Violet Bastien, l'une des plus
célèbres médiums d'Angleterre, il se rend compte immédiatement
que Mlle Bastien est une impostrice, et qu'il est attiré par elle.
Malheureusement, la jeune femme rattrapée par son passé fuit
l'Angleterre. Daniel est bien déterminé à la retrouver coûte que
coûte...

Brûlés par le désir cଛ Johanna Lindsey
Kimberley ne décolère pas : son père vient de lui ordonner de se
trouver un mari et de quitter au plus vite le château familial.
Furieuse, elle accepte l'invitation de la duchesse de Wrothston au
manoir de Sherring Cross. Elle y fait la connaissance de Ian
MacGregor, un Écossais qui est le pire des voyous, un rustre
qu'elle n'hésite pas à remettre à sa place. Mais c'est aussi l'homme
le plus séduisant qu'elle ait jamais rencontré...

Le prince de Mayfair ↺ **Brenda Joyce**

Jolie mais vulgaire… Ces commentaires méprisants, Violette Goodwin, issue des bas-fonds de Londres, y est habituée. Pourtant qu'on l'accuse d'avoir assassiné son mari, c'en est trop ! Qu'avait-elle à y gagner ? À la mort de son époux, les créanciers lui ont confisqué tous ses biens. Désormais, sa principale crainte est de finir à la rue. Bien sûr, elle pourrait tirer parti de sa beauté auprès de nombreux hommes, mais elle s'y refuse car son cœur appartient au ténébreux et inaccessible Blake Harding.

PROMESSES

Le 4 décembre

$\mathcal{P}$assion intense

Des romans légers et coquins

Le 4 décembre

Inédit **Les Sullivan - 1 - La passion dans tes yeux**
ca **Bella Andre**

Photographe professionnel, Chase Sullivan est un vagabond qui parcourt le monde. De temps à autre, toutefois, il rejoint San Francisco, où il retrouve ses sept frères et sœurs. Entre voyages et retrouvailles au sein de la fraterie Sullivan, il pense mener la vie rêvée. Pourtant, quand il fait la connaissance plus qu'innattendue de Chloé sur la route de Napa Valley, il comprend au premier regard qu'il lui manquait une chose essentielle : la passion…

Et toujours la reine du roman sentimental :

Barbara Cartland

« Les romans de Barbara Cartland nous transportent dans un monde passé, mais si proche de nous en ce qui concerne les sentiments. L'amour y est un protagoniste à part entière : un amour parfois contrarié, qui souvent arrive de façon imprévue. Grâce à son style, Barbara Cartland nous apprend que les rêves peuvent toujours se réaliser et qu'il ne faut jamais désespérer. »
Angela Fracchiolla, lectrice, Italie

Le 4 décembre
Un baiser pour le roi

10549

Composition
FACOMPO

Achevé d'imprimer en Italie
par GRAFICA VENETA
le 4 novembre 2013.

Dépôt légal : novembre 2013.
EAN 9782290059371
L21EPSN001033N001

ÉDITIONS J'AI LU
87, quai Panhard-et-Levassor, 75013 Paris

Diffusion France et étranger : Flammarion